EL COLOR
DE LA PASIÓN

Amor y Aventura

EL COLOR
DE LA PASIÓN

Jude Deveraux

Traducción de Juanjo Estrella

VERGARA
GRUPO ZETA

Barcelona • Bogotá • Buenos Aires • Caracas • Madrid • México D.F. • Miami • Montevideo • Santiago de Chile

Título original: *Scarlet Nights*
Traducción: Juanjo Estrella
1.ª edición: noviembre 2013

© 2010 by Deveraux, Inc.
© Ediciones B, S. A., 2013
   para el sello Vergara
   Consell de Cent 425-427 - 08009 Barcelona (España)
   www.edicionesb.com

Printed in Spain
ISBN: 978-84-15420-46-0
Depósito legal: B. 21.665-2013

Impreso por Relligats Industrials del Llibre, S.L.
Av. Barcelona, 260
08750 Molins de Rei

1

Fort Lauderdale, Florida

—Creo que he dado con ella —anunció el capitán Erickson con voz forzada, haciendo lo posible por reprimir su alegría.

Estaban sentados a una mesa de picnic del Hugh Taylor Birch State Park, junto a la autopista A1A de Fort Lauderdale. Era una mañana de septiembre y empezaba a refrescar en el sur de Florida. Unas semanas más, y la temperatura resultaría deliciosa.

—Supongo que hablas de Mitzi —dijo Mike Newland, pues el día anterior el capitán le había hecho entrega de un abultado informe sobre la familia. Mizelli Vandlo era una mujer a la que llevaban varios años buscando diversos departamentos de policía, incluida la Brigada Antifraude de Fort Lauderdale, además del Servicio Secreto. Que se supiera, solo existía una fotografía de ella, tomada en 1973, y era de cuando tenía dieciséis años y estaba a punto de casarse con un hombre de cincuenta y uno. Ya entonces no era ninguna belleza y su rostro, de nariz grande y labios demasiado finos, no era de los que se olvidaban fácilmente.

Como el capitán no decía nada, Mike supo que se avecinaba un «caso de los gordos», e intentó por todos los medios no mostrar su desagrado. Acababa de resolverse un caso en el que él había trabajado como infiltrado y que le había llevado tres años, período durante el cual habían intentado matarlo varias veces.

Aunque Mike no había trabajado en el caso Vandlo, sabía que hacía algunos años se habían producido algunas detenciones importantes en la familia, todas en un mismo día, aunque en ciudades distintas. Pero a Mitzi, a su hijo Stefan y a algún otro pariente —de los que sí poseían abundantes fotografías— les habían dado un soplo y habían conseguido escapar tranquilamente. Hasta hacía muy poco, nadie sabía dónde se ocultaban.

Mike sirvió en una taza el té verde que llevaba en un termo y se lo ofreció al capitán.

—No, gracias —lo rechazó él, negando con la cabeza—. Prefiero seguir con lo mío. —Y levantó una lata de algo lleno de aditivos y cafeína.

—¿Y dónde está? —preguntó Mike, con la voz más ronca que de costumbre. A menudo debía dar explicaciones por su ronquera, y, salvo excepciones, explicaba que era consecuencia de un accidente infantil, lo que era solo una verdad a medias. A veces incluso lo adornaba un poco más e inventaba historias de triciclos o accidentes de coche, según le diera ese día. Pero fuera cual fuese la historia, la voz de Mike intimidaba tanto como su cuerpo cuando pasaba a la acción

—¿Has oído hablar alguna vez de...? —Mientras el capitán rebuscaba un pedazo de papel en el bolsillo de la camisa, Mike se daba cuenta de que no era haber encontrado a Mitzi lo que lo tenía entusiasmado. En realidad, aquella era al menos la sexta vez que decían que habían dado con ella—. Ah, aquí está. —El capitán recorría el papel con la mirada—. A ver si logro pronunciar bien el nombre de este sitio.

—Checoslovaquia ya no existe —soltó Mike, muy serio.

—No, no, esto está aquí, en Estados Unidos. Por el norte.

—Jacksonville está «por el norte».

—Ya lo tengo —dijo el capitán—. Eddy no sé qué. Eddy... Lin.

—Eddy Lin es nombre de persona, no de sitio.

—Tal vez no lo digo bien. Dilo más deprisa.

Mike apretó la mandíbula. No le gustaba el juego al que intentaba jugar el capitán, fuera el que fuese.

—Edilean. No lo he oído en mi vida. ¿Y dónde dices...? —Mike hizo una pausa, y aspiró hondo—. E-di-lean —repitió en voz tan baja que el capitán casi no lo oyó—. Edilean.

—Eso es. —El capitán se guardó el papel en el bolsillo—. ¿Te suena?

A Mike empezaron a temblarle tanto las manos que no se atrevía a levantar la taza. Les pidió que se detuvieran, mientras hacía esfuerzos por relajar los músculos del rostro para impedir que aflorara el pánico que sentía. Solo le había contado a un hombre lo de Edilean, y de aquello hacía ya mucho tiempo. Si aquel hombre tenía algo que ver con el caso, iba a ser peligroso.

—Estoy seguro de que ya habrás averiguado que mi hermana vive ahí —dijo al fin, en voz baja.

La sonrisa del capitán se esfumó. Su intención era meterse un poco con Mike, pero le desagradaba ver que uno de los hombres a sus órdenes mostraba tan descaradamente sus emociones.

—Eso me han dicho, sí, pero este caso no tiene nada que ver con ella. Y antes de que me lo preguntes, nadie salvo el fiscal general y yo sabe que tu hermana vive ahí.

Mike intentaba mantener a raya los latidos de su corazón. A lo largo de su vida, muchas veces había tenido que hacer creer a gente que era quien no era, y había aprendido a mantener la calma a toda costa. Pero, en esas ocasiones, había sido su vida la que había estado en peligro. Si sucedía algo en la diminuta localidad de Edilean, Virginia, entonces lo que se veía amenazado era la vida de la única persona que le importaba: su hermana Tess.

—¡Mike! —exclamó el capitán en voz alta, antes de regresar a su tono habitual—. Vuelve a la tierra. Nadie sabe nada de tu pueblo, ni de ti, ni de tu hermana, y además ella está perfectamente. —Titubeó—. Deduzco que estáis bastante unidos...

Mike se encogió de hombros. La experiencia le había enseñado a revelar lo menos posible sobre sí mismo.

—Está bien, no me cuentes nada si no quieres. Pero conoces el lugar, ¿verdad?

—No he estado ahí en mi vida —respondió, forzando una sonrisa. Volvía a ser el de siempre, y le alegró ver que el capitán fruncía el ceño. A Mike le gustaba ser el que controlaba la situación—. ¿Pero por qué no me cuentas de qué va todo esto? Me cuesta creer que en un pueblo tan pequeño como Edilean haya ocurrido algo malo.

«Al menos desde 1941», pensó, mientras unas cien imágenes se agolpaban en su mente, y ninguna de ellas, buena. Aunque era cierto que, en realidad, no había estado nunca allí, aquel lugar, y sus habitantes, habían marcado su infancia. No pudo evitar llevarse una mano al cuello al recordar aquel día, y a su abuela enfurecida, llena de odio.

—No ha ocurrido nada, al menos de momento —respondió el capitán—. Pero sabemos que Stefan está ahí.

—¿En Edilean? ¿Y qué pretende?

—No lo sabemos, pero está a punto de casarse con una chica del pueblo. —El capitán le dio un sorbo a su refresco—. Pobrecilla. Se crio en un rincón del mundo donde se venden tractores, y entonces llega él con sus maneras de hombre de gran ciudad y la seduce al momento. Así cualquiera.

Mike volvió la cabeza para ocultar su sonrisa. El capitán era originario del sur de Florida, donde había tiendas en todas las esquinas. Sentía lástima por la gente que tenía que usar palas de buena mañana para abrir caminos en la nieve y poder salir de su casa.

—Se llama Susie. O algo así. Empieza con ese. —Levantó el dosier que tenía a su lado, sobre el banco—. No, Sara. Sara...

—Shaw —se adelantó Mike—. Va a casarse con Greg Anders. Aunque deduzco que Greg Anders es, en realidad, el hijo de Mitzi, Stefan, ¿no?

—Pues la verdad es que sabes bastante de ese sitio, para no haber estado nunca allí. —El capitán hizo una pausa, para dar tiempo a Mike de explicarse. Pero Mike no decía nada, así que prosiguió—. Sí, es Stefan, y tenemos razones para creer que Mitzi también vive en el pueblo.

—Nadie se fijaría en una mujer de mediana edad...

—Exacto. —El capitán le alargó el dosier, empujándolo sobre la mesa—. No sabemos qué está pasando, ni por qué dos delincuentes como ellos están ahí, y por eso necesitamos a alguien que lo averigüe. Y como tú tienes un vínculo con ese sitio, te ha tocado a ti.

—Y yo que nunca me había considerado un tipo con suerte...

Al abrir el dosier, Mike vio que la primera página correspondía a Decatur, el departamento de policía de Illinois. Perplejo, miró al capitán.

—Ahí se explica cómo encontraron a Stefan. Un policía fuera de servicio estaba de vacaciones en Richmond, Virginia, con su esposa, y vio a Stefan y a la chica en una tienda de ropa de mujer. Y averiguó dónde vivían. En cuanto a ti, un hombre con el que trabajaste hace muchos años sabía lo de Edilean y tu hermana. —Mike frunció el ceño, y el capitán no pudo evitar una sonrisa. El secretismo de Mike, su «derecho a la intimidad», como él lo llamaba, podía resultar desesperante. En la brigada antifraude todos salían juntos a tomar unas cervezas, y al final de la noche el capitán ya se había enterado de a quién lo había dejado su mujer y quién salía con alguna «busca-polis», y también de quién estaba teniendo problemas con algún caso. Pero Mike nunca contaba nada. Se expresaba como los demás cuando se trataba de explicar sus sesiones de entrenamiento, lo que comía, o incluso de contar detalles sobre su coche. Parecía que hablaba mucho de sí mismo, pero al día siguiente el capitán se daba cuenta de que no había descubierto nada personal sobre él.

Cuando el asistente del fiscal general del Distrito Sur de Florida le llamó para decirle que creían que uno de los delincuentes más conocidos de Estados Unidos podía esconderse en Edilean, Virginia, y que la hermana de Mike Newland vivía ahí, al capitán casi se le atraganta el café. Habría apostado dinero a que Mike no tenía ni un solo pariente en el mundo. De hecho, ni siquiera estaba seguro de que su subordinado hubiera tenido novia alguna vez. Nunca traía a ninguna chica a los actos de la brigada y, que él supiera, nunca había invitado a ninguna a sus apartamentos, en los que no vivía más de seis meses. Pero lo cierto era que Mike era el mejor miembro de la policía secreta que habían tenido. Tras cada caso, debía esconderse hasta que toda la gente a la que había descubierto entraba en prisión.

Mike cerró el dosier.

—¿Dónde tengo que ir, y qué tengo que hacer?

—Queremos que la salves.

—¿A Mitzi? —preguntó, sinceramente horrorizado—. ¿Para que puedan juzgarla?

—No, a Mitzi no. A la chica. Claro que queremos que encuentres a Mitzi, pero también queremos que protejas a esa tal Sara Shaw. Una vez que los Vandlo le saquen lo que quieren, ya nadie volverá a verla con vida. —Hizo una pausa—. Mike...

Mike miró fijamente al capitán.

—Si es cierto que tu hermana vive allí, y ellos llegan a saber de ti...

—No te preocupes —dijo Mike—. En este momento Tess está en Europa, de luna de miel. Le pediré que no regrese al pueblo con su flamante marido hasta que todo esto se solucione de una manera o de otra.

El capitán abrió entonces otra carpeta y extrajo de ella la fotografía grande de una mujer morena, de ojos castaños. Era de una belleza extraordinaria. En la imagen aparecía de pie, junto a un semáforo, esperando a que se pusiera en verde, y un viento suave le pegaba la ropa a la piel. Tenía un tipo que cortaba el aliento.

—¿Así es tu hermana? ¿En serio?

Mike apenas le echó un vistazo.

—Solo en sus peores días.

El capitán parpadeó varias veces.

—Está bien. —Colocó entonces una foto de Sara Shaw sobre la mesa. La joven tenía el rostro ovalado, el pelo claro, y llevaba un vestido blanco que le daba un aspecto tan dulce como el de la hermana de Mike, o mejor dicho, tentador—. No es el tipo habitual de Vandlo.

Mike levantó la fotografía y se dedicó a estudiarla. No tenía intención de contarle al capitán que sabía bastante sobre Sara Shaw. Era una de las dos mejores amigas de su hermana, que no era poco, porque Tess tenía una lengua afilada que ahuyentaba a mucha gente. Pero, desde su primer encuentro, Sara había mirado más allá de las duras palabras de Tess, y de su extraordinaria belleza, y había visto a la persona que había debajo.

—¿La conoces?

—No la he visto nunca, pero he oído hablar de ella. —Dejó la foto sobre la mesa—. Así que nadie tiene ni idea de lo que los Vandlo están haciendo en Edilean.

—Hemos investigado mucho, tanto a distancia como in situ, pero nadie ha sacado nada en claro. Se trate de lo que se trate, la señorita Shaw parece encontrarse en el centro de todo. ¿Es rica y nadie lo sabe? ¿Está a punto de heredar muchos millones?

—No, que yo sepa. Acaba de abrir una tienda con... —Su hermana lo mantenía al día de los chismes de Edilean, pero no era fácil acordarse de todo. Ahora, en cambio, le parecía que todo lo que le había contado era de vital importancia—. Con su prometido, Greg Anders. Tess no soporta a ese tipo, dice qué desprecia a todo el que no le compra algo. Pero mi hermana le lleva toda la contabilidad a Sara, o sea que debe de haberse asegurado de que nadie la endeude.

—Sí, es muy propio de los Vandlo. —El capitán vaciló—. ¿Tu hermana se ocupa de las finanzas de la gente? —Lo dijo en un tono que no dejaba lugar a dudas: le costaba creer que una mujer tan guapa fuera también inteligente.

Mike no se molestó siquiera en responder. Conocía bien la curiosidad del capitán por su vida privada, y no pensaba revelarle nada.

—O sea, que lo que quieres es que atrape a esos delincuentes, pero al mismo tiempo tengo que alejar a la encantadora señorita Shaw de Stefan Vandlo, ¿no es eso? ¿Y debo limitarme a seguirlos y a observar? ¿O tengo que hacer algo más?

—Tienes que hacer lo que haga falta para preservar su vida. Creemos que Stefan matará a Sara en cuento obtenga lo que quiere de ella, y lo que parece querer con más ahínco es casarse con ella.

—Mi intuición me dice que como los vestidos que venden en la tienda son caros, Sara debe de tener acceso a muchas casas ricas. Tal vez a los Vandlo les interese ver qué hay en ellas.

13

—Eso creíamos nosotros también, pero Vandlo ya tiene acceso a esas casas desde que están prometidos, y sin embargo no se ha denunciado ningún robo. Tiene que ser algo más gordo, pero nadie tiene ni idea. —El capitán dio unos golpecitos a la carpeta—. Cuando hayas leído todo esto verás que sus delitos van más allá de robar unos cuantos collares. No puede ser de otra manera, si es cierto que madre e hijo están allí. —Bajó la voz—. Creemos que Stefan se ha divorciado de la mujer con la que lleva diecinueve años casado para que su matrimonio con la señorita Shaw sea legal, lo que significa que heredará todo lo que ella posee cuando muera en un supuesto accidente. —Clavó la vista en Mike, expectante—. ¿Seguro que no sabes nada relacionado con Sara Shaw que haya podido llevar a dos de los mayores estafadores del mundo a prepararse tan bien para ejecutar su plan?

—Nada de nada —dijo Mike, sincero—. Los McDowell son ricos, y ahí también vive Luke Connor, pero...

—¿El autor de los libros de Thomas Canon? ¡Los he leído todos! ¡Eh! ¡Podrías pedirle que me firmara un ejemplar!

—Sí, claro, ningún problema. Me haré pasar por un turista que se ha perdido.

El capitán volvió a ponerse serio.

—Una conexión demasiado lejana. Vas a tener que usar tu vínculo con tu hermana, con el pueblo, cualquier cosa a la que puedas recurrir, para acercarte lo bastante a esa chica y disuadirla de que se case con Stefan. No queremos que ese tipo pueda llegar a heredar lo que es suyo. Y tienes que hacerlo ya, porque la boda es dentro de tres semanas.

Mike lo miró, incrédulo.

—¿Y qué se supone que debo hacer? ¿Seducirla?

—Nadie te pediría algo así si no creyéramos que eres capaz de hacerlo. Además, si no recuerdo mal, ya has tenido éxito con varias mujeres. Estuvo aquella chica de Lake Worth. ¿Cómo se llamaba?

—Tracy, y era horrible. Esta es guapa. ¿Cómo la trato?

—No lo sé. Trátala como a una dama. Cocina para ella. Retírale la silla para que se siente. A las mujeres les gusta que las

14

traten con caballerosidad. Estoy seguro de que así fue como la conquistó Vandlo. Y, antes de que me lo preguntes, te diré que no, que no puedes secuestrarla, ni disparar a Stefan. Esa joven, Sara Shaw, tiene que quedarse ahí para ayudarnos a averiguar qué es lo que quieren esos dos. —El capitán sonrió con malicia—. Lo hemos organizado todo para que Stefan tenga que ausentarse antes de la boda. Le hemos creado un problema familiar que no ha podido ignorar.

—¿Qué problema?

—Aunque se ha divorciado de su mujer, sabemos que sigue unido a ella. Así que la hemos detenido acusándola de conducir superando la tasa permitida de alcoholemia. No ha sido difícil. Ha bebido bastante desde que Stefan la dejó, o sea que la pillamos una noche, y ahora se enfrenta a una pena de cárcel. Dejamos que lo llamara por teléfono de madrugada y, como esperábamos, Stefan acudió de inmediato. Si nos da algún problema, lo encerraremos hasta que se calme. —El capitán volvió a sonreír—. No sé qué le habrá contado a su prometida para justificar que haya salido disparado al auxilio de su exmujer.

Mike ya había empezado a cerrar el termo, y seguía pensando en cómo iba a hacer para cumplir con su misión.

—Dudo que un mentiroso como Vandlo le haya contado nada de su exmujer.

—Más tarde o más temprano, tendrás que contarle la verdad a la señorita Shaw, y eso será un punto a tu favor. Hagas lo que hagas, tendrás que hacerlo deprisa —insistió el capitán—. Y no olvides en ningún momento que esa joven sería la cuarta en desaparecer tras relacionarse con Stefan Vandlo. Usando un nombre falso, a las otras tres les quitó todo lo que tenían. Y después todas «desaparecieron», y a Vandlo no lo encontraba nadie.

—Sí, ya lo he leído —dijo Mike—. Y de no haber sido por algunas vagas descripciones de testigos, no sabríamos quién es.

—Exacto, porque Stefan no dejó ni rastro, ni una sola huella. Y todos conocemos las reglas: sin pruebas no hay condena. A mí, personalmente, me gustaría detener a ese tipo ahora mismo, pero los mandamases quieren que llevemos a cabo una operación secreta, para atrapar también a la madre. Si pillamos al hijo, Mitzi empezará a recurrir a sus sobrinos. Ella es el cerebro, así que debemos ponerla fuera de juego. Para siempre.

Mike consultó la hora.

—Tengo que pasar un instante por mi apartamento a recoger unas cosas, y ya puedo irme...

—Esto, Mike... —dijo el capitán a modo de disculpa—. Creo que no debes de haber leído la prensa local en las últimas dos horas. Hay otra cosa que tienes que saber.

—¿Qué ha ocurrido?

El capitán recogió los últimos documentos que quedaban sobre la mesa, y se los entregó.

—Lo siento mucho.

Al abrir la carpeta, Mike vio la copia escaneada de un artículo de periódico. APARTAMENTO INCENDIADO, rezaba el titular. LAS AUTORIDADES HABLAN DE COLILLA MAL APAGADA.

La ira de Mike iba en aumento a medida que se fijaba en la foto. Se trataba de su edificio de seis plantas, y las llamas salían de la esquina del cuarto piso, el suyo.

Colocó el papel junto al resto, antes de alzar la vista para mirar al capitán.

—¿Quién lo ha hecho?

—Los federales dicen que debe de haber sido... Déjame que lo compruebe. No quiero poner en boca de nadie cosas que no ha dicho —declaró en tono sarcástico mientras extraía una hoja de papel— «Un accidente fortuito», lo llaman. Es decir, que para ellos es una suerte. —El capitán lo miró con ojos comprensivos—. Lo siento por ti, Mike, pero quieren que llegues allí limpio del todo. Tu historia es que tu apartamento se ha incendiado y tú has decidido tomarte ahora las vacaciones que tanto necesitabas y descansar de la policía. Tiene sentido que, como el apartamento de tu hermana está vacío, te instales allí. Se supone que es casualidad que ella viva en la misma finca que la señorita Shaw. Nosotros... ellos, quieren que mientas lo menos posible. Ah, sí, casi me olvidaba. —Se metió la mano en el bolsillo, sacó de él una BlackBerry nueva y se la entregó—. Stefan ya nació robando, o sea que cuando os conozcáis te quitará el móvil. No quiero que encuentre en él números que te comprometan. Mientras estés en Edilean solo podrás ponerte en contacto con nosotros a través de tu hermana. ¿Le parecerá bien a ella?

—Sí, seguro —respondió Mike, que volvió a prometer que le pediría a su hermana que no regresara. Aquel caso debía de ser muy serio, porque en caso contrario no habrían incendiado su apartamento. No se lo había contado a nadie, pero Tess llevaba años enviándole cosas que Sara horneaba, y a él le parecía que alguien que preparaba unos postres tan deliciosos merecía salvarse.

Al ver que no añadía nada, el capitán habló.

—Siento lo de tu ropa. —Todos sabían que a Mike le gustaba vestir bien—. ¿Qué has perdido?

—Nada importante. Las cosas que tienen algún valor para mí me las guarda Tess en un contenedor, en... —vaciló—. En Edilean.

—Te aconsejo que no te acerques hasta él. —El capitán quería relajar un poco el ambiente—. Una vez más, siento lo de tu apartamento. He estado a punto de ofrecerme voluntario para cuidar de tu pez.

Mike ahogó una risa mientras se levantaba. Él no tenía pez, ni perro. Ni siquiera un domicilio permanente. Desde que, a los diecisiete años, se había ido de casa de sus abuelos, vivía en apartamentos amueblados de alquiler.

Clavó la vista en el camino asfaltado que serpenteaba por el parque. Saldría a correr un poco, lo necesitaba, y después se iría.

—Saldré en dos horas —dijo—. Debería llegar a Edilean diez horas después. Eso si puedo usar la sirena de vez en cuando.

El capitán sonrió.

—Sabía que aceptarías.

—¿Quieres salir a correr conmigo?

Erickson torció el gesto.

—Esa tortura te la dejo a ti. Mike...

—¿Sí?

17

—Ten cuidado, hazme el favor. Stefan tiene algo de conciencia, o al menos cierto temor a las represalias, pero su madre...

—Sí, lo sé. ¿Podrías conseguirme más información sobre madre e hijo?

—¿Por qué no te vienes corriendo hasta mi coche y te entrego ahora mismo tres cajas llenas de material?

Mike soltó una de sus carcajadas raras, y el capitán lo miró, desconcertado.

—Tú estás tramando algo, ¿verdad?

—Pensaba en cómo presentarme a la señorita Shaw, y me ha venido a la mente una historia que me contó mi hermana sobre un túnel muy viejo. Al parecer, ese túnel da directamente al suelo del dormitorio de mi hermana. Lo único que tengo que hacer es trasladar hasta allí a Sara Shaw.

El capitán esperó a que le explicara algo más, pero Mike no lo hizo.

—Solo dispones de tres semanas. ¿Crees que en tan poco tiempo podrás alejar a la señorita Shaw de un tipo encantador de gran ciudad como es Stefan?

Mike suspiró.

—En condiciones normales te diría que sí, pero ahora... —Se encogió de hombros—. Según mi experiencia, la única manera de conseguir a una mujer es averiguar lo que quiere, y dárselo. Lo que ocurre es que no tengo ni la menor idea de qué puede querer una mujer como Sara Shaw. —Miró al capitán—. Bueno, a ver, ¿dónde están esas cajas con información? Tengo que irme ya.

Mike lo siguió hasta su coche.

Ramsey McDowell estaba profundamente dormido cuando oyó que en el teléfono móvil de su mujer sonaba a todo volumen *Holding Out for a Hero*, de Bonnie Tyler. Refunfuñando, se tapó la cara con la almohada, intentando ahogar el ruido... y lo que sentía en ese momento. El que la llamaba era su hermano, un hombre al que Rams no conocía, un hombre más esquivo que un fantasma, más reservado que un espía. Pero, aunque no lo había visto nunca, sabía más de él de lo que habría querido. Según su flamante esposa, su hermano era el hombre más listo, más trabajador, más heroico y, cómo no, más guapo del mundo.

—Ha conseguido ponerte celoso, ¿verdad? —le había soltado Luke, su primo—. No te preocupes, viejo. Con unos días, o unos años, de gimnasio, tal vez llegues a estar a su altura.

Celoso o no, Ramsey sabía que su mujer lo interrumpía todo —comidas, discusiones, incluso sexo— si de su teléfono salía aquella cancioncilla espantosa.

—No es ningún héroe —le había dicho él la primera vez que Tess lo dejó plantado y salió corriendo a responder su llamada—. Es solo un policía.

—Detective —le corrigió ella volviendo la cabeza. Estaba desnuda, y la visión de su cuerpo hermoso a la carrera fue suficiente para que la perdonara. Pero de aquello hacía varias semanas, y ya estaba harto de sus llamadas diarias.

—Normalmente solo me llama una vez por semana, pero ahora está libre de servicio, y podemos hablar todo lo que queramos.

«Todo lo que queramos» resultó ser «todos los días», y como aquel hombre tenía la virtud de pillarnos siempre en plena «actividad», Rams empezaba a pensar que les había instalado una cámara. E incluso ahora que estaban de luna de miel no dejaba de llamarla.

—¡Mike! —exclamó Tess al descolgar, algo jadeante y un poco asustada—. ¿Ocurre algo?

Rams consultó la hora. En Europa era de madrugada. ¿Por qué aquel tipo no se buscaba una novia, como la gente normal?

—Sí, está bien —dijo Tess en voz baja, sentándose de nuevo en la cama—. Claro que lo haré.

Rams se retiró la almohada de la cabeza y la observó con curiosidad. Hasta entonces nunca la había oído hablar en ese tono.

—Mike, ve con cuidado, ¿de acuerdo? Te lo digo en serio. Ve con mucho cuidado.

Rams se incorporó y clavó la vista en ella. A pesar de la penumbra, vio que su esposa tenía los ojos llenos de lágrimas.

—¿Qué ocurre?

Ella levantó una mano para pedirle que guardara silencio.

—Lo entiendo perfectamente. Luke hará lo que sea si yo se lo pido.

—¿Luke hará qué? —preguntó Ramsey.

Tess miró a su marido.

—¿Quieres callarte, por favor? Esto es importante.

Molesto, Rams apartó las sábanas, cogió los pantalones que colgaban de una silla y descorrió la cortina para contemplar las montañas que se alzaban frente a él. Tess seguía hablando.

—Sí, creo que está en buen estado y, además de mí, solo Luke sabe que existe. Estoy segura de que no se lo ha contado a Joce. Temía que ella quisiera explorarlo, y a él siempre le ha parecido algo muy peligroso. —Hizo una pausa y sonrió—. Todavía no, pero Rams trabaja en ello con entusiasmo y perseverancia. Sí, el primero se llamará Michael.

Al momento, el enfado de Ramsey se esfumó, y se tendió en la cama junto a su mujer. No le gustaba que le contara sus intimidades a su hermano, pero le alegraba saber que pensaba tener hijos. No habían hablado nunca de ello, pero ahora admitía que, en su caso, había sido por temor a descubrir que ella no quería tenerlos. Tess era una mujer de fuertes opiniones. Pero una vez superada la alegría inicial al oír que sí quería ser madre, Ramsey empezó a imaginar que tendrían diez o doce, y que todos llevarían el nombre de su cuñado en una u otra variedad: Michaela, Michalia, Mickey, Michelle...

—Qué llamada tan extraordinaria... —declaró Tess al colgar.

—Mi límite es Mickey. Por ahí no paso.

Tess le dedicó una mirada reprobatoria.

—¿Vas a empezar otra vez con tus celos?

—Yo no estoy... —hizo amago de defenderse Rams, antes de interrumpirse—. ¿Y qué ha llevado a tu hermano a creer que podía llamar en plena noche? ¿O es que está jugando a ser James Bond en algún país donde ahora es la hora del té?

—Acaba de llegar a Edilean.

Rams la miró fijamente.

—¿Tu hermano está en nuestro pueblo y tú todavía no has hecho el equipaje?

—No, ni voy a hacerlo. Quiere que alarguemos nuestra luna de miel... y no nos acerquemos a nuestra casa.

—No es que me oponga, pero ¿por qué quiere que hagamos algo así?

—Parece que lo han enviado a Edilean a resolver un caso.

—Pero si él... —Ramsey tragó saliva. Al hermano de Tess lo enviaban siempre de incógnito cuando se trataba de casos realmente importantes. Casos muy gordos. Se ocupaba de delitos de repercusión internacional. Se infiltraba en bandas que estaban en guerra unas con otras... y había resultado herido en más de una ocasión.

Rams se levantó de la cama y se fue hasta el armario.

—¿Qué estás haciendo?

—Yo vuelvo a casa. Tú quédate aquí. Si han enviado a tu hermano a Edilean, es que sucede algo muy grave.

—Si tú vas, yo voy contigo, y eso pondrá en peligro la vida de mi hermano. Mike me ha explicado que si estoy allí, podría convertirme en objetivo. ¿Es eso lo que quieres?

Ramsey se volvió a mirarla. No llevaba maquillaje, ni ropa, y estaba tan hermosa que le costaba mantenerse en pie. Todavía no terminaba de creerse que, cuando hacía solo cuatro semanas, él le había pedido que se casaran, Tess hubiera aceptado. Tres semanas después habían contraído matrimonio en una ceremonia privada a la que solo habían asistido doce personas. Salvo en el caso de su hermano, que no había podido estar presente, aquella intimidad había sido algo buscado por los dos. De hecho, Tess le había dicho: «Si crees que voy a hacer el ridículo llevando un velo de cien metros de tul blanco, y rodeada de un puñado de mujeres vestidas de rosa, entonces pídele a otra que se case contigo. Gástate el dinero en un pedrusco. Quiero un anillo tan grande que se pueda bailar sobre él.» Y él la había complacido de buena gana, añadiendo, además, unos pendientes de brillantes, que ella llevaba puestos en ese preciso momento. Solo los brillantes, su piel y sus cabellos. Nada más.

—¿Qué está ocurriendo en Edilean? —preguntó Rams—. ¿Quién está en peligro?

—Ya sabes que Mike no puede contarme nada. Sus casos son de máximo secreto. Si alguien se enterara, podrían perderse vidas humanas.

Ramsey le clavó la mirada. Que él supiera, su hermano no tenía secretos para ella.

Tess suspiró.

—Sara.

Ramsey aspiró hondo.

—¿Mi prima Sara? ¿Mi dulce, mi querida Sara? Es ese cabrón que quiere casarse con ella, ¿verdad?

—Sí —se limitó a responder Tess—. No es quien dice ser.

—¡Menuda noticia! Ese tipo me ha desagradado desde la primera vez que lo vi.

—Eso nos ha pasado a todos, pero es verdad que la ha ayudado a recuperarse, y sus clientas lo adoran. Mike quiere que hagamos una serie de cosas.

—¿Mike quiere que hagamos...? —Ramsey torció el gesto—. Si ha pedido nuestra ayuda, supongo que pretendía que tú me contaras lo de Sara, ¿no?

Tess sonrió.

—¿Crees que te habría contado algo si mi hermano no hubiera querido que te lo contara?

Ramsey quiso decirle una vez más lo que pensaba de ese hermano suyo tan esquivo, tan lleno de secretos, pero no lo hizo.

—Está bien. Acepto. ¿Qué es lo que quiere que hagamos?

—En primer lugar —respondió Tess bajando la voz y tendiéndose en la cama— quiere sobrinos y sobrinas. Dice que está harto de no tener niños a los que regalar nada por Navidad.

—¿Y los quiere ahora mismo? —preguntó Rams quitándose los pantalones y metiéndose bajo las sábanas—. ¿Y qué más ha pedido ese hermano tuyo tan inteligente?

—Que descubramos qué es lo que posee Sara que pudiera interesar a un ladrón. Parece ser que Greg es un delincuente de primera división, y Sara es dueña de algo que él quiere y por lo que está dispuesto a todo. —Cuando Rams empezaba a apartarse de ella una vez más, Tess lo atrajo hacia sí—. Y que me lleves a Venecia.

—¿Cuánto tiempo? —susurró él.

—Hasta que Mike diga que podemos regresar.

A Ramsey no le gustaba la manera autoritaria con la que su cuñado dictaba sus decretos, pero haría lo que fuera por preservar la integridad de su amada esposa. Bruscamente, apartó los labios justo antes de besarla.

—¿Qué clase de regalos hace tu hermano a los niños?

—Explosivos. —Ramsey la miró horrorizado, y ella se echó a reír—. No tengo ni idea. ¿Por qué no esperamos un poco y lo comprobamos nosotros mismos?

A la mañana siguiente, mientras él estaba en la ducha, Tess llamó a Luke Connor, que era su amigo y además primo de Ramsey, para explicarle qué era lo que necesitaba Mike. Él y su mujer, Jocelyn, vivían en Edilean Manor, una destartalada mansión construida en 1770. Ellos ocupaban el cuerpo central del edificio, de dos plantas, mientras que Sara disponía de un apartamento en una de las dos alas que lo flanqueaban. Hasta que se había casado, Tess había vivido en la otra.

Hacía unos años, Luke, un famoso autor de superventas, había regresado a Edilean para recuperarse de un matrimonio desastroso. Como terapia curativa, se había dedicado al mantenimiento de la vieja casa y sus terrenos. Tras unos días de fuertes lluvias, que casi habían inundado el pueblo, había descubierto un viejo túnel. Estaba forrado de troncos viejos, y el pavimento era de ladrillo macizo. Daba directamente al suelo del apartamento de Tess.

En condiciones normales, habría compartido su hallazgo con la gente de Edilean, pero en aquel momento se sentía tan desgraciado que no hablaba con nadie. Privadamente, con la única ayuda de su abuelo, había restaurado el túnel que, suponía, se habría usado durante la Guerra de Secesión como parte de la

Vía Subterránea con la que se ayudaba a los esclavos a escapar.

Tras la muerte de su abuelo, Luke era el único que sabía sobre la existencia del túnel... hasta que Tess lo descubrió. Sentía curiosidad por la presencia de aquel gran rectángulo dibujado en medio del suelo de su dormitorio. Luke le había asegurado que no había asas en la parte superior, y que estaba cerrado con llave desde dentro, pero aquello no impidió a Tess usar una ganzúa para levantar los tablones. Bajó por la escalera que Luke había instalado, e iluminándose con una linterna avanzó por aquel corredor oscuro y húmedo. Cuando tropezó con el cuerpo dormido de Luke —y descubrió dónde se escondía cuando nadie podía encontrarlo—, durante un momento interminable ambos fueron presas del pánico. Al rato se calmaron, regresaron al apartamento de Tess, y Luke acabó explicándole sus problemas personales. Y ella le habló de su hermano, y contó por encima la razón por la que vivía en Edilean. No hizo falta que le revelara que estaba locamente enamorada de su jefe, Ramsey, que era primo de Luke. Él le confirmó que todo el pueblo lo sabía. Aun así, ella había tenido que esperar mucho tiempo a que Rams se diera cuenta por sí mismo.

Tras aquel primer encuentro histérico, Luke y Tess habían creado un vínculo especial, y sin que nadie en aquella localidad de chismosos lo supiera, Luke entraba a veces en su apartamento a través de aquel túnel y pasaba la noche en el otro dormitorio.

Ahora ella lo había telefoneado, y estaba contándole lo que su hermano necesitaba.

—A ver si lo entiendo bien —le dijo él—. Quieres que sabotee el apartamento de Sara para que tenga que trasladarse al tuyo, porque tu hermano —al que no he visto en mi vida— quiere meterse a escondidas en tu dormitorio, en el que tu amiga estará durmiendo. Y todo ello en plena noche.

—Sí, exacto. ¿El túnel está en buen estado?

—Habrá bichos y telarañas, pero la estructura es sólida.

—¿Entonces? ¿Lo harás?

—Tengo que preguntarte una cosa.

—¿Qué?

—¿Tu hermano está casado?

—No, por qué.

—¿Crees que podría seducir a Sara y hacer que se olvide de Anders?

—Mi hermano podría seducir a Angelina Jolie y hacer que se olvidara de Brad Pitt.

Luke soltó una especie de gruñido.

—A veces mi primo me da un poco de pena.

—A Rams le conviene un poco de competencia —replicó Tess—. ¿Cómo está Jocc?

—No muy bien. Acabamos de saber que va a tener que guardar cama el resto del embarazo, porque si no se arriesga a perder a los gemelos. Pero la he convencido para que empiece un árbol genealógico de la familia, y parece que la idea le gusta.

—Dile que tiene todo mi apoyo, y que la llamaré mañana. ¿Hay algo que pueda hacer por ella? —preguntó Tess.

—Volver a casa lo antes posible. Te echa de menos. Y, volviendo a Sara, si le digo que tengo que fumigar su apartamento, saldrá de allí en cuestión de segundos. Déjamelo a mí.

—Muchas gracias —dijo ella, antes de colgar. Cuando Rams salió de la ducha, ella estaba sentada en el sofacito del hotel, leyendo una revista.

—¿Y cómo visten en Venecia?

—Exactamente como vistes tú ahora. —Tess estaba completamente desnuda—. La única diferencia es que allí se ponen máscaras.

—¿Y dónde se las ponen?

Ramsey se echó a reír y, mientras caminaba hacia ella, la toalla que llevaba cayó al suelo.

2

Edilean, Virginia

Era ya tarde, y Sara estaba cosiendo el corpiño de un vestido que Greg y ella habían comprado en Nueva York. Era «uno de aquellos», es decir, un vestido que Sara había tenido que morderse la lengua para no criticar.

—Ninguna mujer en Virginia va a ponerse esto —había comentado al fin. Tenía aberturas en las caderas.

—Marilyn Steward —replicó Greg mientras apartaba otros cuatro modelitos.

—Su muslo izquierdo es más ancho que la cintura de este vestido. —Lo sostenía en alto y lo observaba—. Tal vez Carol Wills. Es lo bastante joven, y lo bastante flaca como para...

Greg le arrebató el vestido.

—¿Por qué me discutes todos los vestidos que quiero comprar? Déjame a mí los diseños, ¿quieres? Lo compraré de la talla 42, le pondré una etiqueta de la 38, y a la rica señora Steward le encantará.

—Muy bien. —Como siempre, Sara había cedido. Mientras colgaba el vestido en la barra de las prendas reservadas, pensó: «y yo tendré que arreglárselo de arriba abajo para que le quepa». Que era lo que estaba haciendo en ese momento. Tenía un armario lleno de vestidos, pantalones, chaquetas e incluso ropa interior que debía adaptar para que quedara como un guante a sus exigentes clientas.

Pero, más allá de lo que le parecieran sus métodos, Sara debía admitir que, gracias a los conocimientos de Greg, la tienda daba dinero. Como había anticipado él, había clientas que llegaban desde Richmond, e incluso se habían presentado algunas desde Washington D.C. Contaban con una amplia selección de prendas, y sus adaptaciones libres eran todo un éxito. Había mujeres que compraban una talla 36 y después le preguntaban a Sara si podía «abrir» un poco las costuras. Dicho de otro modo, poner dos tallas más al vestido. Y, en todos los casos, sin excepción, Greg decía: «Sí, claro, por supuesto que puede.» Su truco era colocar las tallas grandes al fondo. Una vez que Sara había «desmontado» el vestido grande, acortando las mangas y los dobladillos, y metiendo en los hombros, Greg, con grandes aspavientos y haciendo gala de su encanto personal, mostraba a la clienta un vestido cuya etiqueta de la espalda afirmaba que era de la talla 38.

El único problema de esa artimaña, además del engaño, que Sara detestaba, era que ella era la única costurera.

—Pero eso será solo hasta que nos establezcamos un poco —le decía Greg—. Entonces nos compraremos esa casa en el campo que siempre has deseado. Seremos padres de un montón de niños, y tú no tendrás siquiera máquina de coser.

Aquel era un sueño maravilloso al que Sara se aferraba con todas sus fuerzas, sobre todo ahora que Greg se había ausentado del pueblo de manera tan brusca, tan misteriosa, y Sara se había quedado ahí con veinticinco prendas de ropa por arreglar. Por lo menos, pensaba, el tema de la boda estaba todo organizado, gracias a las extraordinarias dotes de planificación de Greg. De hecho, ella no tenía nada que hacer, salvo escoger el vestido, que, en su caso, era una reliquia familiar. Greg había declarado: «Deja que yo me ocupe de todo. Sé exactamente lo que te gusta.» Y como Sara tenía tanto trabajo con la tienda, solo pudo darle las gracias.

Pero lo cierto era que la posibilidad de su ausencia durante la Feria Escocesa, para la que faltaba apenas una semana, constituía para ella todo un alivio. A Sara le apetecía asistir y a él no, y esa había sido una de sus pocas discusiones serias. Greg le había dicho que, si quería quedarse en Edilean, allá ella, pero que él pensaba viajar a Nueva York, porque tenía entradas para una obra de Broadway que sabía que ella quería ver. Cuando Sara le sugirió que parecía casi como si hubiera organizado aquella excursión para mantenerla alejada del evento anual, él se enfadó.

—¡Pues sí! —admitió levantando la voz—. Quiero estar contigo en todo momento, pero ¿cómo puedo ir contigo a ese bailecito de pueblo? Todos tus amigos y familiares me odian. ¿Y sabes por qué? Porque les he quitado su precioso caballito de carga.

—Yo no soy ningún... —Pero ya habían mantenido otras veces aquella discusión. En ocasiones se sentía dividida entre el hombre al que amaba y el pueblo que adoraba. Algo que, a todas luces, resultaba absurdo. Pero era cierto que en su tierra, en Edilean, a la gente no le gustaba el hombre con el que iba a casarse. Los de fuera lo adoraban. Sus clientes le pedían consejo, le reían las bromas y lo emborrachaban con sus cumplidos, como un bizcocho al ron. Pero en Edilean...

Así que Sara había aceptado ir con él a Nueva York y renunciar a la feria por primera vez en veintiséis años. En esa ocasión no cosería los vestidos escoceses para sus muchos primos, ni ayudaría a su madre a hornear las galletas y los bollos. No despacharía en el puesto de Luke, lleno de coronas de hierbas aromáticas, ni se pasaría el día riendo al ver las rodillas de los hombres del pueblo, que ese día se ponían sus faldas escocesas. No llegaría a...

Interrumpió el curso de sus pensamientos, porque en ese instante, para su asombro, descubrió que parte del suelo de su dormitorio parecería estar levantándose. Dejó sobre la cama el vestido que arreglaba, y se frotó los ojos fatigados. No se encontraba en su apartamento, sino en el de Tess, que quedaba en el ala opuesta de Edilean Manor, por lo que tal vez fuera normal que allí el suelo se levantara. Quizás era, más bien, que necesitaba acostarse de una vez y dormir toda la noche.

En silencio, Sara bajó de la cama y permaneció de pie, descalza, junto al vestidor de Tess. La habitación estaba en penumbra, solo iluminada por la lámpara de pie que había instalado junto a la cama para poder seguir trabajando.

Al fijarse mejor en el suelo, vio que bajo la pequeña alfombra había una trampilla. No había reparado en ella hasta ese momento, lo que no era de extrañar, porque, hasta ese día, en que su primo Luke la había echado de su piso con aquel repugnante insecticida, no había estado nunca en el dormitorio de Tess.

Al ver que la trampilla del suelo se elevaba dos dedos más, la primera reacción de Sara fue salir de allí, recoger al vuelo el móvil que tenía en la cocina y largarse corriendo. Llamaría a la policía y se metería en casa de Luke.

Pero la puerta del dormitorio estaba encarada a la trampilla. Quien estuviera espiándola la vería si intentaba salir, y podría darle alcance antes de que lo lograra. En un gesto rápido, apagó la luz y, de un salto, se colocó detrás de la apertura de la trampilla, con intención de darle un pisotón para cerrarla desde el otro lado.

Pero, ante su absoluto pasmo, un hombre levantó la trampilla del todo en el momento en que Sara saltaba sobre ella, y la habría hecho caer al suelo si no se hubiera adelantado al momento para sostenerla. Ella, instintivamente, forcejeó para soltarse, y cayeron los dos juntos. Intentó clavarle las uñas en la nuca, y darle un rodillazo en la entrepierna, pero él la inmovilizó. Le habría tirado del pelo, pero lo llevaba tan corto que no lograba agarrárselo.

—¡Maldita sea! —exclamó con voz grave, ronca, que parecía salida de una película de terror.

Aquella voz, y el hecho de estar en el suelo juntos, entrelazados, llevó a Sara a forcejear más. Tenía a aquel desconocido casi encima, y ella seguía retorciéndose y pataleando para librarse de él.

—¡Para ya, por favor! —le pidió con aquella voz tan rara—.

Ya estoy dolorido. No hace falta que contribuyas tú también.

—¡Quítate de encima!

—Con mucho gusto —replicó el hombre, echándose hacia un lado y tendiéndose boca arriba en el suelo.

Sara se puso en pie al momento. La única manera de salir de allí era pasar por delante del intruso, pero cuando ya había dado un paso al frente, él la agarró del tobillo, paralizándola.

—No tan deprisa —dijo—. Creo que antes deberías explicar a la policía qué estás haciendo aquí a estas horas de la noche.

Lo que acababa de decir aquel hombre era tan descabellado que Sara dejó de caminar y lo miró desde arriba, a pesar de que él seguía sujetándole el tobillo. El dormitorio estaba a oscuras, y no veía bien, pero aun así constató que llevaba una camisa blanca que debía costar lo suyo. Ese no era el atuendo habitual de un ladrón.

—¿Policía? —susurró ella—. ¿Quiere llamar a la policía porque yo estoy aquí?

Él le soltó el tobillo y, con un movimiento ágil, se levantó y se plantó frente a ella.

—Está bien, entonces, dígame qué está haciendo aquí.

—¿Decírselo a usted? —Sara tenía la sensación de estar participando en un número cómico—. Yo vivo aquí.

El hombre se echó a un lado para encender la lámpara de pie, y al ver que Sara hacía ademán de dirigirse hacia la puerta, la agarró de la muñeca. No la sujetaba con fuerza, pero Sara se dio cuenta de que no pensaba soltarla.

—Sé que eso no es verdad —dijo, atrayéndola hacia sí, y sentándola luego, con rapidez, en la única silla del dormitorio—. O sea que, jovencita, empiece a explicarse.

Sara se fijó en él. No era un hombre especialmente corpulento, ni tan alto como sus primos Luke y Ramsey, pero sí bastante atractivo, a su estilo algo macarra. A pesar de las entradas pronunciadas, tenía las patillas muy pobladas, oscuras.

Lo cierto era que no se sentía cómoda compartiendo una habitación mal iluminada con él.

Su vida sencilla, de pueblo, no la había preparado para un

encuentro como ese, por más que, como todo el mundo, hubiera visto muchas películas. Echó los brazos hacia atrás y respiró hondo. Ojalá no llevara puesto ese camisón semitransparente de lino irlandés. Y ojalá no llevara el pelo suelto. Habría preferido transmitir un aspecto más «duro».

—La pregunta —dijo al fin, intentando demostrar una calma que no sentía— es: ¿quién es usted?

El hombre se echó hacia delante para cerrar la trampilla, y al ver que Sara se agitaba en la silla, se volvió a mirarla.

—Soy el hermano de la inquilina de este apartamento, y usted está cometiendo allanamiento de morada.

Sara abrió mucho la boca, asombrada.

—¿De Tess? ¿Es el hermano de Tess? No se parece nada a ella.

La expresión adusta del intruso abandonó su rostro, y esbozó una sonrisa fugaz que dibujó un hoyo en la mejilla izquierda. Al momento dejó de resultar amenazador.

—Es que a ella le tocó la belleza, y a mí la inteligencia.

Sara tuvo que hacer esfuerzos por no sonreír. Estaba insinuando que Tess era la típica guapa tonta, pero no era cierto. Su amiga era una de las personas más inteligentes que había conocido. Además, no estaba dispuesta a permitirle que desviara el tema.

—Hasta que vea alguna prueba, no le creo.

Él se metió la mano en el bolsillo de unos pantalones que a Sara le parecían bastante caros, extrajo de él una billetera fina y la abrió para mostrarle el permiso de conducir.

Sara no le echó un vistazo siquiera.

—Solo me fío de Tess.

—Ningún problema. Llamémosla. —Se sacó un teléfono móvil del bolsillo delantero y pulsó un botón.

—No responderá —dijo Sara—. Por si no lo sabe, resulta que está de luna de miel con mi primo. —Si no sabía algo así, no podía ser su hermano. Todo el mundo sabía que Tess hablaba con su hermano todos los domingos por la tarde, y ella misma reconocía que se lo contaba todo.

El teléfono emitió un primer tono y no hubo respuesta. Sara miró en dirección a la puerta. ¿Llegaría hasta ella? Si gritaba muy fuerte, ¿la oiría Luke? ¿Sería capaz de gritar lo bastante para despertarlo?

Volvió a fijarse en aquel hombre, que la miraba con un gesto tan arrogante que habría querido darle un puñetazo.

Tess respondió en mitad del segundo tono, y él, esbozando una sonrisita insufrible, le pasó el teléfono.

—¡Hola, hermanito! —dijo la voz inconfundible de Tess que, de todas formas transmitía preocupación por algo—. ¿Estás bien? ¿Ha ocurrido algo?

—Tess, soy yo, Sara.

—¿Sara? ¿Qué haces tú con el teléfono de mi hermano? ¡Dios mío! ¡Lo han herido! Voy para allá...

—¡No! —la interrumpió Sara—. Solo quiero saber si este hombre que se ha colado en mi... quiero decir... en tu apartamento, es en realidad tu hermano. Es evidente que tiene tu teléfono, pero no es como yo me lo imaginaba.

—Ah... —dijo Tess, recuperando ya su calma habitual—. ¿Y qué aspecto tiene tu intruso?

Sara no podía soportar el aire de «ya te lo dije» de aquel hombre, así que mintió.

—Es bajito, flaco, medio calvo, y no se ha afeitado en una semana. Además, tiene la voz de un sapo antipático.

—En ese caso, entiendo que está vestido.

Aquel desconcertante comentario hizo que Sara volviera a sentir temor. Tess siempre se había mostrado imprecisa sobre el trabajo de su hermano.

—Tess, ¿qué quieres decir con eso de que va vestido? No creo que...

El hombre le arrebató el teléfono.

—Hermanita, no sé qué le habrás dicho, pero la estás asustando. —Hizo una pausa—. ¿Por qué no me dijiste que habría alguien viviendo en tu apartamento mientras tú estuvieras fuera? —sonrió y, al hacerlo, mostró una vez más el hoyuelo—. Claro. Estabas ocupada con los deberes de tu luna de miel y te olvidaste de mí. Sí, sí, lo comprendo. —Se volvió para mirar a Sara—. ¿Y qué hago con ella?

Sara, furiosa, le clavó los ojos.

El hombre se rio de lo que decía su hermana.

—Estaría más que dispuesto, pero, no sé por qué, diría que a ella no le gustaría. Por cierto, ¿quién es?

Mientras seguía observándola, abría cada vez más los ojos.

—¿... Sara Shaw? ¿La que prepara ese pan de manzana que me envías? ¿La que me arregló mi chaqueta de cuero? ¿La que me dijiste que era la mejor amiga que habías tenido nunca? ¿Esa Sara Shaw?

Sara se sintió halagada por sus palabras, pero, al mismo tiempo, seguía sin creerle. Se levantó de la silla, se puso una bata de seda azul que acababa de coser, y se fue a la cocina. Llenó de agua la jarra eléctrica y sacó de un armario una lata de té negro. Alguien se lo había regalado a Tess por Navidad, pero varios meses después seguía cerrada. Oía al hombre que, en el dormitorio, seguía hablando en voz baja.

¿Cómo se llamaba?, se preguntaba, e intentaba recordarlo. Era un nombre corriente, algo así como William, o James. No. Se llamaba Mike. Tess casi siempre se refería a él como «mi hermano», como por ejemplo cuando decía: «Mi hermano escala montañas, y es capaz de atrapar la luna con lazo si se lo propone.» O cosas por el estilo. Sara y Joce se burlaban de ella cuando, en su teléfono, sonaba *Holding Out for a Hero*, de Bonnie Tyler, que era el tono que había predeterminado para sus llamadas, y ella salía corriendo.

Una noche en que salieron solo las chicas, Tess recibió una llamada. Era Ramsey, su prometido, pero ella no descolgó. Minutos después telefoneó su hermano, y entonces sí respondió la llamada. Se limitó a murmurar «sí» varias veces y después colgó. Sara y Joce se echaron a reír, pero ella no le vio la gracia.

—¿Qué pasa con tu hermano, que dejas todo lo que estés haciendo cuando te llama? —le preguntó Joce.

—Si no fuera por él, yo no estaría aquí.

—Quieres decir que fue él quien te envió a Edilean...

—No, quiero decir que no estaría viva de no ser por mi hermano.

Sara y Joce no movían ni una pestaña. Tess no hablaba jamás de su infancia. Contuvieron el aliento, con la esperanza de que les contara algo más. Pero ella no decía nada, y ellas seguían mirándola con gran atención.

Finalmente, Tess se encogió de hombros.

—¿Qué puedo deciros? Es muy buena persona, por dentro y por fuera. Ayuda a la gente.

—¿Haciendo qué? —quiso saber Sara.

Por un momento pareció que Tess se lo contaría, pero lo que hizo fue abrir la carta del restaurante y enterrar el rostro en ella.

—¿Entonces? ¿Quién quiere pizza?

En otra ocasión le preguntaron por qué nunca iba a visitarla. Y ella respondió que se reservaba todas sus vacaciones para ir a sitios y estudiar, y que cuando ella iba a la universidad, viajaban juntos. Sara y Joce pensaron que al hablar de «estudiar» se refería a que estudiaba una carrera. Pero no era así. En el primer año de estudios superiores de ella, se trasladaron a Japón para que él aprendiera Kendo. En su segundo año, fueron a China para que practicara Kung fu, y en el tercero a Tailandia, para que aprendiera Muay Thai. En el año de su graduación, viajaron a Brasil, donde los dos tomaron un curso de jujitsu. «A Mike se le daba un poco mejor que a mí», comentó Tess, burlona.

De modo que su hermano era un loco del deporte. Aun así, aquello no explicaba cómo se ganaba la vida el misterioso hermano de Tess. Intentaron sacarle información a Rams, pero él mantuvo la boca tan cerrada como la mujer a la que amaba.

—Si quiere que sepáis algo más sobre su hermano, ya os lo contará ella.

Pero, por más que lo intentaran, no había manera de averiguar nada. Solo sabían que era detective de policía en Fort Lauderdale, y que «viajaba mucho».

Y ahora Sara estaba sola con el esquivo hermano de Tess en su apartamento.

—Creo que se impone una disculpa.

—Si cree que yo...

—No, me refiero a mí —se apresuró a intervenir Mike—. Debo disculparme con usted. Mi única excusa es que llevo diez horas conduciendo, que estoy cansado y que lo único que quería era echarme a dormir. No esperaba encontrarme con nadie en el apartamento de Tess. Permítame que sirva yo.

Levantó la jarra eléctrica, vertió el agua caliente en una hermosa tetera de porcelana —otro regalo de Navidad—, la removió para que se calentaran sus paredes, y desechó el agua. Midió tres cucharadas colmadas de té negro y las echó en la tetera, y a continuación la llenó de agua hirviendo.

Sara lo siguió con la mirada mientras abría varios armarios en busca de tazas y platitos. Como no sabía dónde se guardaban las cosas, dedujo que no había estado nunca en aquel apartamento. Sabía que en el pueblo no lo conocía nadie, pero ahora entendía que era posible que hubiera usado ese túnel en otras ocasiones y...

—¿Leche? —preguntó él mientras abría la nevera y sacaba un tetrabrik.

Ella no daba crédito a lo que veía: Mike vertió la leche en una jarrita a juego con la tetera, y lo dispuso todo sobre una mesa de roble que Ramsey había comprado hacía poco. Después distribuyó unas galletas sobre un plato. Cuando todo estuvo listo, la mesa parecía digna de una duquesa.

Le retiró la silla para que se sentara. Él lo hizo frente a ella, y levantó el plato para ofrecerle una galleta.

—Estoy seguro de que no son tan buenas como su pan de manzana.

Sara sabía que lo decía para halagarla, pero aquello no la apaciguó.

—¿Qué está haciendo aquí? ¿Y por qué no me ha advertido Tess de su presencia? ¿Y cómo sabía que existía este... túnel?

—¿Me está diciendo que vive aquí y que no sabe nada sobre el túnel?

—No, no sé nada sobre él.

—Entonces, me disculpo doblemente. Tess me habló de él

hace un tiempo. Llegó incluso a dibujarme un mapa para mostrarme dónde se encontraba la entrada. Su primo Luke lo encontró mientras cuidaba del jardín, y dijo que era de la época de los esclavos, que lo usaban para huir. Mi hermana me contó que desde hace ya algunos años se dedica a mantenerlo en buen estado.

—Le dio un sorbo al té—. No le he preguntado si quería azúcar.

Sara negó con la cabeza.

—¿Y dónde piensa pasar la noche?

Mike miró en dirección al pasillo que conducía a los dos pequeños dormitorios.

—No —se anticipó Sara, intentado mantener la calma—. No va a pasar la noche conmigo.

Él la miró con asombro, parapetado tras su taza.

—¡Ya sabe a qué me refiero! Sé muy bien que es usted policía en una gran ciudad, pero esto es un pueblo pequeño, y no puede...

Se interrumpió al ver que Mike bostezaba.

—Lo siento. He tenido un día muy largo. ¿Le importa que use el baño yo primero? A menos que... aaah...

—No, no tengo que «aaah» nada. Le estaba diciendo que...

Mike se puso en pie.

—En ese caso supongo que nos veremos mañana. —Dejó la taza vacía en el fregadero—. Deje los platos ahí, que ya los lavaré yo cuando despierte. Que descanse, señorita Shaw.

Y, dicho esto, se metió en el único cuarto de baño, situado entre los dos dormitorios, y cerró la puerta.

«De ninguna manera», pensó Sara. No pensaba pasar la noche bajo el mismo techo que él fueran cuales fuesen las circunstancias. Mientras pensaba en los chismes que se propagarían por el pueblo si lo hacía, se levantó y descolgó el teléfono, dispuesta a llamar a su madre. Pasaría lo que quedaba de noche en casa de sus padres. Si así lo hacía, tal vez la gente no llegara a enterarse siquiera que había compartido aquella última hora con un desconocido. Y, si no se enteraban, nadie se lo contaría a Greg.

Fue precisamente pensar en su prometido lo que la llevó a dejar de marcar el número de su madre. Volvió a recordar la brusquedad con la que se había ausentado hacía dos noches. Se encontraban en el apartamento de ella —el que él tenía alquilado era muy caro, y él había decidido que no tenía sentido pagar dos mensualidades, y se había mudado al de ella—. Había sonado su móvil poco antes de medianoche, y los había despertado a los dos. Sara vio que lo cogía, amodorrado, pero que al ver el nombre que aparecía en la pantalla se incorporaba al momento, despierto del todo, y decía:

—¿Qué ocurre?

Había escuchado en silencio largo rato, unos cinco minutos, y finalmente había sentenciado:

—No te preocupes. Yo me encargo de todo.

Y había colgado.

—¿Qué ocurre? —le había preguntado Sara, sin dejar de parpadear.

—Nada. Tengo que irme un tiempo, eso es todo. Vuelve a dormirte.

—¿Un tiempo? ¿Cuánto es «un tiempo»? La boda...

—Maldita sea, Sara, no empieces de nuevo. Ya sé cuándo es la boda. ¿Cómo voy a olvidarlo, si soy el que ha tenido que encargarse de todo? Ha surgido algo, y tengo que irme. Volveré para la ceremonia. —Cogió la billetera y las llaves del coche que tenía sobre la cómoda, y se fue. Así, sin más. Sin dar más explicaciones.

Sara permaneció un buen rato sentada en la cama, como si por allí acabara de pasar un tornado. No sabía qué había ocurrido, pero Greg se había largado sin llevarse siquiera sus productos de afeitar, y ella no sabía cuándo volvería.

Como no podía dormir, apenas amaneció empezó a llamar a Greg. Pero él no respondía.

Y después, esa misma tarde, Luke la había echado de su propia casa con aquellas horrendas latas de insecticida, y le había explicado que debía fumigar en ese mismo instante, pero que podía trasladarse al apartamento de Tess mientras lo hacía. Sara pensaba instalarse en el dormitorio de invitados, pero Luke insistió en que se quedara en el de Tess.

—Pero ¿por qué...? —le preguntó Sara—. No necesito...

—La cama del otro cuarto es muy mala. No le quedan muelles —respondió él antes de salir.

Todo en conjunto era tan raro que por un momento pensó que estaban a punto de gastarle una broma por su despedida de soltera. Pero, por más que buscara, no veía más indicios.

Oyó correr el agua del baño, y en ese momento se le ocurrió que, en realidad, no le importaría que Greg llegara a saber que el hermano de Tess había pasado la noche en aquel apartamento, con ella. «¿Qué otra cosa podía hacer?», le preguntaría, parpadeando, haciéndose la inocente. Y le diría: «Era de noche, y no tenía adónde ir. Ya ves que no tenía alternativa.» Al imaginar los celos y la ira de Greg, sonrió, camino de su dormitorio. Sí, tal vez fuera buena idea que Greg llegara a saber que otro hombre había estado a solas con ella.

Mientras cerraba la puerta, pensó en el forcejeo que había librado con el hermano de Tess. Aquel hombre se movía deprisa, no había duda. Y al situarse encima de ella, había notado su musculatura. Aun así, poco después, en la cocina, había manejado la tetera con la delicadeza de una geisha. Ella estaba acostumbrada a hombres como Luke, o como su padre, que no movían un plato de sitio.

Ya empezaba a dormirse cuando oyó que Mike salía del baño, y recordó que finalmente no le había dicho por qué estaba ahí ni por qué Tess no la había advertido de su presencia. «Mañana —pensó— compraré un candado para esa trampilla, y uno de los dos tendrá que irse.»

3

Sara durmió hasta tarde y, a la mañana siguiente, tardó unos instantes en recordar lo que había ocurrido la noche anterior. Se dio la vuelta y, boca abajo en la cama, observó el suelo. Allí había una pequeña alfombra, pero una de sus esquinas estaba levantada, testimonio del desastre del día anterior. Se levantó, la apartó y constató que el rectángulo cortado en los tablones de madera seguía siendo claramente visible.

«Pienso decirle a Luke Connor lo que pienso de él», dijo en voz alta. Le molestaba que le hubiera dejado instalarse en el apartamento sin haberle hablado de la existencia de aquella trampilla que conducía a... ¿A qué?, se preguntaba. Que aquel hombre hubiera ascendido hasta ella significaba que debía llevar a alguna salida subterránea. Entonces ¿por qué en el pueblo no sabía todo el mundo que en Edilean Manor había un túnel secreto? Ya le parecía oír a su primo diciendo: «Si lo supieran, ya no sería secreto.» En ocasiones, Luke podía resultar desesperante.

Sara se vistió sin prisas, y sin hacer ruido. Si aquel hombre había conducido desde Fort Lauderdale el día anterior, seguramente querría dormir un poco más. Pensaba mostrarse cordial y amable con él cuando despertara, pero también firme: tenía que irse. No podía permanecer en el apartamento con ella. Una cosa era contarle a Greg que un hombre había pasado una noche allí porque se trataba de una emergencia, y otra muy distinta explicarle que ese hombre se había quedado dos noches, o más.

Entonces pensó que tal vez fuera ella la que debiera irse. Pero ¿adónde iba a ir? Si se trasladaba al dormitorio libre de la casa paterna, tendría que aguantar una vez más los sermones de su madre, que creía que Greg Anders no estaba a su altura. O, peor aún, tendría que ver cómo su padre la miraba con aquellos ojos llenos de tristeza.

Sara había vivido en Edilean toda su vida, y tenía muchos amigos, por no hablar de familiares, y podía, sin duda, instalarse con alguno de ellos. Pero si lo hacía la acribillarían a preguntas. Querrían saber adónde había ido Greg, y cuándo iba a volver. ¿Regresaría a tiempo para la boda?, le preguntarían. Y que ella no tuviera respuestas a aquellas dudas les llevaría a formular la pregunta que ella más odiaba: ¿Estaba absolutamente segura de que quería casarse con él?

No. Allí donde estaba, en el apartamento de Tess, tan cerca del suyo, era donde iba a quedarse. Si necesitaba ropa limpia, o algún material de costura, podía ir a buscarlo fácilmente. Lo único que tenía que hacer era contener la respiración para que los gases de los insecticidas no la afectaran. Y eso podía hacerlo.

Cuando estuvo vestida, salió de puntillas del dormitorio y realizó una breve incursión en el baño que, por cierto, estaba impecablemente limpio. Nada de pelos en el lavabo, ni de espuma en la mampara de la ducha. Estaba exactamente como ella lo había dejado, hasta el punto de que por un momento pensó que tal vez todo había sido un sueño y ningún hombre había entrado en su dormitorio por ninguna trampilla.

Tras salir del baño, se fijó en la puerta cerrada del otro dormitorio. No había oído el menor ruido. Sobre la mesa de la cocina encontró una nota. La levantó y la leyó:

Una vez más, siento mucho lo de anoche. No era mi intención molestar a nadie. Me voy a Williamsburg al gimnasio, y después debo hacer unos recados. Almorzaré en el Williamsburg Inn a la una. Si le apetece descansar un poco del trabajo y quedar conmigo, tal vez de ese modo pueda compensarla un poco por el susto de ayer. Regresaré a casa sobre las cinco, y esta noche cocino yo. ¿Qué le parece si nos turnamos? Si hay algo que necesite de la ciudad, o si le apetece hablar conmigo, no dude en llamarme.

Le había anotado el número de móvil con el prefijo de área 954.

Sara dejó la nota sobre la mesa. «De todos los hombres descarados y presuntuosos...», dijo en voz alta. ¿Comer con él? Debía de saber perfectamente que estaba a punto de casarse. La noche anterior, cuando Tess le había contado por teléfono quién era ella, él había dejado claro que ya sabía de quién se trataba, de manera que seguro que sabía incluso el día y la hora de la boda. ¿Y qué significaba aquello de «si le apetece hablar conmigo»? ¿Acaso creía que no tenía amigos? ¿Y lo de «turnarse» para cocinar? ¿Cuánto tiempo planeaba quedarse?

Indignada, echó un vistazo a la cocina y vio que había cumplido su promesa y había recogido todo lo que habían usado la noche anterior. Al abrir la nevera constató que las pocas cosas que contenía estaban pulcramente ordenadas.

«No es mi tipo de hombre», declaró en voz alta.

En silencio, se comió los cereales, metió el cuenco en el lavavajillas y regresó a su dormitorio para ocuparse del trabajo del día. Pero al mirar las tres cajas de ropa del armario, y las otras diez o doce prendas colgadas en perchas, habría querido cerrar la puerta y largarse.

Todo aquello era culpa de Greg, pensó. El ciento por ciento lo había causado él. ¿Por qué había tenido que desaparecer de aquella manera? ¿Por qué no había podido decirle adónde iba, y qué era eso tan importante de lo que debía ocuparse? ¿Por qué no había podido dejarle una nota como la que había redactado el hermano de Tess? «Mi querida Sara —podría haber escrito —, siento mucho haber tenido que irme...» Cuando llegaba a ese punto, ya no sabía cómo continuar. Dos noches atrás, habría dicho que sabía prácticamente todo lo que tenía que saber sobre el hombre con el que pensaba casarse. Los dos habían pasado muchas horas juntos, mientras él le contaba muchas cosas sobre su vida anterior. Le había hablado con detalle sobre las dos mujeres que lo habían tratado tan mal, tan mal que era un milagro que hubiera podido interesarse por otra mujer. Pero también le había dicho que el amor que ella le daba le había hecho olvidar todo lo que le había ocurrido antes.

Entonces, si sabía tanto sobre él, ¿quién le había llamado y había hecho que saliera corriendo? ¿Quién, además de Sara, era tan importante como para que lo dejara todo y se fuera de ese modo?

Cuando sonó su teléfono móvil, salió tan disparada que seguramente debió de parecer un futbolista lanzándose a por una pelota.

—¿Sí? —dijo, casi sin aliento.

—Sara, querida, ¿estás bien?

Era la madre de Luke, su prima política, pero como era de la edad de su madre, y siguiendo una tradición sureña, ella siempre la llamaba «tía».

—Estoy bien, tía Helen. Es que me he tropezado cuando iba a buscar el móvil. Siento lo de los disfraces para la feria de este año, pero tengo tantas cosas que hacer para la tienda que no he podido ocuparme de ellos.

—No te preocupes, cielo. Mi hermana y yo ya estamos confeccionándolos. Solo quería saber si hay algo que pueda hacer para ayudarte con tu invitado.

—¿Mi invitado?

—Sí, el hermano de Tess, Mike. Qué hombre tan educado y dispuesto, ¿verdad? Cuando me ha contado que se estaba quedando en el apartamento de Tess y me he acordado de que Luke ha tenido que fumigar el tuyo, he pensado en lo amable que has sido al dejar que se quede ahí.

Sara consultó la hora en el despertador que tenía sobre la mesita de noche.

—Tía Helen, solo son las nueve y media. ¿Cómo te has enterado de tantas cosas en tan poco tiempo?

—He vuelto a quedarme sin batería en el coche... Pienso despellejar vivo a mi marido si no me compra una nueva hoy mismo, y Mike me ha llevado al pueblo. En el camino, he tenido ocasión de preguntarle algunas cosas. Qué hombre tan agradable. Me ha encantado pasar un rato con él.

Sara se alejó el teléfono de la oreja y lo observó con odio. Qué poco sutiles podían ser algunas personas. Su tía Helen era una de las más encarnizadas detractoras de Greg.

—Sí, es un hombre muy agradable, ¿verdad? —admitió, con voz dulce—. ¿Por qué no lo invitáis, tú y el tío James, a quedarse en vuestra casa? Seguro que le encantarán tus deliciosos platos.

Helen no vaciló siquiera. Con el mismo tono amable, replicó:

—Ojalá pudiera, pero ya sabes que James necesita intimidad. Espero verte en la iglesia el domingo. ¿Por qué no te traes a Mike? Ahora que Tess está de viaje, el pobre debe de sentirse muy solo.

—Tal vez pueda ir con Luke —soltó Sara, devolviéndole el golpe—. Yo tal vez salga con Greg el domingo.

—Ah, ¿ya ha vuelto?

Sara no pensaba responder a esa pregunta, porque, si lo hacía, tendría que enfrentarse a muchas más preguntas sobre dónde había ido y cuándo había regresado.

—Oh, oh, la cazuela que tengo al fuego se me está derramando. Tengo que dejarte.

—Eso es que ya has empezado a prepararle la cena a Mike. Qué amable por tu parte. Él...

—Adiós —dijo, y colgó.

«De todos los...» No, pensó, no iba a dejar que todo aquello la afectara. Esa noche le contaría con serenidad al hermano de Tess que tenía que irse, y todo volvería a su cauce. De hecho, tal vez hubiera sido bueno que su tía Helen se hubiera enterado de lo de Mike. Así, quizá los habitantes del pueblo pudieran llevarlo de un lado a otro.

Sara acababa de descolgar la primera chaqueta que debía

arreglar cuando volvió a sonar el teléfono. En esa ocasión la pantalla informaba que la que llamaba era su tía Mavis. «A ver qué buena obra le habrá hecho a ella», dijo entre dientes, y dejó que saltara el contestador. Diez minutos después llamó su madre, y ella tampoco respondió la llamada.

Cogió el costurero y dos vestidos, dejó el móvil conectado al cargador y salió fuera. Sabía que no debía alejarse del teléfono, por si la llamaba Greg, pero en ese momento no le apetecía hablar con él ni con nadie.

Una vez en el jardín, se sentó a la mesita de hierro forjado, a juego con las sillas, que habían instalado bajo el árbol de sombra, y se puso a coser. Tenía media docena de costuras por ensanchar de un vestido caro que una mujer parecía haberse puesto para salir a hacer deporte. Sara sabía que esa tarde tendría que pasarse un buen rato frente a la máquina de coser. Pensaba encender la tele, poner la HBO y escuchar película tras película mientras trabajaba. A lo mejor encontraba alguna de terror que le mantuviera la mente alejada de Greg y su paradero, y de aquel hombre que había entrado en su apartamento la noche anterior.

—Buenos días.

Alzó la vista, y Luke le sonrió. No pensaba dejar que él, ni nadie, comprobara lo disgustada que estaba.

—¿Por qué no estás escribiendo?

—Necesito pensar —respondió él. Sostenía una pala entre las manos. En la familia todos se burlaban de él, porque cada vez que algo le inquietaba, salía a cavar huecos.

—¿Joce está bien?

Sara iba a visitarla todos los días, porque necesitaba distraerse un poco del tedio de vivir postrada en una cama. Desde hacía más de un año trabajaba en la biografía de su abuela, una mujer prominente en la historia de Edilean, pero había llegado a un punto muerto en su investigación, y había tenido que aparcar el libro.

—Está muy bien. Estupenda. Bueno, a lo mejor en este preciso instante no está tan bien. —Esbozó una sonrisa fugaz—.

Está trabajando en el árbol genealógico de su familia y... —Volvió a sonreír, más francamente esta vez—. Ayer noche descubrió que ella y yo somos primos séptimos. Creo que le preocupa que los niños vayan a salirnos tontos.

—O hemofílicos —apostilló Sara, en referencia a las familias reales europeas, tan relacionadas entre sí que se transmitían la enfermedad siglo tras siglo.

Luke pilló la alusión.

—Por favor, a ella no se lo digas ni en broma, o lo añadirá a la lista de todo lo que puede ir mal. ¿Vas a quedar con Mike para almorzar?

Sara refunfuñó.

—¡No me digas que también se ha encontrado contigo!

Luke pareció sorprenderse.

—¿Conmigo? No sé a qué te refieres. Yo lo he visto hacia las seis de la mañana, y me ha preguntado por gimnasios en la zona. Y le he informado.

—¿Estabas aquí fuera a las seis?

—Normalmente a esa hora ya estoy fuera —respondió—. Si tú alguna vez te levantaras antes de las doce del mediodía, lo sabrías.

—Nunca en mi vida me he quedado en la cama hasta las doce del mediodía.

Luke la miró fijamente.

—Bueno, está bien, tal vez alguna vez, pero hace años que ya no. Tengo demasiado trabajo.

—¿Y qué tal te va con todos los encargos que te ha pasado Greg?

Sara sabía muy bien adónde quería llegar. Eran primos, y se conocían desde siempre. Aunque él tenía ocho años más que ella, siempre habían estado muy unidos.

—Ya he sufrido bastante acoso por hoy, o sea que no empieces tú también. No entiendo que la gente de este pueblo se ponga de parte de un hombre al que no conoce. Por lo que se sabe de él, Mike Newland podría ser un asesino en serie.

—Es familia de Tess, y a ella sí la conocemos —contestó

Luke—. Al casarse con Rams, ella se convirtió en una de nosotros. Y Mike es su hermano.

Sara no quería discutir con su primo, y tampoco le apetecía
tener que hablar de su futuro. Decidió pasar al ataque.

—Tú que hablas tanto de «nosotros», ¿por qué no me contaste nada de ese túnel? Esta vez lo ha usado alguien al que
conocemos —al que conocemos indirectamente, en todo caso,
aunque no sepamos cómo es—, pero ¿qué hago la próxima vez,
cuando un desconocido se cuele en mi dormitorio?

—Mike me ha dicho que lo sentía mucho, pero...

—¿Te ha contado que se coló en mi apartamento en plena
noche y que me dio un susto de muerte? ¿Y también te ha contado que quería denunciarme a la policía? ¿Él a mí?

—Técnicamente, tenía derecho a hacerlo. Él estaba entrando
en el apartamento de su hermana, mientras que tú estás...

No tenía ganas de oírle decir que Mike tenía razón y ella no.

—¿Y cómo va con mi apartamento?

—Bien —dijo Luke—. Esta mañana he sacado el lavabo.

—¿Antes o después de encontrarte con el hermano de Tess?

Luke hizo como que tenía que pensarlo.

—Después. De hecho, justo después de conocer a Mike, he
entrado en tu apartamento y he visto que había que quitar ese
viejo lavamanos y cambiarlo por uno nuevo. Solo he tardado
cinco minutos en sacarlo.

—También hay que cambiar toda la cocina, que es muy antigua, pero eso todavía no lo has hecho.

—Lo sé —admitió Luke, avergonzado. Pero al momento
alzó la cabeza—. Lo sé. Tal vez le pida a Mike que me ayude a
instalar una cocina nueva. Parece un hombre capaz de manejar
un destornillador. ¿Nos prepararás la comida todos los días?

Sara levantó su gran alfiletero y se lo arrojó. Luke lo agarró
al vuelo, le devolvió el lanzamiento y, ahogando una risita, se
fue hacia el jardín, con la pala al hombro.

A mediodía, Sara entró para prepararse algo de comer. Desde que Greg se había ido, había estado tan ocupada que no había
tenido tiempo de ir al colmado, y solo le quedaba un pan de ha-

cía tres días y una ensalada de atún que le había preparado su madre. Mientras mordisqueaba aquel soso bocadillo, no pudo evitar consultar la hora. Todavía estaba a tiempo de cambiarse de ropa y acercarse a Williamsburg para comer con Mike en el elegante Williamsburg Inn.

Pero entonces pensó en la oleada de chismes a que daría pie, y en la expresión de «ya decía yo» que se dibujaría en el rostro de «ese hombre», y descartó la idea. Se levantó y fue a ver si había recibido alguna llamada, pero Greg seguía sin ponerse en contacto con ella. Sí tenía tres mensajes de voz de gente del pueblo. Los escuchó a regañadientes. Los tres hablaban de lo genial que era aquel tipo, Mike Newland. Había ayudado a su tía Mavis a sacar las bolsas del coche, y había puesto la cadena de la sierra de tío Arnie, que se le había salido, y ya de paso le había cortado tres ramas. El peor mensaje era el de su madre. Mike había ido a hacerle una visita, y le decía que esa tarde se pasaría por casa para «hablarle de ello».

¿Pero qué se ha dedicado a hacer esta mañana? —soltó Sara casi a gritos—. ¿A ir de casa en casa presentándose a todo el mundo? ¿A hacer buenas obras sin cesar? —por un momento imaginó que se había pasado la noche causando desperfectos en las casas de la gente, para poder dedicar la mañana a repararlos.

Aquella idea la hizo sonreír. Metió el plato sucio en el lavavajillas, recogió sus cosas, llamó a Greg y le envió un mensaje, y volvió a salir al jardín. Debería instalar la máquina de coser en el escritorio de Tess, encender la tele y trabajar dentro, pero si lo hacía no pararía de oír el timbre del teléfono, o si no explicar a todo el mundo por qué lo había desconectado. En cambio, si se quedaba ahí siempre podía poner la excusa de que estaba trabajando fuera y no lo había oído. En cuanto a Greg, tal vez no fuera mala idea que si llamaba le dejara un mensaje en el contestador.

A las dos entró a prepararse una jarra de té helado, y comprobó que su prometido seguía sin llamarla. Mientras el agua hervía, su vista se desplazó hasta la puerta cerrada del dormitorio de Mike. Mejor dicho, de la habitación de invitados de Tess.

No sabía por qué, pero al momento sintió una curiosidad desbocada. Sigilosamente, como si alguien la observara, acercó la mano al tirador. No le habría sorprendido descubrir que estaba cerrada con llave, pero no, la encontró abierta. Sintiéndose como una ladrona, asomó la cabeza. Las cortinas de una ventana estaban descorridas, la cama, hecha y, por lo que se veía, todo se encontraba exactamente igual que el día anterior. En contra de lo que le había dicho Luke, no parecía haber nada raro en aquel colchón.

Ganando confianza, entró y miró a su alrededor. Nada. No había la menor evidencia de su paso por ahí. Se acercó al armario y lo abrió. No había ni una sola camisa colgada, ni un solo maletín en el suelo. Ahora que lo pensaba, aquel hombre no llevaba equipaje cuando había salido del túnel.

Frunció el ceño y abrió los tres cajones de la cómoda. Estaban vacíos, lo mismo que los de la mesilla de noche. Y debajo de la cama tampoco había nada. Llegó a retirar la colcha, y miró debajo, pero en aquel dormitorio no había ni una sola cosa que pudiera pertenecerle.

Cuando salía, pensó en la nota que le había escrito. Debía ir a ocuparse de unos recados. ¿Qué tareas secretas le habían llevado hasta Williamsburg?

Sara acababa de cerrar la puerta cuando oyó que un coche se acercaba, y al momento supo que se trataba de su madre. Ella poseía, sin duda, un sexto sentido que le indicaba cuándo se acercaba su madre, y al mirar por la ventana constató que no se equivocaba. Sin darle tiempo a pensar siquiera en la posibilidad de huir, su madre ya se había plantado frente a la puerta. Cuando vio a Sara, a través del cristal, le dijo:

—Necesito ayuda.

—Como todos —murmuró Sara abriendo la puerta.

Para su sorpresa, su madre tenía ocho bolsas de lona —de plástico, jamás— con comida en el pequeño porche. Los malos pensamientos, los sentimientos negativos que albergaba Sara, se esfumaron al momento. Su madre sabía lo mucho que estaba trabajando para terminar todos aquellos arreglos de ropa antes de la boda, y se había tomado la molestia de cocinar para ella. Su negocio —Armstrong's Organic Foods (ese era el apellido de soltera de Eleanor Shaw)— había crecido desde que lo había abierto en su propia cocina, en 1976. Ahora poseía tres establecimientos, uno en Edilean, otro en Williamsburg y, en verano, un gran puesto de frutas y verduras en la autopista de Richmond. Tenía contratadas a doce mujeres que cocinaban unos platos que se vendían casi al momento, y a otras quince que llevaban las tiendas. Que su madre dedicara parte de su tiempo, de su atareada existencia, a ocuparse de las necesidades de su hija hizo que esta se olvidara de cualquier agravio. En realidad, la suya era la mejor madre del mundo.

Sara la rodeó con sus brazos y la abrazó con fuerza.

—Gracias... Eres la mejor madre... la mejor amiga... que puede existir en el mundo. ¿Cómo has sabido que estaba casi muerta de hambre?

Cuando su hija la soltó, Eleanor le alargó dos bolsas con alimentos.

—Siento decepcionarte, cielo, pero el que ha comprado todo esto ha sido Mike.

Sara cambió el gesto.

—¿Mike? ¿El hermano de Tess?

—¿Es que hay más de un Mike viviendo contigo?

Sara dejó las cosas en la encimera, junto a la nevera.

—Está bien, está bien. ¿Qué heroico acto de capital importancia te ha dedicado hoy?

Mientras Ellie abría la nevera, arqueó una ceja mirando a su hija.

—¿Qué es lo que te tiene tan escamada: que tu futuro marido se haya largado y te haya dejado prácticamente a las puertas del altar, o que no te haya llamado?

—¿Cómo sabes...? —Sara le dedicó una mirada asesina al caer en la cuenta de que su madre no había sabido que Greg no la había llamado hasta ese preciso instante, en que ella acababa de delatarse con su impulsiva respuesta—. Está bien, suéltalo de una vez. Di lo que tengas que decir, y vete. Tengo mucho trabajo.

—Tú siempre tienes mucho trabajo. —Metió unas coles negras de la Toscana en el cajón de las verduras y ajustó el nivel de humedad—. De hecho, ahora pareces tener tanto trabajo que no tienes tiempo ni para alimentarte, y mucho menos para pasarlo con tu familia y tus amigos.

Sara ya se lo sabía de memoria. Metió la mano en la bolsa y extrajo una gran cuña de parmigiano-reggiano.

—No tengo...

—¿Rallador para el queso? —se adelantó Ellie—. No te preocupes. Mike se ha encargado de comprar uno. De hecho, me lo ha comprado a mí. Y lo ha pagado con tarjeta de débito. ¿Sabes? De esas que descuentan el dinero de su cuenta al momento.

No hacía falta que le aclarara a qué se refería. Poco después de presentar a Greg a su familia, este había parado en la tienda de su madre y había cargado un carrito lleno de comida preparada, muy cara, y se había ido sin pagarla. Cuando la encargada del establecimiento fue tras él y lo interceptó, Greg le dijo que él podía llevarse de allí lo que quisiera, porque su «novia» era la dueña. La encargada tardó bastante en entender que se estaba refiriendo a Sara, y no a Ellie. Más tarde, Sara había tenido que enfrentarse al enfado de Greg, ofendido porque su futura suegra no le dejara llevarse de su tienda, sin pagar, todo lo que quisiera. Desde ese momento era Sara la que hacía la compra y lo pagaba todo, aunque ella sí se beneficiaba de un descuento, el mismo que tenían las empleadas. No se lo había contado a Greg, porque no quería perder más tiempo explicándole las cosas, pero de hecho le daban muchos productos sin cobrárselos.

Ahora, mientras iba sacando más comida de las bolsas —todo fresco, nada de platos preparados—, pensaba en cómo hacer para conseguir que su madre se pusiera de su parte. Todos aquellos elogios a Mike Newland empezaban a resultar excesivos.

—Mira, mamá, ya sé que parece buen chico y demás, y es el hermano de Tess, pero hay algo en él que no me inspira confianza. Espera a que te cuente cómo entró en el apartamento, en plena noche. Él...

—Ya lo sé. Se coló por un túnel viejo.

Sara se interrumpió, con la mano apoyada sobre una bolsa de lona reciclada llena de chiles.

—¿Y cómo lo sabes?

—Tía Lissie me habló de su existencia cuando era niña, pero en aquella época estaba cerrado. Luke lo redescubrió un año antes de conocer a Joce. Ya sabes, en aquella época en que estaba tan deprimido que no hablaba con nadie. Le pidió ayuda a mi padre para apuntalarlo. ¿Crees que papá habría podido dedicarse a algo así y no contármelo? Era yo la que le lavaba la ropa sucia, la que le daba masajes con linimento en la espalda dolorida.

—¿Y quién más sabe que existe ese túnel?

—¿Vivos o muertos?

Sara meneó la cabeza.

—Está bien, está bien. Mucha gente de tu generación, y más viejos, saben de su existencia, pero eso no es excusa para que él... un intruso... lo usara. Creo que quería asustarme.

—Supongo que debería haber llamado a la puerta de lo que él creía que era un apartamento vacío.

—Si Tess y él están tan unidos, ¿por qué no sabía que yo me había instalado en él? ¿Y por qué su dormitorio está vacío? Se presentó ayer noche sin nada. ¿No crees que es un poco raro?

Ellie apartó la vista de la nevera.

—No, si tu piso se ha incendiado y todo lo que te queda es lo que llevabas puesto, además del coche.

Sara miró a su madre, muda.

Ellie echó la espalda hacia atrás y apoyó las manos en la zona lumbar. Era una mujer guapa, de sesenta y dos años —según ella, se conservaba tan bien porque no comía el veneno de todos aquellos productos envasados—, pero no se parecía en nada a su hija. La belleza delicada de Sara la había heredado de la hermana de Elsie, Lissie, mujer con una hermosura de alabastro.

—Ya sospechaba yo que Mike no te había contado por qué se presentó en plena noche, ni por qué su habitación —que por lo que se ve te has dedicado a espiar— está vacía. El pobre hombre no tiene nada. He encargado unas faldas escocesas para él.

—¿Cómo?

—Le he tomado las medidas, he llamado a la tienda de Edimburgo, y le he encargado dos uniformes escoceses completos, uno de gala y el otro para que pueda participar en los juegos de la feria.

—¿Los juegos? ¿De la feria? ¿Estás hablando de los Juegos Escoceses? ¿De tirar de la cuerda? ¿De lanzamiento de pesas? ¿De la representación de batallas? Los Frazier se lo comerán con patatas.

Ellie la miró con severidad.

—¿Qué tienes en contra de ese hombre? Es claramente mejor que...

Su madre estuvo a punto de terminar la frase, pero Sara la advirtió con la expresión de sus ojos.

—Si estás pensando en decir algo malo sobre Greg, no lo hagas.

—No se me ha pasado por la cabeza.

—Solo porque no se te ocurre nada que no hayas dicho ya.

—¿Que no? Dame tres horas, y verás que no se me acaban las ideas. —Al ver cómo la miraba su hija, Ellie levantó las manos en señal de rendición—. Está bien, no nos peleemos más. No es asunto mío. ¿Qué tal te va el trabajo?

—Bien. —A Sara le interesaba cambiar de tema, dejar de hablar de Greg—. ¿Para qué es toda esta comida que ha comprado? ¿Se está planteando abrir su propia tienda y hacerte la competencia?

—Es lo que Mike necesita para poder cocinar. —Ellie cambió el gesto al momento, y se mostró encantada—. No he conocido a otro hombre que no sea del ramo y que sepa tanto de alimentos orgánicos. Debe de haberse pasado diez minutos o más hablando de los beneficios de la semilla de lino.

—Suena fascinante.

Ellie pasó por alto su comentario irónico.

—Mike me ha dado una receta de sopa de chirivía que pienso probar esta noche con tu padre. Por cierto, han quedado para jugar al golf este sábado.

—¿Quiénes?

—Tu padre y Mike.

—¿Mi padre va a jugar al golf con un hombre que tiene la mitad de años que él y al que ni siquiera conoce? ¿Con un policía?

—Le diré a Mike que deje las armas en casa, y, a Henry, que se ponga su chaleco antibalas. No me has respondido cuando te he preguntado qué tienes en contra de ese hombre que, por cierto, no es tan joven. Tiene treinta y seis años, y dentro de tres podrá retirarse del cuerpo. Me pregunto dónde estará pensando instalarse.

—Mamá, si crees que ese hombre y yo...

—Jamás en la vida se me ocurriría inmiscuirme en la vida de mis hijas. Más bien estaba pensando en Ariel. ¿Verdad que Ariel y Mike harían muy buena pareja?

—¿Ariel? —repitió ella, escandalizada—. ¿Ariel Frazier? ¿Qué está haciendo ella en el pueblo?

—Sara, cielo, ¿has olvidado que Ariel vive aquí?

—No vive aquí desde que terminó el instituto y nos dijo a todos que estaba impaciente por largarse de este agujero y de todos sus habitantes.

—Y así lo hizo. Se fue a estudiar medicina, y ahora que ha terminado quiere descansar un tiempo antes de enfrentarse al trabajo agotador de la residencia. Cuando la termine, será médico, y quiere abrir una clínica aquí, en Edilean.

A Sara le pareció que su madre la miraba como si esperara que dijera o hiciera algo. Pero no tenía ni idea de qué podía ser. Ariel tenía un año más que ella, y su familia llevaba viviendo en Edilean tanto tiempo como la suya. Desde el principio, los Frazier se habían dedicado a vender cualquier cosa que tuviera ruedas, ya fueran bicicletas, furgonetas, tractores o Lamborghinis. Se decía, aunque nadie tenía pruebas, que el primer Frazier había sido el mejor amigo de Angus McTern Harcourt, el hombre que había fundado Edilean. También se decía, aunque de aquello hubiera menos pruebas aún, que el primer Frazier había sido el conductor del carro cargado de oro que estaba en el origen de la localidad. Cuando Sara iba a primero, Ariel, que iba a segundo, le contó un día en el colegio que su abuelo decía que, estrictamente, Edilean Manor, y el pueblo entero, debería pertenecerles a ellos. Aquella había sido la primera de las muchas peleas que habían librado las dos.

—No dices nada —dijo Ellie—. ¿No crees que Ariel y Mike harían muy buena pareja?

—¿Y cómo voy a saberlo? A él no lo conozco, y a ella llevo años sin verla.

—¡Pues está guapísima! Pelirroja, ojos azul oscuro... Y además es muy inteligente. Eso lo ha sido siempre. Y Mike es bastante guapo también.

—Sí, si te gusta el modelo policía.

Ellie miró fijamente a su hija, abriendo mucho los ojos.

—Creo que tanto coser la ropa que te encarga Greg te está dañando la vista.

—Te hablo en serio, si dices algo más en contra de Greg, te...

Ellie se dirigió hacia la puerta.

—La última vez que hablamos de él ya te dije que no metería más mis narices en vuestros asuntos. Todo el mundo tiene que cometer sus propios errores. Lo siento, sé que eso ha sonado mal. No era mi intención. Me voy. Pero Sara, niña, cielo mío, creo que podrías ser más comprensiva con Mike. Se le ha incendiado su casa y todo lo que contenía, y su única familia es su hermana. Y...

—¿Y qué?

—Mi madre me había contado cosas sobre la abuela de Tess y Mike. Cuando sus padres murieron, los crio ella, y mi madre decía que Prudence Farlane era la persona más iracunda que había conocido en su vida. Era como si dentro tuviera un volcán de odio. Que Mike tenga derecho a retirarse siendo tan joven quiere decir que se alistó al cuerpo siendo aún un adolescente. En realidad era un niño, Sara. Sinceramente creo que deberías tener algo de compasión por ese hombre.

Sara esperó unos segundos antes de responder.

—Buen intento, mamá. Pero aun así voy a casarme con Greg.

Ellie se echó a reír.

—He hecho todo lo que he podido. Por favor, explícame qué prepara con esa col negra. Quizás incluya la receta en la revista de la tienda. —Se detuvo al llegar a la puerta—. O sea ¿que no te parece guapo?

—Creo que es gay —dijo Sara, aunque estaba mintiendo.

Ellie volvió a reírse.

—A veces me pregunto si alguna vez he sido tan joven como tú. Mantenme al corriente de las novedades. Nos vemos.

Y, dicho esto, salió del apartamento, y Sara, aliviada, apoyó la espalda en la puerta.

4

A media tarde, Sara ya se sentía algo más calmada. Sabía que gran parte de su nerviosismo se debía al hecho de no saber nada de Greg desde hacía días. Además, estaba cansada de intentar que la gente de Edilean viera con buenos ojos al hombre que amaba. Si Greg le hubiera permitido que les contara la verdad sobre la vida tan difícil que había llevado, estaba segura de que lo comprenderían. Su infancia había sido tan espantosa que era cierto que a veces se sentía incómodo en situaciones públicas. Había reconocido, incluso, que estaba algo celoso del amor que demostraba a Sara la gente del pueblo.

—Lo he intentado —le había dicho él con lágrimas en los ojos, y a ella se le había partido el corazón—. Me he esforzado por caerles bien. Lo de la tienda no lo entendí. Me pareció que, como tu madre es la dueña, compartiría lo suyo con su hija.

Sara no había sabido qué decirle. A ella no le cobraban la comida, pero a él sí.

—Tiene que ver con la contabilidad —lo justificó ella—. Y con los inventarios. Ya hablaré con ella y veré qué...

—¡No! —la interrumpió Greg—. No quiero que haga nada especial por mí. Si tu madre no quiere que coma su comida, que así sea. Iremos a algún colmado de Williamsburg.

—Si me dieras permiso para explicarle aspectos de tu pasa-do... —tanteó Sara. Pero Greg siempre se lo prohibía, y en realidad ella lo comprendía. Decía que quería que la gente de Edilean lo apreciara por sus propios méritos, como las personas de otros sitios. A veces añadía: «Después, tú y yo nos iremos de aquí.»

—¿Después de qué? —le preguntaba ella, pero Greg nunca le respondía.

—¿La molesto? —Sara levantó la vista y vio a Mike Newland junto a la mesa, con un vaso de té helado en cada mano—. He visto que el suyo estaba vacío, y se lo he... ¿He hecho bien?

—Sí, claro —respondió, intentando dejar de fruncir el ceño. Si aquel hombre se quedaba mucho más tiempo, a ella acabarían saliéndole arrugas en la frente.

Mike dejó los vasos en la mesa.

—¿Le importa? —preguntó, señalando la silla vacía con un movimiento de cabeza.

Mientras se sentaba, Sara siguió cosiendo.

—Mire —dijo él con su voz ronca—. Creo que usted y yo empezamos con el pie izquierdo ayer noche. —Se quedó en silencio unos momentos, como si no supiera cómo seguir—. ¿Ha tenido un buen día?

—Al parecer, el suyo ha sido bastante ajetreado. Ha ayudado a unas mil personas, ¿no? —Había hostilidad mal disimulada en su voz.

—Yo... eh... —Dio un buen sorbo al té—. Señorita Shaw, sé que ayer noche la ofendí, pero creía que estaba entrando en un apartamento vacío. Puedo asegurarle que usted me sorprendió tanto a mí como yo a usted.

Sara dejó la labor sobre la mesa.

—Tiene razón, estoy siendo grosera. Lo que pasa es que... —agitó la mano—. No importa.

—No, no, cuénteme. Se me da bien escuchar.

Pero Sara no dijo nada y, mirando al jardín, bebió un poco de té.

—¿Tiene algo que ver con la desaparición de su novio?

—Prometido.

—Lo siento. Esta mañana me han contado tantos chismes que no puedo recordarlo todo. Por cierto, ¿quién es Ariel?

—Una prima lejana. Según mi madre, es la mujer más guapa, inteligente y capaz sobre la faz de la Tierra, junto con mis dos hermanas perfectas, claro está.

Mike la miró un momento, y se puso en pie.

—Vaya, parece que ha tenido un día duro. ¿Por qué no entra y me deja que le prepare la cena? —Al ver que ella vacilaba, añadió—: Es lo que he hecho con Tess desde que éramos niños.

Era tan agradable que alguien le sonriera, que Sara recogió su labor y, dócilmente, lo siguió hasta el apartamento. Se sentó a la mesa mientras él se dirigía a la cocina. Mike se anudó un delantal bajo, que acababa de comprar, a la cintura y empezó a rebuscar en la nevera, de la que finalmente sacó un aguacate, nata agria y un par de limas.

—Hábleme, cuénteme cosas —le pidió mientras dejaba los ingredientes sobre la encimera y sacaba un cuchillo del pie de madera que lo sostenía.

Sara lo veía moverse por la cocina de un lado a otro, y se fijó en que aplastaba un diente de ajo con el lado del cuchillo, como si fuera un chef profesional.

—Siento lo de su apartamento.

Mike se encogió de hombros.

—Gajes del oficio.

—¿El incendio tiene que ver con su trabajo?

Él se volvió a mirarla, y le dedicó una sonrisa fugaz.

—No me apetece lo más mínimo hablar de mi trabajo, ni de mí. Prefiero oír cosas sobre usted. O sobre ti, si no te importa que te tutee. ¿No vas a casarte en unas semanas? ¿Es bonito el vestido?

Y se puso a pelar el aguacate.

—Precioso —respondió Sara, enterrando su sonrisa en el té helado. Definitivamente, aquel hombre no se parecía en nada a los que ella conocía—. Es el vestido con el que se casó mi tía abuela, Lissie.

Mike le plantó delante un cuenco con la salsa de aguacate que había preparado, junto a otro con nachos.

¿Entonces? ¿Cuándo voy a conocer a tu prometido?

«¡No había tardado nada en tocar el tema con el que todo el mundo la acosaba!», pensó Sara. Lo cierto era que no sabía si lanzarle el cuenco a la cara o echarse a llorar. Pero enseguida Mike sacó una jarra helada de la nevera y le sirvió un margarita. Ella se lo bebió de un trago. Él la miró con los ojos muy abiertos, pero al instante le sirvió otro.

—¿Mejor? —le preguntó, después de dejar que diera un largo sorbo.

Sara asintió y atacó los nachos y la salsa.

—Supongo que todo el mundo te pregunta por él, pero tú no sabes cuándo volverá y no sabes qué responderles.

—Exacto —admitió Sara y, por primera vez desde que Greg se había ido, se sintió relajada.

—Tal vez haya vuelto a su ciudad —aventuró Mike, mientras colocaba unas láminas de pera sobre unas hojas de lechuga de diversas clases.

—Vive aquí, conmigo.

—Ah, no, me refería a la ciudad donde viven sus padres.

—Ah.

Mike echó unos piñones en la ensalada y la aliñó con una vinagreta de frambuesa.

—¿Has llamado a sus padres? —le preguntó mientras le servía un plato.

Sara murmuró algo.

—Lo siento, no te he oído.

Ella tardó en responder, porque estaba probando la ensalada.

—No sé dónde viven sus padres, ni si viven. Greg me habló de algunas experiencias muy desagradables que vivió de niño, pero no me dio detalles de nombres ni direcciones.

—Ah —dijo Mike, dándole la espalda, y pensó que era cierto, que Stefan había vivido algunas situaciones desagradables durante su infancia. Había sido condenado a dos años en un centro de menores por robar un coche, a seis meses por intento de atraco a una joyería, y lo habían detenido un par de veces por carterista. A los dieciocho años, Stefan era ya un delincuente experimentado, y desde entonces no habían vuelto a arrestarlo—. O sea, que no sabes nada sobre su familia.

—¡No! ¡Y no empiece con eso usted... no empieces con eso tú también! Todos tenemos derecho a la intimidad, y además ya he oído bastantes quejas sobre él de mi madre y del pueblo entero. Estoy segura de que hay cosas de ti que no quieres que sepa la gente.

—Pregúntame lo que quieras, soy un libro abierto. —Sacó los dos pollitos que había encargado aquella mañana y se puso a rellenarlos con el arroz salvaje y las hierbas aromáticas que había preparado antes de salir a ver a Sara. Una de las ventajas de su vida de incógnito era que había tenido que trabajar en múltiples oficios. Uno de los más prácticos fue el que le llevó a pasar dieciocho meses como ayudante de chef en Arizona. Allí, entre otras cosas, había aprendido a montar una fajita en diez minutos.

—¿Dónde te criaste?

—En Akron, Ohio.

—¿Por qué Tess se niega a hablar de su infancia?

—Creía que las preguntas eran sobre mí, no sobre mi hermana.

—Ella es mi amiga. Tú eres un desconocido.

Mike ató los pollitos. En una ocasión había atado a un hombre de un modo idéntico, juntándole las piernas, con los brazos a la espalda y pasando la cuerda por delante.

—Tienes razón. Lo que tiene que ver con Tess tiene que ver conmigo. Mis padres murieron en un accidente de coche cuando yo tenía doce años, y Tess cinco, y nos criaron nuestros abuelos maternos.

Metió las aves en el horno.

—Sí, he oído hablar de tu abuela.

—Seguro. ¿Te han contado que tenía muy mal carácter?

—Sí —dijo Sara en voz baja—. ¿Y tu abuelo? ¿Era amable?

Mike se volvió para mirarla.

—No lo veíamos casi nunca. La abuela nos decía que debía viajar mucho por trabajo, pero tras su muerte, en 1999, descubrí que tenía otra familia.

—Dios mío. —Sara detuvo el avance del tenedor hacia su boca, y observó a Mike, que en ese momento se sentaba frente a ella.

—¿Empiezas a entender por qué Tess no quiere hablar de su infancia?

—Sí —dijo ella mirándolo—. Por favor, cuéntame más cosas. Necesito algo que aparte mi mente de mis problemas. Mi madre me ha contado que entraste en la Policía cuando todavía eras adolescente.

Mike vaciló. Nunca, desde que trabajaba de incógnito, le habían pedido que contara la verdad sobre sí mismo. Pero en aquel pueblo había gente que había conocido a su abuela, de modo que, si mentía, Sara acabaría enterándose.

—Yo era el mayor, o sea que actuaba como parapeto entre mi hermana y mi abuela, pero llegó un punto en que ya no pude más. El día que terminé la secundaria, le dije a la vieja que si se atrevía a tocarle un pelo a Tess, la mataría, y me fui de aquí.

—Pero, claro, no lo habrías hecho. Matarla, quiero decir.

Mike apartó los ojos de la ensalada y la miró, pero no respondió nada.

—¿Y qué hiciste cuando te fuiste?

—Siempre había querido ver el mar, o sea que... —Sonrió al recordarlo—. Lancé una moneda para decidirme por un lugar, y ganó la Costa Este... o perdió, supongo. Viajé hasta Florida y recalé en Fort Lauderdale. —Dio otro bocado—. Una cosa llevó a la otra, y acabé uniéndome al cuerpo de Policía. —La miró—. Y ahora estoy aquí.

—¿Y Tess?

—Le ha ido bien, ¿no?

—No, quiero decir, ¿cuándo volviste a estar con ella?

—El día que terminó la secundaria yo estaba esperándola junto al instituto. Ya había recogido algunas bolsas con su equipaje que ella había lanzado por la ventana de su habitación. Le arrojó el birrete y la túnica a la cara a mi abuela, se montó en el coche y nos fuimos.

—Supongo que fuiste tú el que le pagó la universidad.

Mike ya le había explicado todo lo que podía explicar sin revelar ninguna información comprometedora, por lo que se encogió de hombros. La señorita Sara Hélèna Shaw era una jovencita que demostraba gran curiosidad. Él sabía que mientras se había ausentado, ella había revisado su dormitorio. La deformación profesional le había llevado a marcar los cajones y a alinear la alfombra con los tablones del suelo. Al regresar, todo estaba ligeramente fuera de su sitio. Ahora se alegraba de haber dejado los dosieres del caso y las armas en el compartimento secreto, bajo la alfombrilla del maletero del coche.

Se levantó para mirar a través del cristal del horno.

—¿Y bien? ¿De quién sabes más cosas ahora? ¿De mí o del hombre con el que piensas casarte?

—Menuda pregunta. Que no conozca a los padres de mi prometido no significa que no sepa de él todo lo demás. Sé lo que le gusta comer, cómo conduce, lo que quiere para el futuro... Sé que sus dos novias anteriores le destrozaron el corazón, que su...

—¿Lo que quiere para el futuro? —la interrumpió Mike—. ¿Y qué es?

Sara bajó la cabeza y se miró las manos.

—Lo normal. Un hogar, hijos... —no pensaba contarle que las píldoras anticonceptivas la hinchaban, que Greg era muy metódico con el uso de protección, y que se había mostrado bastante impreciso sobre el momento en que quería empezar a tener descendencia.

—¿Y eso lo quiere aquí, en Edilean? ¿Lo ha expresado exactamente con esas palabras? ¿Qué te dijo?

Apenas pronunció aquellas preguntas, se maldijo a sí mismo por lo impaciente de su tono. Esperaba que Sara no lo hubiera notado.

Pero sí lo notó.

—Le han pedido a Tess que te envíe aquí, ¿verdad? —Sara se puso en pie.

—¿Que Tess me envíe aquí? No sé de qué estás hablando —se defendió en tono sincero—. ¿Quiénes?

—El pueblo. Todos creen que les pertenezco. Los demás pueden ir y venir como mejor les plazca, pero yo no. —Se iba enfureciendo por momentos—. La pequeña Sara Shaw, la dulce Sara Shaw se queda en casa y ayuda a la gente. Todo el mundo se va de aquí y hace cosas, pero yo me quedo en Edilean y veo cómo los demás vuelven con sus estudios, con sus maridos, con sus niños y niñas adorables. Pero la buena de Sara siempre sigue aquí.

Apoyó las manos en la mesa y se acercó más a él.

—Puedes contarles a todos, a tu hermana, a Ramsey, a Luke, a todo el mundo, que puede que a ellos no les guste Greg, pero a mí sí. Él me ha hecho conseguir cosas. Tal vez sea brusco y algo maleducado a veces, pero me ha dado esperanza en el futuro.

Se echó más hacia delante, y su rostro quedó a dos dedos del suyo.

—En cuanto a ti, señor Newland, ya puedes ir olvidándote de sacarme información, o de intentar seducirme para alejarme de Greg, o de lo que sea que hayas planeado, porque no te va a funcionar. ¿Me entiendes? No estoy interesada en ti ni en ningún otro hombre, o sea que por mí ya puedes irte ahora mismo.

Dicho esto, se alejó por el pasillo, entró en su dormitorio y cerró dando un portazo.

Mike se apoyó en el respaldo, absolutamente asombrado. No tenía ni idea de qué acababa de acusarlo. «¿Seducirla?» Ni siquiera se había acercado a ella.

Se pasó las manos por la cara. Su primera reacción fue levantarse, acercarse a su puerta e intentar hablar con ella, pero como no tenía ni idea de qué podía decirle, comprendió que no tenía sentido. ¿Por qué no habría podido dispararle con una pistola? Con un revólver. Una semiautomática habría sido una buena elección. Podría haberle dicho: «Acércate a mí y te mato.» Aquello se lo habían dicho muchas veces, y él siempre se lo había tomado bien.

Sonó la alarma del horno. Los pollitos. Mike sacó la bandeja y salió al jardín a llamar a Tess.

Su hermana respondió al segundo tono.

—¿Y bien? ¿Qué te parece Sara? —le preguntó, directa al grano, saltándose todo preámbulo.

—Está estresada. Y sabe que le estoy mintiendo.

Aquello asombró tanto a Tess que le costó replicar.

—Pero si tú siempre mientes. Por eso eres tan bueno en tu trabajo. Mientes sobre... qué tipo de pasta de dientes usas, y la gente se lo cree.

—¿Estás segura de que estás en mi mismo bando?

Tess no se rio.

—Es que no lo entiendo. ¿Sara se cree todo lo que le cuenta un tipo que todo el pueblo sabe que es un imbécil, pero no te cree a ti?

—¿Quién puede entenderlo? —El tono de voz de Mike dejaba traslucir su desconcierto—. La he tratado como a una princesa, le he preparado la cena, he recogido la cocina, y aun así me acusa de... La verdad es que no sé por qué está tan enfadada conmigo.

—¿Y la gente de Edilean? No los recién llegados, sino los que conocen a Sara. ¿Qué tal con ellos?

Mike tardó un poco en responder.

—He hablado con algunos de ellos esta mañana, y están sinceramente preocupados por ella. No quieren verla sufrir.

Tess sabía bien de qué le hablaba.

—Es un pueblo increíble, ¿verdad? Ahí la gente se preocupa de verdad por los demás. Sí, claro, hay que ser de ahí para que te cuiden, pero, si lo eres, están pendientes de ti.

—No es como nos contaron a nosotros, ¿verdad?

Tess se echó a reír.

—No exactamente. ¿Has hablado con alguien que conociera a la abuela?

—No, y no quiero hacerlo. Prefiero pensar que cuando la enterraron a ella enterraron también sus líos.

—Yo también —coincidió Tess—. Y dime, quiero que me cuentes qué opinas de Sara.

—Creo que es...

—¿Qué?

—Guapa.

—¿Cómo de guapa?

—Me pone nervioso.

—¿Tan guapa?

—Se enfurece por las cosas más curiosas, pero a mí me resulta imposible enfadarme con alguien que lleva una ropa que parece hecha por los ángeles.

—Lo sé. Sara lleva manga larga incluso en los días más calurosos del verano. Encarga muchas telas en Irlanda, y se confecciona su propia ropa. La hace a juego con esa carita de porcelana que tiene, ¿no crees?

—Sí —susurró él con su voz ronca.

—¿Y qué te parece como mujer? Genial, ¿verdad?

—Creo que no he tenido ocasión de verla tal como es, pero me gusta lo que me han contado de ella. En el pueblo todos creen que es prácticamente una santa. Es la que siempre se ofrece para ayudar a todo el mundo. Gana tan poco, que si su madre no la alimentara, se moriría de hambre.

Tess se alegraba que en ese momento su hermano no pudiera verla, porque estaba sonriendo de oreja a oreja. Sabía que él nunca había tenido ninguna relación realmente seria con ninguna mujer, aunque lo cierto era que sus «relaciones» siempre habían tenido que ver con los casos secretos de los que se había ocupado. Había vivido un tórrido romance con la esposa de un señor de la droga para poder obtener información sobre su esposo. Cuando llegaron las detenciones, aquella mujer abofeteó a Mike con tanta fuerza —y él se lo consintió— que durante una semana tuvo que llevar un collarín. Solo Tess sabía lo mucho que todo aquello afectó a su hermano: aquella mujer le gustaba de verdad, e incluso le caían bien sus dos hijos. Fue Tess quien se ocupó de él tras el caso, y la que vio lo mal que lo había pasado.

—Te he concertado una cita para mañana —le dijo.

—¿Para qué?

—Para el cierre de la operación de la casa con el que llevo un año insistiéndote. Es con el notario de Williamsburg. Ya que estás por ahí, podrías hacerlo.

—Pero es que estoy aquí con un caso. Tal vez sería mejor dejarlo para otra ocasión.

—¡No! No pienso darte más tiempo. Ya he concertado la visita, y te he enviado un mensaje de texto con la dirección. Preséntate a las dos, firma los papeles, y el lugar es tuyo.

—¡Una granja! ¿Y para qué quiero yo una granja?

—No empecemos otra vez con eso —dijo Tess apretando los dientes—. Te guste o no te guste, le juré a tu abuela que algún día nuestra familia sería la propietaria de ese lugar, y estoy cumpliendo con mi promesa. —Tess no pensaba decírselo, pero lo cierto era que se lo había jurado, precisamente, por la vida de su hermano y, supersticiosa como era, temía que si no cumplían con sus votos, la vieja horrenda saliera de su tumba en busca de venganza.

Mike interrumpió los malos recuerdos de Tess. En realidad, cuando se retirara, ¿dónde iba a vivir, si no era cerca de ella?

—Vuelve a explicarme por qué Rams y tú no vivís ahí.

—Él es propietario de un terreno donde quiere construir. Todo esto ya te lo he contado más de una vez. Y también te he dicho que me parece que esa vieja granja te va a gustar. Puedes instalarte allí, y si la restauras tendrás algo que hacer cuando te retires.

Mike recuperó el tono burlón.

—Muy bien. ¿Y qué planes tienes para mí en esa granja? ¿Quieres que me dedique a cultivar maíz? ¿O aquí sois más de plantaciones de algodón?

—Pues cualquiera de las dos cosas sería mejor que ese trabajo horrendo que tienes ahora. En fin... Cuando vayas a visitar la granja no te olvides de que allí vive un viejo, que es el que la vigila. Sale siempre a recibir a los visitantes con una escopeta, o sea que mejor que lo llames antes.

—No será el viejo... ¿Cómo se llamaba?

—Brewster Lang.

—Eso —dijo Mike—. ¿Cómo he podido olvidarme de su nombre? El único amigo verdadero de la abuela en Edilean. No será tan perverso como ella, ¿verdad?

—Al contrario. Yo creo que es posible que fuera él quien le enseñara a ella todo lo que sabía.

Mike soltó un silbido.

—No puede ser tan malo.

—Avísame si vas a ir a la granja sin anunciar antes tu visita, y llamaré al hospital para que se preparen para recibir a un hombre acribillado a balazos.

—Entiendo, entiendo. Pero ese hombre debe de tener al menos cien años ya. ¿Crees que es capaz de salir de casa siquiera?

—Eso no es Nueva York, donde te lo traen todo a casa, o sea que supongo que tendrá que salir a comprar comida. —Hizo una pausa—. Viene Rams. Tengo que dejarte.

Mike se echó a reír.

—Ah, se me había olvidado preguntártelo. ¿Qué tal la luna de miel?

Tess bajó mucho la voz y le respondió en un susurro.

—Estoy casi segura de que estoy embarazada, pero todavía no le he dicho nada a Rams. Cómprale un poni a mi hijo, y llévalo a tu granja. Te quiero. Adiós.

Y cortó la llamada.

Cuando Mike colgó, le sorprendió la alegría que le había dado el anuncio de Tess. ¿Un bebé? ¿Un pequeñín regordete con las manos pegajosas de zumo, los pañales sucios y un hoyuelo en la mejilla? Ya casi le parecía estar viéndolo.

—Y yo viviendo en una granja —dijo en voz alta—. Un niño, un poni y una granja. Casi mejor me pego un tiro ahora mismo.

Entró en el apartamento, se terminó la cena solo, guardó las sobras y las metió en la nevera. Salió a correr un poco, y al regresar vio que la puerta de Sara seguía cerrada, pero que la luz estaba encendida. Después de ducharse le pasó una nota por debajo de la puerta informándole de que se iba a dormir e invitándola a comer lo que quisiera.

Desde la cama aguzó el oído, pero no la oyó moverse. Se sentía culpable por haberla molestado con tantas preguntas, por haber hecho que se fuera sin cenar.

Cuando volvía de correr, se había acercado hasta su coche para recoger los dosieres que le había facilitado el capitán, y esa noche se quedó despierto hasta tarde leyéndolos. Aunque ya había consultado las fichas policiales, hasta ese momento no había tenido tiempo para estudiar los informes en profundidad.

Era la primera vez que se ocupaba de un caso de la Unidad de Delitos Económicos, por lo que leer sobre los Vandlo lo tenía fascinado. Stefan era más normal y corriente, seducía y robaba, pero Mitzi resultaba un personaje más interesante. Para hacer lo que hacía se requería astucia, además de un desprecio absoluto por el valor de la vida humana.

Hasta hacía unos años, Mitzi había vivido en el norte de Nueva Jersey, y desde ahí se trasladaba a Nueva York, donde se dedicaba a estafar a mujeres ricas. Las atraía hasta su pequeña oficina del centro de Manhattan, en la que, según rezaba la placa de la puerta, ejercía como vidente. Allí recibía a mujeres traumatizadas, mujeres que sufrían, mujeres cuya vida era un caos y que acudían con la esperanza de que ella les dijera qué hacer para resolver sus problemas. Mitzi aceptaba solo a aquellas tan desesperadas, tan necesitadas de consuelo que estaban dispuestas a entregarle todo lo que tuvieran para salir del tormento en que se había convertido su vida.

El método de Mitzi, perfeccionado durante generaciones, constaba de tres partes: confianza, fe en La Obra y control. Al principio, dedicaba meses a obtener la confianza de aquellas mujeres. Era toda una experta en lenguaje corporal, y a los pocos minutos de conocer a una ya sabía lo que quería. Las escuchaba como nadie las había escuchado. Mitzi oía lo que sus víctimas le contaban, y lo recordaba. Las comprendía. Las apoyaba y siempre se ponía de su parte. Mitzi era la mejor amiga que pudiera imaginarse.

Una vez obtenida la confianza de sus víctimas, empezaba a hacerlas creer en La Obra, y en que ella, Mitzi, era el único recipiente que usaban los espíritus/los ángeles/Dios, fuera lo que fuese lo que, en cada caso concreto, les interesara más a ellas. Al creer que lo hacía todo para un Poder Superior, lograba que esas personas sintieran que al fin habían encontrado su sentido en la vida.

Cuando la víctima ya tenía fe, Mitzi iniciaba el proceso de control y aislamiento necesario para perpetrar la gran estafa. Un día se reunía con la víctima, y aparecía alterada y con los ojos enrojecidos. Contaba que llevaba toda la noche despierta por causa de La Obra, y que había visto cosas horribles. Para entonces ya sabía cuáles eran los peores temores de la mujer, y podía usarlos en su contra. Si le daba miedo su exmarido, entonces Mitzi le decía que él y otros amigos conspiraban contra ella. Lo mejor era que se mantuviera alejada de ellos.

Lo que en realidad Mitzi ofrecía a sus víctimas era esperanza. Les prometía amor, hijos, fortunas... todo lo que querían, y aquellas mujeres asustadas se aferraban a ello como a una tabla de salvación. Aquella esperanza lo era todo para ellas, vivían y respiraban por ella. Y Mitzi les hacía creer que solo ella podía darles lo que necesitaban... si le entregaban el dinero para acumular la energía con la que llevar a cabo la tarea. Y a ellas no les importaba pagar, porque Mitzi les juraba que cuando La Obra estuviera terminada, les devolvería hasta el último céntimo.

Como ocurría en todas las relaciones basadas en el abuso de poder, llegaba un momento en que lo bueno se acababa. Aquellas mujeres dejaban de sentirse escuchadas, atendidas, y dejaban de notar aquel sentimiento de amistad profunda que las llevaba a remar en la misma dirección. La víctima ansiaba tanto que regresaran aquellas sensaciones del pasado que cada vez pagaba más dinero. Para entonces ya no tenía otros amigos, solo Mitzi, por lo que se esforzaba al máximo en complacerla.

Pero finalmente a la víctima se le terminaba el dinero, y en ese momento Mitzi ponía fin, instantánea y abruptamente, a la relación. De pronto, su teléfono estaba desconectado, y su oficina, vacía. Si la víctima, desesperada, lograba ponerse en contacto con Mitzi, en ocasiones tras meses de intentos, sus súplicas eran recibidas con gran frialdad por su parte. Llorando, devastada, la víctima le pedía que le devolviera el dinero, tal como le había prometido. Era entonces cuando ella explicaba que todo se había gastado en La Obra. Y, sin el menor atisbo de compasión, colgaba el teléfono.

La víctima quedaba sola y, frecuentemente, casi arruinada. Bajo la tutela de Mitzi, había cortado sus lazos con todos los demás. No tenía a nadie a quien acudir en busca de apoyo moral, y por lo general se sentía tan avergonzada que no iba a la policía a explicar lo tonta, ahora se daba cuenta, que había sido.

Si la mujer se armaba de valor y sí informaba a la policía de lo sucedido, era habitual que no le hicieran caso. Según ellos, había entregado el dinero libremente, por lo que no existía delito. Pero el Departamento de Policía de Fort Lauderdale sí había atendido a una víctima, y tras requerir la investigación de algunas cuentas corrientes de Mitzi, su asombro fue mayúsculo por la magnitud de lo que encontraron en ellas. Mitzi Vandlo había obtenido millones de dólares de muchas mujeres.

Siempre que hay mucho dinero en juego en un delito las instancias federales hacen acto de presencia, y todo cambia. Así, no tardó en descubrirse que Mitzi era solo una pequeña parte de lo que parecía ser una de las mayores redes delictivas del mundo. Y hasta ese momento nadie sabía nada de ella.

Por suerte, a medida que la investigación avanzaba, recibió el apoyo de una sentencia del Tribunal Supremo de Estados Unidos, según la cual la aquiescencia de las víctimas no excluía la comisión de un delito. La gente que hacía lo que había hecho Mitzi era tan culpable como quien robaba un banco.

Las leyes penales estatales y las leyes federales van en direcciones contrarias. Los delincuentes detenidos en cumplimiento de leyes estatales son, primero, encarcelados, y después se investigan las pruebas de sus delitos. Pero los Federales pueden pasarse años recabando información antes de proceder a las detenciones. Desgraciadamente, cuando estos finalmente estaban preparados para encausar a Mitzi y a otros veintiocho miembros de su familia, ella recibió un soplo de lo que estaba a punto de ocurrir. Su hijo y ella habían desaparecido, se había ocultado donde nadie pudiera encontrarles.

Mientras hojeaba aquellos documentos, Mike iba dando la razón al capitán: si Stefan y su madre se habían trasladado a un pueblo tan insignificante como Edilean, en Virginia, tenía que ser por algo muy gordo. Y parecía que, en el tiempo que llevaba desaparecida, Mitzi se las había ingeniado para volver a sacarle el dinero a alguien, en este caso a Sara Shaw.

Mike dejó los informes sobre la mesilla de noche, recordándose a sí mismo que debía sacarlos de allí a la mañana siguiente: no podía arriesgarse a que Sara los encontrara cuando entrara de nuevo a espiar en su cuarto.

Mientras cerraba el cajón, no le pasó por alto lo irónico de la velada. Aquella tarde, durante las dos horas que había pasado en el centro comercial de Williamsburg comprándose ropa nueva, había imaginado una noche agradable, doméstica, con Sara. Comerían cosas ricas, y se beberían el vino que no habían llegado a abrir. Había imaginado que después de cenar iría a buscar la ropa nueva al coche y que Sara y él la comentarían juntos. Como ella se dedicaba a la confección, le pediría consejo sobre qué ponerse. Todas las situaciones que anticipaba terminaban con Sara contándole qué era lo que querían los Vandlo. Pero, no sabía por qué, todo había salido mal.

Al apagar la luz, pensó en *strippers*. A partir de entonces, solo trataría con *strippers*. Nada de buenas chicas a las que no había quién entendiera.

5

A la mañana siguiente, Sara despertó con lo que sabía que era resaca. Dos margaritas no bastaban para emborrachar a la mayoría de gente, pero Sara tenía poca tolerancia al alcohol.

Mientras se lavaba la cara con agua fría, iba recordando lo que le había dicho a Mike la noche anterior. Su excusa era que él le había formulado demasiadas preguntas sobre Greg, que había hecho demasiadas insinuaciones, lo que, sumado a todas las demás cosas que ya estaban sucediendo, se le había hecho intolerable.

Sí, claro, tendría que disculparse con Mike. La noche anterior no le cabía duda de que... bueno, era casi como si la gente estuviera conspirando contra ella. Pero no. No podía ser cierto. Aun así, la idea no solo no la abandonaba, sino que cobraba fuerza en su mente.

A medida que el día avanzaba y ella se dedicaba a trabajar sin descanso en su pila de ropa, se decía a sí misma que era imposible que Tess se hubiera puesto de acuerdo con todo el pueblo para llevar hasta allí a Mike con la misión de separarla de Greg.

Pero en la tele estaban dando una serie de asesinatos, y mientras cosía y escuchaba, le parecía ver conspiraciones por todas partes en aquellos últimos días. Que hubieran llamado a Greg tan de repente; que Luke irrumpiera en su apartamento para fumigarlo; que Sara hubiera tenido que trasladarse al de Tess, donde estaba la trampilla. Y que, entonces, el misterioso hermano de su amiga «se presentara» por casualidad, y ahora estuviera viviendo con ella...

A la una, Sara se fue a la cocina a comer algo, y vio que la nevera estaba llena de la comida que Mike había preparado la noche anterior. ¿Qué pretendía conseguir con aquellos platos tan deliciosos? Recordaba vagamente haberlo acusado de querer seducirla.

Tal vez viera demasiadas películas en blanco y negro, pero no podía apartar de su mente la imagen de sí misma borracha, retozando en la cama con Mike. Y entonces, dos hombres con cámaras y grandes flashes aparecían y les tomaban una fotografía.

¿Entregarían aquellas imágenes subidas de tono a Greg? Durante un instante aterrador, Sara imaginó la cólera de su prometido si la veía en la cama con otro hombre. ¡Pero si se ponía furioso si se le ocurría reírle alguna gracia a un comercial! «Eso es porque te quiero muchísimo», le decía él muchas veces.

Sacó un plato de uno de los armarios de la cocina de Tess, lo llenó de la comida que había preparado Mike, lo cubrió con un papel de cocina y lo calentó al microondas. Se sirvió un vaso grande de té helado y se sentó a dar cuenta de aquel banquete.

Al abandonar la oficina del notario con la gruesa carpeta bajo el brazo —la operación se había cerrado con éxito—, Mike seguía sin dar crédito a la escena con Sara. No entendía qué podía haber hecho para que se enfadara tanto. Sí, claro, tal vez su irrupción desde el túnel hubiera sido algo improcedente, pero no se le ocurría ninguna otra manera de relacionarse con ella tan deprisa como había logrado hacer. Si hubiera llamado a su puerta y se hubiera presentado, ella se habría mostrado educada, pero lo habría enviado a un hotel, y no habría vuelto a verla.

A decir verdad, la alianza de la gente del pueblo contra el hombre con el que quería casarse le parecía demasiado. Él sabía que Vandlo era delincuente, pero ellos no. ¿Dónde estaba ese famoso «apoyo» del que las mujeres hablaban constantemente? Entre las cuatro y las seis de la tarde, en la tele programaban lo que Mike denominaba «las horas del apoyo». Una vez en que Tess había ido a visitarle —mientras se recuperaba de una herida de bala (la cuarta)—, estaba cansado de estar tanto rato inmóvil, y, harto del dolor, lo pagó con la tele. Arrojó una almohada a la pantalla y dijo: «Si oigo la palabra "apoyo" una vez más, tiro el televisor por la ventana. Por más tonta que sea una persona, por mala que sea la decisión que ha tomado, todas vosotras, las mujeres, solo pensáis en "apoyaros" las unas a las otras.»

—O sea, que ahora yo soy una de esas mujeres —comentó Tess sin inmutarse, sin levantar siquiera los ojos de la revista—. Pues puedo asegurarte que nunca en mi vida he apoyado a una mujer que haya tomado una decisión tan tonta que la haya llevado a ser herida de bala.

Al momento, el mal humor de Mike se esfumó, y consiguió levantarse del sofá y prepararle una cena digna a su hermana. Dos días después, ella había regresado a Edilean.

Mientras, ya en el coche, se alejaba de Williamsburg, se preguntaba si debía seguir molestándose en cocinar. Por más que se esforzara por impresionar a Sara, lo que conseguía era ponerla furiosa. Hasta entonces, nunca había tenido problemas con las mujeres. De hecho, uno de sus grandes problemas con ellas era que les gustaba mucho. Coqueteaban con él, y le tomaban el pelo. Lo cierto era que nunca había tenido que trabajar lo más mínimo para conseguir a la mujer que deseaba.

Pero con Sara Shaw no era así. Lo había rechazado desde que lo había visto, y su animadversión hacia él no había dejado de crecer. Pero, como ya le había comentado al capitán, las mujeres como Sara eran para él un absoluto misterio.

Al regresar a Edilean Manor, no le habría extrañado encontrar la puerta del apartamento cerrada con el pasador, pero no estaba ni siquiera cerrada con llave. El detective que había en él hizo acto de presencia al momento. Tal vez tendría que impartir algunas clases sobre seguridad doméstica en Edilean para advertir a la gente de la importancia de tener las puertas cerradas con llave. Vio a Luke, que salía del apartamento de Sara cargado con lo que parecía un lavabo y, una vez más, Mike sintió lástima por ella. El pueblo entero estaba en su contra y, si él hubiera estado en su lugar, tal vez se habría casado con aquel tipo solo para fastidiarles.

Una vez en el apartamento de Tess, se fijó en el dormitorio que usaba Sara, y constató que estaba vacío. Mientras dejaba la carpeta de la notaría sobre la mesa pensó que tal vez después conversaría con ella sobre lo que la gente del pueblo le estaba haciendo. Quizás así consiguiera suavizar algo las cosas entre ellos. O le contaría que acababa de convertirse en propietario de una granja. Tal vez ella le ayudara a tranquilizarse un poco ante la gran responsabilidad que acababa de contraer.

Miró por la ventana y vio a Sara en el jardín, sentada bajo un gran árbol, con el móvil en la mano y su eterna labor de costura apilada en una mesa, a su lado. Aquella mañana el capitán le había enviado información a través de Tess. Tal como esperaban, Stefan se había mostrado agresivo al hablar con la policía sobre la detención de su exmujer. En cuestión de minutos, lo habían esposado y lo habían encerrado en un calabozo. El capitán le había reproducido muy satisfecho a Tess las acusaciones y amenazas que Vandlo había proferido a la policía cuando lo encerraban. Al parecer, Stefan no dejaba de repetir: «¡Tengo que volver!», es decir, que debía regresar junto a Sara para poder terminar de estafarla.

Durante el arresto le habían confiscado el teléfono móvil, y habían podido revisar todos los correos y los mensajes de texto que Sara había enviado a Stefan Vandlo desde que este se había ausentado con tantas prisas.

Aquellos mensajes eran una mezcla de enfado y súplica. No dejaba de preguntarle dónde estaba y cuándo iba a volver. La única alusión a Mike, indirecta, la había expresado diciendo que tenía unos «problemas» en casa y que necesitaba la ayuda de Greg.

Tess informó a Mike de que Vandlo no le había devuelto

ninguna llamada a su prometida, a pesar de que ya le habían entregado el teléfono.

Después de preparar más té helado, salió al jardín a ofrecérselo a Sara. Lo hizo dispuesto a enfrentarse a más rechazo pero, para su alivio, ella le dedicó una sonrisa.

—Sobre lo de ayer noche... —quiso decir, pero Mike no le dejó seguir.

—No era mi intención molestarte, y tienes razón, te pregunté demasiadas cosas. Es una deformación profesional mía, que tiene sus riesgos. ¿Y hoy nadie te ha hablado de mis buenas obras del día?

—No —dijo Sara, dando un sorbo al té—. ¿Ya has guardado tu capa de superhéroe en el armario con alcanfor?

—No es de la capa de lo que quiero librarme. ¿Te ha contado tu madre que me ha encargado dos faldas? —Sara se echó a reír, y a él le gustó aquel sonido, y quiso oírlo más—. No, en serio, me encontré con Luke, y le pregunté cuál era el mejor sitio para comprar alimentos orgánicos, y él me...

—Te envió a la tienda de mi madre. Lo sé. Me lo contó ella.

—Pensé que no atendería a clientes tan temprano, pero ahí estaba, descargando cajas de coliflor.

—Mi padre dice que el mejor momento del día son las dos horas que quedan desde que mi madre sale de casa hasta que él tiene que levantarse. —Miró a Mike—. ¿Y qué fue lo que te dijo para convencerte de que participaras en los juegos?

—¿Es que crees que me dejó decidir? A mí me dio la impresión de que ya lo tenía decidido desde antes de verme entrar por la puerta. Tess siempre me ha hablado de lo rápidas que circulan las noticias en este pueblo, pero aun así me sorprendió descubrir lo mucho que sabía de mí.

Sara asintió.

—Tú se lo contaste a Tess, que se lo contó a Rams, que llamó a Luke, que se lo contó a Joce, que llamó a mi madre.

—Ojalá nuestro gobierno trabajara tan bien.

—El gobierno no es tan cotilla como este pueblo. Bueno, ¿y qué hay de las faldas escocesas?

—Tu madre... —Mike clavó la vista en el vaso.

—No te estarás sonrojando, ¿verdad? —Sara se acercó más a él. Se había afeitado, y, sin aquellas patillas negras, ya no se parecía tanto a un pirata—. Miedo me da preguntarte qué te ha hecho.

—Me ha quitado la chaqueta, me ha levantado la camisa y me ha rodeado con sus brazos.

—Quiero creer que llevaba una cinta métrica en la mano.

Mike asintió.

—Por si no lo sabes, invitarte a la feria es una manera de integrarte en Edilean. Sabía desde hacía unas horas que había otro hombre cerca de mí, y eso le bastó para decidir que me convenías más que el que he escogido para casarme.

—Respecto a eso... —quiso decir Mike, pero Sara lo interrumpió.

—No pasa nada. Ya sé lo que piensan. La mayoría me lo ha dicho a la cara. Casi se diría que Greg se esfuerza por irritar a la gente de este pueblo.

Mike dio un buen sorbo de té.

—¿Y por qué habría de hacer algo así?

—No lo sé. A veces creo que lo que quiere en realidad es que nos larguemos a alguna isla lejana y vivamos allí los dos solos.

Mike no dijo nada. La primera regla para controlar a alguien es aislar a la víctima. Parecía como si Vandlo ya hubiera empezado a convencer a Sara de que estarían mejor lejos de la gente que la conocía. Mike intuía que Sara estaba en lo cierto, y que Stefan provocaba caer mal a la gente de manera deliberada. Una vez que estuvieran casados, suponía que Greg elevaría su grado de antipatía hasta convencer a Sara de que se fueran de allí. Y cuando ya se encontrara entre extraños, la joven sufriría un accidente fatal, y su marido heredaría todo lo que ella poseyese.

Como no quería que Sara notara lo grave de su expresión, cambió de tema.

—¿Qué hay para cenar? —preguntó.

Ella no vaciló, y levantó el montón de ropa.

—Veamos... De aperitivo, algodón, de primer plato, lana, y de postre, seda.

—Suena genial. ¿Te importa si lo combino con unas vieiras y unos espárragos?

—Creo que es la mejor idea que he oído en todo el día. Pero solo con una condición.

—¿Cuál?

—Más tequila.

Sonriendo, Mike se levantó, le recogió la ropa y las cosas de coser, y juntos se dirigieron al apartamento.

—Quizá mañana podrías enseñarme tu tienda. Por cierto, ¿quién la lleva ahora?

Sara suspiró.

—Greg contrató a una mujer de Washington D.C. Tiene una licenciatura en... —agitó la mano—. No sé en qué. Lleva trajes de chaqueta, y sabe tanto de negocios que me asusta. Creo que cuando vuelva Tess se la voy a echar a esa mujer para que la ataque.

—¿Te estás refiriendo a mi hermanita pequeña? ¿A mi querida y bondadosa Tess?

—A la misma. A la única e inigualable. ¿Has oído la historia del vestido rojo?

—Me la contó Tess, pero solo desde su punto de vista. —En efecto, su hermana le había contado que Ramsey, que en aquella época era su jefe, le había pedido que fuera a su despacho para valorar su labor en la empresa. Según le comentó, no tenía quejas sobre su rendimiento, pero debía dejar de llevar aquellos vaqueros tan ajustados. «Después de todo, esto es un lugar de trabajo», sentenció, pomposo. Cuando Tess se lo contó, Mike imaginó al momento que ordenarle a su hermana que no hiciera algo era garantía de que lo haría. Y sí. Al día siguiente se presentó en el trabajo con un vestido de seda rojo tan diminuto que podría haberlo usado de pañuelo. Como aquel día había gente en el despacho a la que el jefe quería impresionar, recibió su castigo. Desde ese día, no había vuelto a quejarse de nada de lo que hacía Tess.

—¿Y también puso en su sitio a los demás hombres de la empresa? —preguntó Mike.

—¡Ja!

—Mi primo Ken quería declarar un Día del Vestido Rojo en Edilean, pero su mujer vetó la propuesta.

Habían llegado a la puerta de la casa, y Mike la sujetó y le cedió el paso. Como ya habían hecho un día antes, ella se sentó a la mesa mientras él se movía por la cocina. De vez en cuando, Sara miraba su teléfono. La luz roja no se encendía.

Durante todo el día, cada vez que sonaba el teléfono le daba un vuelco el corazón. Tal vez fuera Greg al fin. Pero no, nunca era él. Siempre era alguien del pueblo preguntándole algo absurdo, como si iba a ir a la iglesia el domingo, o si estaría en Edilean durante la feria, cualquier excusa que se les ocurriera para averiguar si Greg la había llamado. A veces le preguntaban por la boda. El encargado de planificarla, al que Sara solo había visto una vez, llamó para informar de que le estaba costando mucho conseguir los claveles del tono amarillo exacto que ella quería. Ella, sin energía, le había respondido que pusiera los que encontrara. De haber sido por ella, habría encargado hierbas aromáticas y rosas grandes de pétalos abiertos, y les habría pedido a las empleadas de su madre que decoraran la iglesia. Se había criado entre casi todas ellas, y sabía que les encantaría confeccionar las guirnaldas y las coronas. Pero cuando se lo sugirió a Greg, este le dijo que su madre lo odiaba tanto que seguramente llenaría la iglesia de ortigas.

Aquella tarde, al ver aparecer a Mike con aquel vaso de té helado, estuvo a punto de echarse a llorar. Greg no la había llamado, y ni siquiera le había respondido los correos electrónicos ni los mensajes de texto. ¿Había puesto fin a su relación sin decirle nada? No se había sentido tan sola en toda su vida.

Pero la sonrisa de Mike, aquel hoyuelo, aliviaban su tristeza. Él también estaba solo, porque no conocía a nadie en el pueblo, y ni siquiera tenía una casa a la que poder volver. Cuando, a lo largo de todo el día, había pensado en él, se había prometido a sí misma mostrarse más amable. Aunque Tess y el pueblo entero hubiera conspirado para presentarle a Mike, Sara no creía que él estuviera al corriente de la trama.

La noche anterior le pareció sinceramente perplejo ante las acusaciones que ella le había planteado. De hecho, a lo largo del día, había pensado contarle lo que creía que estaba ocurriendo. E incluso se planteó confesarle sus temores sobre Greg. Le dolía no tener a nadie con quien compartir confidencias. Si le contaba a alguien de Edilean que le preocupaba que Greg la hubiera abandonado, seguramente haría ondear una banderola en la plaza del pueblo en señal de celebración. Pero Mike era forastero, y precisamente por eso tal vez pudieran hacerse amigos.

—¿Qué cara es esa? —le preguntó Mike.

—Estaba pensando, eso es todo. Ya estoy impaciente por probar otra sabrosa comida.

—Pareces de buen humor. ¿Ha ocurrido algo?

—Si lo que me preguntas es si me ha llamado Greg, no. Pero no importa. Seguro que tiene sus motivos.

Mike tuvo que alejarse un poco para no soltar: «Sí, estar entre rejas.» Volvió a mirarla.

—No te he preguntado si te gustan las vieiras.

—Me encantan. —Sara lo veía ir de un lado a otro en la cocina. Igual que ayer, vestía impecablemente: pantalones negros de lana fresca y un camisa azul de algodón perfectamente planchada, con las mangas pulcramente dobladas hasta los codos. Llevaba los zapatos cepillados y limpios, y su experiencia como vendedora de ropa le decía que debían de haberle costado varios cientos de dólares—. ¿Siempre vistes así?

—A veces lo único real en la vida de una persona es su cuerpo, así que trato de hacer lo que puedo con él.

Desde su llegada, ella se había sentido tan nerviosa que apenas se había fijado en su aspecto, y ahora recordó cómo se lo había descrito a Tess. Al mirarlo con más detenimiento constató que, en realidad, no estaba tan mal como había creído en un primer momento. De hecho, Mike no era exactamente bajito. Era más bien de estatura media. Y con sus ojos de costurera calculó que su cintura no debía medir más de 75 centímetros. Muchas de sus clientas matarían por una cintura tan escueta.

—Me estás mirando muy fijamente —dijo él, que había empezado a sacar productos de la nevera.

—Sigo sin verte parecido con Tess.

—Si nos vieras juntos, sí nos verías semejantes. ¿Te gustan los espárragos?

—Solo si no están cubiertos con esa horrible salsa rosa.

—Entonces eres de las mías —dijo él, sonriéndole, y por primera vez le pareció casi guapo.

Volvió la cabeza y vio la gran carpeta que reposaba sobre la mesa, con el nombre de la notaría en la cubierta.

—¿Qué es esto? ¿Has ido a comprarte una propiedad?

—Sí, y es un regalo de mi hermana. —Mike estaba lavando las vieiras.

—¿Y te ha regalado tierras, o se trata de una casa? —preguntó Sara con voz de asombro.

—Las dos cosas, supongo. La finca ha pertenecido a la familia McDowell desde hace años, y ahora es mía, siempre que yo o mis descendientes vivamos en ella. Si se me ocurre alquilarla, pasará directamente a mi nuevo cuñado.

—Típico de Rams. ¿Y de qué finca se trata? La familia posee una docena de propiedades.

Mike estaba mezclando los ingredientes para el aliño de la ensalada.

—Tiene un nombre raro. —Un nombre que había oído durante toda su vida, pero que no quería compartir con ella. Ya había revelado demasiadas cosas sobre sí mismo—. Como salido de Harry Potter.

Sara estaba abriendo la carpeta.

—Tal vez sea Castle Heights, aunque no sabía que los McDowell tuvieran tierras en esa zona. —Extrajo la escritura de la carpeta y empezó a leerla. Finalmente, murmuró—: Merlin's Farm.

—Eso —dijo Mike, colocando las vieiras sobre una plancha caliente—. Merlín, Potter... Sabía que tenía algo que ver con magos.

Se agachó para comprobar la altura de la llama y la bajó.

Cuando volvió a incorporarse, vio que Sara estaba a su lado, roja de rabia.

—¡Cabrón! —masculló.

—¿Qué?

—Estás mintiendo, cabrón embustero. —Empezaba a alzar la voz—. Tú también estás metido en todo esto. Colaboras con ellos para destruir las cosas que quiero en este mundo. Estaba dispuesta a creer que eras inocente, pero eres el peor de todos. Eres...

Por segunda vez en su vida, Mike consintió que una mujer le abofeteara. No hizo el más mínimo intento de impedírselo ni de protegerse, porque sabía que todo lo que le estaba diciendo era cierto. Pero ¿cómo se había enterado de su misión secreta?

Al ver que tenía lágrimas en los ojos, tuvo que vencer el impulso de atraerla hacia sí y abrazarla. Quiso disculparse con ella y con todas las mujeres a las que había lastimado a lo largo de su vida. En ese momento había cuatro mujeres en la cárcel como consecuencia de su testimonio. Todas merecían estar donde estaban, pero aun así no le gustaba saber que había sido él quien las había conducido hasta allí.

Las lágrimas inundaban los ojos de Sara, y él parecía incapaz de decir nada más. Como la noche anterior, pasó por delante de Mike, salió de la cocina y se metió en su cuarto dando un portazo.

Durante un momento Mike permaneció ahí, la mejilla ardiendo, intentando adivinar qué había ocurrido. Sara lo había descubierto, pero ¿cómo? Apagó el fuego, se fue a la mesa, levantó la carpeta y miró en su interior. Sara había extraído únicamente el primero de los papeles que contenía. Lo leyó, pero se trataba solo de la típica escritura en la que se establecía la longitud y la latitud de una finca conocida como Merlin's Farm, y en la que se declaraba su cambio de propiedad en favor de Michael Farlane Newland.

Cuando oyó hablar a Sara estuvo a punto de dar un respingo, porque no la había oído volver a la cocina.

—Quiero que te vayas —dijo en voz baja.

Mike se volvió para mirarla. Tenía los ojos llorosos, y se veía tan desamparada, tan desvalida con su vestidito blanco que lo único que quería era protegerla, lo que, de hecho, era lo que intentaba hacer. Durante un instante regresaron a su mente las fotografías que había visto de las mujeres que, casi con total seguridad, habían sido asesinadas por Stefan Vandlo. Si Mike se iba de aquel apartamento y dejaba de vigilar, ¿tardaría mucho en ver a la pequeña Sara Shaw muerta y enterrada?

—Quiero que te vayas ahora mismo. Siento mucho que tu casa se incendiara, pero tienes que buscarte otro lugar donde vivir. Si no, me voy yo.

Había un viejo teléfono de cable en la pared, y cuando Sara fue a descolgarlo, vio que le temblaban las manos.

Si aquella misión no hubiera sido tan importante, Mike habría hecho lo que le pedían, y se habría ido. No le gustaba ser la causa del llanto de ninguna mujer. Pero no podía salir de allí.

Se acercó a ella, y no pudo evitar pasarle un brazo por el hombro. Ella no lo apartó, por lo que, cuando Sara se echó a llorar de nuevo, él la atrajo hacia su pecho.

—Lo siento. No sé qué he hecho, pero no era mi intención. Por favor, dime qué ocurre.

Pero ella lloraba tanto que todo su cuerpo temblaba, pegado al suyo, y sus lágrimas le empapaban la camisa. Notaba su humedad y su calor traspasando hasta la piel.

Despacio, la condujo al salón, la sentó en el sofá, a su lado, cogió unos cuantos pañuelos de papel y empezó a secarle la cara.

Ella se los quitó y se sonó. Y él le dio más.

—¿Quieres contarme qué te pasa? ¿Por favor?

—La granja. Merlin's Farm.

—¿Cuál es el problema? —preguntó él en voz baja—. ¿Querías quedarte tú con ella?

Sara ahogó un sollozo y volvió a sonarse, asintiendo.

—Y Greg la quiere, la quiere mucho más que yo.

Fue como si una corriente eléctrica le hubiera recorrido todo el cuerpo. ¿Stefan Vandlo quería una vieja granja que, según Tess, se estaba cayendo a pedazos? Mike respiró hondo un par de veces para sosegarse. Sabía que debía tener mucho cuidado con lo que decía en ese momento, para no ahuyentar a Sara una vez más.

—Rams no se la ha querido vender —prosiguió Sara, sollozando.

—Eso es porque Ramsey le prometió a Tess que se la daría hace dos años.

—¿Hace dos años? Pero si entonces ni siquiera salían juntos.

—No —admitió Mike, tentativamente, con cautela, haciendo todo lo posible por no disgustarla más—. Pero Tess se ocupaba de los asuntos de Ramsey, y de su despacho, ¿no?

—Sí, pero... —Sara se detuvo, como si no supiera qué decir.

Por parte de Mike, no había ningún secreto en relación a la granja, por lo que decidió ser sincero con ella.

—Después de tres años trabajando para él, Ramsey le preguntó qué creía ella que podía ser una bonificación adecuada, y ella le dijo que quería Merlin's Farm.

—¿Y él se la regaló? ¿Así, sin más? ¿Le regaló una granja que pertenece a su familia desde hace más de doscientos años?

—No, Tess no le pidió eso. Le pidió que redactara un contrato por el que se la cediera de por vida, pero solo a partir del momento en que ella hubiera ahorrado el veinte por ciento de su valor como paga inicial

Sara se secó los ojos llorosos.

—Sí, eso es típico de Tess. Y supongo que quería la granja para ti.

Había amargura en su voz.

Mike se moría de ganas de preguntarle qué tenía que ver la granja con los Vandlo, pero sabía que debía reprimirse.

—Lo cierto es que Tess cree que con la granja me convencerá para que me retire aquí.

—¿Y lo que tú más quieres en este mundo es una granja vieja que se cae a pedazos? —Sara lo miró de arriba abajo, fijándose en su ropa impoluta—. No tienes mucha pinta de granjero. ¿No preferirías poseer un apartamento ultramoderno en Williamsburg?

Como Sara seguía observándolo, expectante, Mike supo que tendría que contarle toda la verdad, lo que implicaba revelar mucho más sobre sí mismo de lo que había contado a nadie desde que era niño. Ya de mayor, evitaba en lo posible hablar de su vida personal, pero en realidad, por su profesión, su vida entera estaba impregnada de secretismo. Sin embargo, desde que había llegado a ese pueblo, parecía que todo lo que intentaba conseguir era derribado por los suelos. La primera vez que alguien le había hablado de su abuela, habría querido largarse al momento.

—Está bien —dijo Sara, haciendo ademán de levantarse—. No tienes por qué contármelo.

Él la agarró del brazo y ella volvió a sentarse.

Mientras ella esperaba su respuesta, Mike pensó que recibir un impacto de bala era más fácil que confesar la verdad.

—¿Recuerdas que te conté que había recogido a Tess cuando terminó el instituto?

—Sí.

—Lo que no te conté es que mi hermana todavía era menor de edad. Yo ya no lo era. Nuestra abuela amenazó con denunciarnos a la policía si Tess no aceptaba hacer lo que ella le ordenaba que hiciera. Si la vieja me hubiera denunciado, seguramente no me habrían condenado, pero como era nuevo en la policía, ello podría haber obstaculizado mi carrera.

—¿Y qué quería que hiciera Tess?

Mike se apoyó en el respaldo del sofá.

—Quería que Tess... consiguiera como fuera Merlin's Farm.

—Pero ¿por qué? —se extrañó Sara—. ¿Tu abuela quería ser granjera?

Mike negó con la cabeza.

—No, todo lo contrario. Había cubierto el patio trasero de nuestra casa con cemento, porque no le gustaba la tierra.

—¿Entonces? ¿Por qué...?

A Mike le estaba costando mantener la calma. Una vez, después de tomarse demasiadas cervezas, había dicho en broma que, en sus trabajos como policía secreta no le asustaba nada, porque en ellos nunca había conocido a nadie tan malvado como la mujer que lo había criado. Los hombres con los que bebía esa noche le pidieron que les contara más cosas sobre ella, pero Mike no dijo nada... y dejó de beber.

Sara posó la mano en su brazo.

—¿Te cuesta hablar de todo esto?

—No —dijo él, armándose de valor—. La vieja odiaba Edilean y a todos sus habitantes, pero muchas veces decía que su único buen recuerdo era el de las tardes que había pasado en Merlin's Farm con un niño llamado Lang.

—No será Brewster Lang... —quiso saber Sara, que tenía los ojos muy abiertos.

Mike sonrió.

—Me han dicho que es el más loco de todo Edilean.

—De todo Virginia, diría yo. Pero no hablemos de él. Háblame de la granja.

—Mi abuela nos hablaba siempre de ella. Creo que con los años la idealizó, la convirtió en una especie de paraíso, en un edén donde solo había sitio para lo bueno. Creo que le habría gustado morir ahí.

—Era su «sitio feliz».

—Nuestro sitio feliz no lo era, eso seguro —dijo Mike con tristeza—. En cualquier caso, me amenazó con denunciarme por haber secuestrado a una menor si Tess no le juraba que, después de terminar la universidad, volvería a Edilean y haría todo lo que pudiera por hacerse con la propiedad de Edilean. Yo intenté convencer a Tess para que se negara, pero... —Se encogió de hombros—. Ya la conoces. —Mike no adornó el relato contándole que su hermana había mantenido el contacto con su abuela durante toda su vida. Ni le contó que, tras la muerte de su abuelo, los dos habían debido hacer un gran sacrificio económico para pagar la residencia de la vieja. Ella había exigido que la llevaran a una conocida por lo lujoso de sus instalaciones y por las atenciones de su personal.

Sara lo miró en silencio durante unos instantes.

—Todo el mundo se preguntaba por qué Tess había aceptado trabajar aquí como secretaria de Ramsey. Sabíamos que había cursado un máster en administración de empresas, y aun así vino a este pueblo a que un jefe le dictara cartas.

—Le juró a nuestra abuela que haría todo lo que estuviera en su mano, y la vieja todavía estaba viva cuando Tess se licenció. Yo no quería que viniera a Edilean, pero no me hizo caso. ¿Sabes qué me dijo?

—No, cuéntame —le rogó Sara, impaciente.

—Me dijo que conseguiría Merlin's Farm a cualquier precio. Yo le dije: «¿Y cómo piensas hacerlo?» Y ella me respondió: «Pienso conseguir trabajo en el despacho de abogados de los McDowell y, si hace falta, me casaré con el propietario de esa maldita granja.»

Sara miró a Mike asombrada.

—Y eso es exactamente lo que ha ocurrido. Tess vino a Edilean y consiguió un empleo con mi primo para poder quitarle la vieja granja.

—Así fue como empezó todo. —Mike temía haber cargado mucho las tintas, haber dado a entender que Tess había convencido a Ramsey con sus malas artes para que se casara con ella.

—Ya lo sé —dijo Sara, suavizando el gesto—. Tess se enamoró de Rams, y esperó varios años a que él se diera cuenta de que también estaba enamorado de ella.

—Sí, esperó mucho —coincidió Mike, aliviado, y pensó que por suerte su abuela ya estaba muerta cuando se casaron porque, si no, se habría presentado en la boda con una ametralladora. ¡Su nieta casándose con un McDowell! Sin duda habría sido su peor pesadilla.

—Así que ahora, según la mentalidad anticuada de Rams, él y tú sois familia, por lo que puede cederte la granja.

—Con muchas limitaciones —apostilló Mike, creyendo que al fin podría volver al tema del que le interesaba hablar: Stefan Vandlo. En conjunto, pensaba, los delincuentes eran más simples que las personas «buenas». Si quería sacarle información a un ladrón, le pagaba dinero y resuelto el problema. Pero para conseguir que Sara, la dulce, la pequeña Sara, le contara algo, debía desnudar su alma ante ella. Sí, definitivamente los delincuentes eran personas mucho menos complicadas—. Esto... Sara, has comentado que tu prometido quería la granja.

Ella lo miró con gesto de disculpa.

—No sé qué tienes, pero consigues que me enfade. No me creerás, pero casi nunca demuestro mi ira con nadie. Pregúntale a Greg, y te dirá que ni siquiera tengo carácter.

Mike debió resistir el impulso de besarle la mano en señal de agradecimiento, pues sabía que a Vandlo le gustaba pegar a las mujeres que lo contradecían. Pero permaneció sentado en su sitio.

—Ahora te toca a ti confesarte. ¿Por qué quiere él esa vieja granja?

—No estoy segura —respondió, pero al hacerlo apartó la mirada, y a Mike le pareció que no estaba diciendo la verdad o, en cualquier caso, no toda la verdad—. Greg decía muchas cosas, desde que quería remodelarla y abrirla al público, hasta que podríamos usarla para montar nuestro propio negocio de productos orgánicos. Sean cuales sean sus planes, sé que desea poseer esa granja desesperadamente.

Mike tragó saliva, haciendo esfuerzos por no demostrar su emoción. ¡Acababa de producirse un gran avance en el caso!

—¿Y Rams no ha querido vendérsela?

—No.

—Pero tú eres de su familia, y vas a casarte con Greg. ¿Vuestra situación no es similar a la de Tess?

Sara apretó los labios.

—Yo también lo veía así, pero Rams dijo que no. Nunca habíamos discutido tanto. De hecho, yo nunca había discutido tanto con nadie en toda mi vida... Hasta que te conocí a ti, por lo menos. Rams no dejaba de repetir que la granja había pertenecido a su familia desde el siglo XVIII, que había pasado de generación a generación, de hijo mayor a hijo mayor. Los dos hermanos mayores de su padre habían muerto jóvenes, por lo que la heredó su padre, Benjamin. ¡Ah! Cada vez que me acuerdo del melodrama que me contó... Pero si incluso me lloriqueó explicándome que los Lang habían sido capataces de la granja desde... —Levantó las manos al cielo—. Desde que se construyó, que yo sepa. Y pensar que la verdadera razón era que había prometido cedérsela a Tess... y, seguramente, también, que no le cae bien el hombre del que estoy enamorada. ¡Si pudiera, le daría un puñetazo a Ramsey!

Mike frunció el ceño, intentando mostrarse compasivo.

—¿Y no tienes ni idea de por qué quiere Greg la granja?

El bello rostro de Sara se ruborizó, y la joven clavó la vista en las manos.

—Greg no me lo ha dicho, pero creo que tal vez la quiera para mí. Cuando le confié que siempre me había gustado aquella granja, me dijo que me la compraría.

—¿Quién sacó primero el tema? ¿Él o tú?

Mike se dio cuenta de que parecía un policía en un interrogatorio, pero no podía evitarlo. Sara, por suerte, pareció no darse cuenta.

—Pues no me acuerdo... No, espera. Una vez me contó que había oído hablar de ella a alguien, antes incluso de venir a Edilean.

—Tess no me contó nada de que le hubieras pedido la granja a Rams.

—Conociendo a mi primo como lo conozco, seguro que no le dijo nada a Tess. ¿Tienes idea de cuánta gente ha pedido a los McDowell que les vendan la granja?

—Pues no, ni idea —respondió Mike sorprendido—. Yo de esa finca no sé nada, solo que la casa se está cayendo a pedazos. ¿Por qué habría de quererla nadie?

—El edificio de la granja se remodeló alrededor de la cabaña original, que todavía sigue en pie. La familia McDowell ha velado siempre por mantener mínimamente todas las construcciones de manera que no se derrumben.

Mike la miraba perplejo, porque no tenía ni idea de qué estaba hablando. Nada de todo aquello tenía sentido.

Sara bajó la voz y le explicó algo más.

—La casa se construyó en 1674, y cuando decidieron ampliarla, el edificio original quedó en su interior, intacto. Los anexos son los originales, los que se levantaron entonces.

Mike la miraba fijamente.

—¿Estás diciendo que la granja está igual desde 1674?

—Más o menos.

—¿No quedó afectada ni en la Guerra de la Independencia ni en la de Secesión?

—Ni durante las dos guerras mundiales. Mi madre dice que sobrevivió incluso a los hippies de los setenta, que fueron más invasores que Sherman.

Mike apenas la escuchaba. No sabía qué pretendían los Vandlo, pero su instinto le decía que tenía algo que ver con Merlin's Farm. No podía haber ninguna otra razón por la que Stefan deseara poseer una granja. Para abrirla al público no sería, eso seguro, a menos que su familia y él pudieran vaciar los bolsillos de los visitantes.

—¿Cuándo vamos a verla entonces? —preguntó Sara.

—¿Qué? —preguntó Mike saliendo de su ensoñación.

—¿Cuándo vamos tú y yo a visitar tu nuevo hogar?

—No creo que sea seguro que vayas tú. Tess me ha dicho que el viejo Brewster Lang está armado. —No quería que Sara se acercara a una propiedad que los Vandlo codiciaban.

—Se gana la vida vendiendo verdura, sobre todo tomates hairloom, a mi madre. Hablaré con ella y le diré que le pida que se vaya el día que vayamos a visitarla.

—¿Y qué excusa le darás?

—Me bastará con decirle que quiero ir contigo, y si hace falta nos llevará ella misma en su coche. —Miró a Mike muy seria—. O sea, que tú no has venido a Edilean a conseguir que Greg y yo nos separemos.

Aquello era lo que a Mike se le daba bien: mentir descaradamente. Muchas veces engañaba incluso a los detectores de mentiras.

—Mi hermana me ha estado insistiendo para que viniera a firmar papeles... y me hizo jurarle que usaría su apartamento. Mi plan era venir, firmar los documentos al día siguiente y después irme. Encontrarte aquí fue toda una sorpresa. No creerás que Tess nos ha organizado una encerrona, ¿no? —No le gustaba hacer quedar mal a su hermana, pero en ese momento tenía que hacerlo para conseguir que Sara confiara en él.

—Pues sí —replicó ella sin dudarlo—. Sí lo creo. Creo que Tess llamó a Luke, y que los dos lo organizaron.

—Ahora que lo pienso, fue Tess la que me dijo que entrara por el viejo túnel, y no por la puerta. —Se prometió a sí mismo que le enviaría unas flores a su hermana. O tal vez unos zafiros.

—Pues ahora ya estoy segura de que voy a ir contigo —dijo Sara en tono alegre—. El señor Lang viene al pueblo los jueves, es decir, pasado mañana, para asistir al mercado al aire libre que organizan los granjeros. Iremos entonces.

—No, no puedes venir conmigo. Tengo que...

Sara se levantó del sofá.

—¿Crees que esas viciras se han quemado? Podría comerme diez o doce. ¿Qué puedo hacer para ayudarte a preparar la cena?

Dándose media vuelta, abandonó el salón y regresó a la cocina.

Mike la vio salir, seguro de una cosa: Sara no iba a ir con él. Hasta que averiguara mucho más sobre Merlin's Farm, no iba a permitir que se acercara a la granja. De eso estaba absolutamente convencido.

6

Camino de Merlin's Farm, Mike no podía evitar sentir cierta satisfacción personal. Durante la cena de la noche anterior, Sara le había dado numerosas razones por las que debía acompañarlo el jueves, mientras el señor Lang —como ella lo llamaba— estuviera en el Mercado de Granjeros. Mike se había mostrado educado con ella, había fingido incluso que tenía en cuenta sus palabras, pero lo cierto era que en ningún momento se le había pasado por la cabeza cambiar de opinión y permitir que se sumara a la visita.

Aun así, para asegurarse de que nada iría mal, decidió empezar la jornada bien temprano. Aquella noche, después de recoger la cocina, salió al jardín a llamar a Tess. Le pidió que hiciera lo que fuera para conseguir que Lang se ausentara de la granja al día siguiente, de manera que Mike pudiera realizar una inspección detallada del lugar sin que Sara lo supiera.

—Llamaré a Luke —le dijo ella—. Es el único capaz de manejar al viejo.

—Parece que Luke es el que lo maneja todo en este pueblo.

—Creo que eso es porque es dueño de la Casa Grande. Conociendo Edilean, supongo que debe ser algo que ha sobrevivido de la época medieval. ¿Y bien? ¿Has estado pensando en la granja?

—Sí —dijo Mike, que no le contó nada del interés por ella

que había demostrado el prometido de Sara. Tal vez fuera solo una coincidencia, pero si no lo era, podía tratarse de la pista que tanto necesitaban.

Tess le aseguró que se ocuparía de todo, y diez minutos después llamó para decir que Luke estaría encantado de causar a Brewster Lang unas molestias que obligarían a este a ausentarse todo el día. En los últimos años, cada vez que Luke intentaba reparar algo en Merlin's Farm, el viejo lo seguía por todas partes, y se quejaba tanto que a Luke le daban ganas de estrangularlo.

Después de colgar, entró de nuevo en el apartamento. Vio que no había luz en el dormitorio de Sara, y se alegró. No le apetecía seguir oyendo sus razones para acompañarlo. El jueves le diría que ya había visitado la granja, y asunto resuelto.

Esa mañana, cuando Mike salió temprano para ir al gimnasio, Luke ya estaba fuera, llenando de herramientas el remolque de su pequeño tractor Kawasaki rojo.

Me estoy preparando para pasar el día con el viejo Brewster —dijo, metiendo también una perforadora—. ¿Estás seguro de que quieres hacerte cargo de un sitio tan viejo?

—Lo último que me apetece en este mundo es tener una granja. Todo esto es idea de mi hermana.

Luke sonrió.

—Quiere tenerte atado, ¿verdad? ¿Y qué? ¿Cuántas citas a ciegas te han organizado ya?

—Dos, de momento. Está...

—A ver si lo adivino. Ariel Frazier y Kimberly Aldredge.

—Así se llaman, sí. Dime una cosa... ¿En este pueblo alguien tiene algún secreto?

—Tú pareces tener más de uno —replicó Luke, ingenioso.

Mike no dijo nada. Se metió en el coche y bajó la ventanilla.

—¿Por qué no vienes conmigo al gimnasio mañana?

—Ya estuve ayer, ¿no te acuerdas? Y asistí al final de tu rutina. Cuarenta y seis minutos de infierno. No creo que pudiera seguirte el ritmo.

Mike seguía mirándolo fijamente. Luke era un tipo bastante corpulento y musculoso.

—Está bien, mañana a las seis estaré listo —dijo al fin.

Mientras se alejaba, pensó que habría preferido no tener que desplazarse hasta Williamsburg para ir al gimnasio. Y se preguntó cómo estaría catalogado el suelo de Merlin's Farm. ¿Podría instalar allí un estudio de artes marciales? Tal vez consiguiera que se apuntaran algunos clientes, y le pagaran algo. Cuando se retirara, cobraría una pensión de la policía, y además disponía de algunos ahorros, pero no le vendría mal poder sumar unos ingresos extraordinarios.

Se pasó la mano por la cara sin afeitar. Su hermana y todo el pueblo de Edilean le estaban envenenando la mente. Todavía le quedaban casi tres años de servicio antes de dejar la policía y trasladarse... probablemente a Edilean, pues Tess y su —sonrió— hijo vivirían allí. Pero seguía sin aceptar que alguna vez llegara a gustarle vivir en una granja.

Mientras estacionaba frente al gimnasio, pensó en qué hacer con el viejo Lang. Había vivido en la Merlin's Farm la totalidad de sus ochenta y ocho años, por lo que no iba a ser fácil librarse de él. Tal vez debieran internarlo en la residencia de ancianos de Ohio a la que habían llevado a su abuela, que había pasado en ella los últimos años de su vida. Allí los trabajadores tenían experiencia tratando a viejos cascarrabias, y no perdían la sonrisa ni se ofendían con sus comentarios hirientes. Sin nadie a quien aterrorizar, la abuela de Mike se había deteriorado rápidamente, hasta que una mañana la encontraron muerta en la cama, con los ojos abiertos y la expresión airada.

Una hora después, Mike salió del gimnasio y se dirigió a Merlin's Farm. La finca estaba situada al noroeste de Edilean, y para llegar hasta allí había que pasar por la misma zona boscosa que rodeaba el pueblo y hacía que pareciera un lugar más aislado de lo que realmente era. Dejó atrás McTern Road, que llevaba al centro, y siguió. Un par de veces adelantó a camiones cargados con lanchas, que se dirigían a la zona recreativa del parque natural.

Al verificar las instrucciones que Tess le había enviado por mensaje de texto, recordó lo que su hermana le había dicho. En otro tiempo la granja contaba con mil acres de terreno, y con una gran pista de carreras a menos de un kilómetro de la casa. Ahora solo le quedaban veinticinco acres, y un hermoso arroyo pasaba por su centro.

Lo primero que se veía de la granja era un cartel en el que podía leerse: NO PASAR. Mike alejó el coche de la carretera y lo aparcó bajo un inmenso roble. Aunque le habían asegurado que Lang iba a pasar el día fuera, no quería entrar en la finca y dejar el coche a merced de aquel viejo iracundo. Se fijó en que había una verja decrépita oculta entre las malas hierbas, y más allá de ella distinguió el remate de una chimenea.

Llevaba unos Levi's, una camiseta de color teja y una chaqueta de algodón. Se llevó la mano al bolsillo para comprobar que la bolsa de plástico siguiera en su sitio. Había atado de una cuerda un pedazo de carne en el que había escondido un tranquilizante, uno de los diversos medicamentos que guardaba en su coche, y estaba preparado para enfrentarse a los perros de Lang. Tess le había advertido sobre ellos, y le había comentado que el viejo los adiestraba para que le alertaran de cualquiera que entrara en la finca. Aquellos perros eran otro de los motivos por los que Mike no quería que Sara lo acompañara.

Decidió no acercarse a la casa por el camino, sino abriéndose paso entre las hierbas que crecían a los lados. En silencio, fue avanzando por aquel campo de margaritas silvestres y flores de zanahoria, intentando no dejar rastro. «Supongo que este es el sitio ideal para plantar la cosecha», dijo en voz muy baja, y se rio ante lo absurdo de aquella idea.

Mientras caminaba, prestaba atención a lo que oía, pero solo llegaba hasta él el canto de los pájaros. La vegetación terminaba abruptamente, y a lo lejos distinguió un extremo de la casa. A pesar de todo lo que había oído decir sobre ella, a él le pareció bastante corriente, una sencilla casa de dos plantas a la que no habría venido mal una puesta al día y una mano de pintura. Había una chimenea de ladrillo que partía del suelo y superaba la altura del tejado y, al verla, su experiencia como albañil y carpintero le dijo que tendría buen tiro.

Había cuatro ventanas, dos en cada planta, y vio también un

porche que sobresalía de lo que supuso que era la parte trasera de la casa. Desde donde se encontraba no distinguía la fachada principal.

Si no le hubieran hablado de ella, jamás habría adivinado que se trataba de una construcción extraordinaria, pues nada parecía distinguirla de las otras miles de granjas del estado de Virginia. Salvo por una cosa. Entre el lugar donde se encontraba y la casa se alzaban cuatro edificios que parecían salidos de una película ambientada en la época de George Washington. A su derecha había uno totalmente cuadrado, con el tejado muy puntiagudo, pero sin ventanas, y al parecer sin una sola puerta. A la izquierda, la segunda construcción era de mayor tamaño, más baja pero más ancha, con un anexo a uno de sus lados y varias ventanas. Entre los dos habían creado una estructura de madera que parecía ser solo un tejado dispuesto directamente sobre la tierra. Mike no imaginaba para qué podía haberse usado en su época. Separado del resto se alzaba lo que, inconfundiblemente, era una letrina.

Mike permaneció unos instantes inmóvil, observándolo todo. Había varios árboles imponentes alrededor de la casa, que le proporcionaban sombra a toda la zona. Al contemplarlos, empezaba a darse cuenta de lo que Sara le había comentado. Se trataba de una plantación intacta, conservada tal como había sido hacía siglos, y se captaba al momento lo excepcional del lugar.

Mike se volvió y vio una pequeña valla, la única madera que parecía haber sido pintada en los últimos cincuenta años, que rodeaba un jardín trazado en torno a grandes rectángulos separados por senderos de gravilla blanca. Aunque parecía sacado de un libro de historia, también estaba imbuido del espíritu del presente más absoluto: había una mesa a un lado, cubierta de herramientas, ovillos de cuerda y rotuladores; en una esquina se distinguía un armario metálico con una de sus puertas abierta, que dejaba intuir la presencia de varias herramientas más, con mango de madera.

En cuanto al jardín propiamente dicho, en él se congregaban las verduras más esplendorosas que había visto en su vida. Ante sus ojos, parecían un anuncio de fertilizantes. Fuera o no cierto lo que se decía del viejo Lang, la verdad era que tenía buena mano para las plantas.

Cautelosamente, anticipándose a la posible aparición de los perros, Mike abandonó su posición resguardada y se adentró en el huerto. Todo estaba dispuesto en hileras perfectamente alineadas, sin malas hierbas.

Todo aquello era tan ajeno a la vida de Mike, y tan hermoso, que no pudo evitar pasearse por entre los parterres. En su centro vio lo que supuso que sería un jardín de plantas aromáticas: un cuadrado perfecto atravesado por senderos, y flanqueado, en sus cuatro costados, por un arbusto.

Fue mientras observaba aquellas hierbas perfumadas cuando se dio cuenta por primera vez de que allí había algo raro. En efecto, para su asombro descubrió que en el centro de cada triángulo crecía lo que parecía ser una mata alta y lustrosa de marihuana.

Cuando Mike dio un paso en dirección a la que le quedaba más cerca, oyó un débil clic. Se trataba de un sonido del que no se habría percatado de haber coincidido con cualquier otro ruido, por ejemplo el ladrido de un perro. Pero Mike había oído algo idéntico en otra ocasión, y pocos segundos después un amigo suyo había saltado en pedazos.

Mike permaneció absolutamente inmóvil, y bajó la mirada para ver sobre qué acababa de apoyar el pie. No parecía una mina, pero sí se adivinaba un círculo de algo enterrado en la tierra.

Sin mover el pie de su sitio, lentamente se sacó la navaja que llevaba en el bolsillo de los pantalones vaqueros, y usó el filo para retirar la tierra. Aquello parecía una vieja trampa de hierro, de las de dientes. Si se hubiera cerrado, le habría serrado el tobillo.

Con cuidado, Mike colocó cada mano en uno de los dos semicírculos y los sujetó con fuerza mientras retiraba el pie. Aquella maldita trampa se activó apenas la hubo soltado. Era evidente que la habían instalado ahí para disuadir a quienes quisieran acercarse a la planta de marihuana.

Muy bien, así que el viejo ganaba dinero comerciando con una droga ilegal. En la vida de Mike, aquello no era nada, pero se preguntaba si también habría instalado trampas junto a las otras plantas para protegerlas. ¿O acaso era al revés y la marihuana era el cebo que llevaba hacia las trampas?

Con toda la cautela del mundo, Mike siguió inspeccionando el huerto. En efecto, cada una de las plantas de marihuana contaba con su correspondiente trampa, medio enterrada bajo tierra.

Junto a la valla distinguió cuatro agujeros en el suelo. Las hierbas se veían aplastadas en el centro del rectángulo que formaban. Dedujo que allí había habido plantada una tienda de campaña, y pensó que aquello tenía su lógica. Si aquel viejo cultivaba maría, era probable que los jóvenes de la zona intentaran robársela, por lo que Lang habría dormido fuera para impedirlo.

Se trataba de una explicación plausible, pero aun así no se la creía. Allí había algo que no encajaba. Entre otras cosas, no era posible que Lang pudiera cultivar tan abiertamente aquellas plantas sin que todo Edilean estuviera al corriente. Ya le habían contado que muchas veces Luke se pasaba por allí a reparar los edificios y a cortar la hierba que crecía alrededor de la casa. Sin duda habría visto aquellas plantas, y no creía que hubiera tolerado su presencia.

Si, por la ambición que fuera, Luke no arrancaba aquellas plantas, Mike estaba seguro de que la madre de Sara no las toleraría. Había pasado menos de una hora con aquella mujer, pero le había bastado para saber que se negaría a comprar verdura a un hombre que cultivara marihuana en su huerto.

Mike pasó entre unos arbustos de hoja puntiaguda y muy aromática, y se acercó a una de las plantas de marihuana. Al apartar un poco la tierra, vio que esta estaba plantada en una maceta. Era como si Lang las cultivara en otra parte y, cuando se ausentaba, las dejara ahí. Mike estaba cada vez más convencido de que aquella era una estrategia de aquel hombre para atraer a alguien hasta su huerto.

Volvió a dejar como estaba la trampa que había saltado, eliminó las pistas de su paso por la zona, y prosiguió con su exploración.

Alejándose de la casa, se dirigió a la gran extensión de prado.

Había allí otro jardín que daba a la fachada delantera del edificio principal, en el que unos setos recortados encerraban parterres geométricos.

En el segundo de ellos descubrió una red oculta en la rama de uno de los árboles, que se alargaba sobre él. Al retirar una rama caída en el suelo, Mike descubrió que tras ella se ocultaba una alambrada. De haber caminado en aquella dirección, habría tropezado con ella y la red le habría caído encima.

—Esto es como una película de Tarzán —murmuró, mientras abandonaba lo que parecía ser un inocente jardín de flores.

El último tramo estaba ocupado por unos doscientos metros de césped bien cortado. No le apetecía correr por él, pero en el otro extremo había otra zona vallada que deseaba inspeccionar. Por la mitad del prado avanzaba un sendero de gravilla, estrecho, pero por el que hacía poco tiempo había pasado algún vehículo, por lo que sin duda había de estar libre de trampas. Al parecer, a Lang no le gustaba que nadie pudiera espiar las zonas que él no controlaba con la vista.

A paso ligero, Mike recorrió el camino, que llevaba a lo que parecía un viejo huerto de árboles frutales y, al llegar a él, permaneció inmóvil unos instantes, admirando la vista. Al parecer, en un primer momento los árboles habían sido plantados en cinco hileras rectas y largas, pero ahora se distinguían bastantes huecos, espacios que correspondían a árboles arrancados, y la mitad de los que se mantenían en pie parecían demasiado viejos para dar fruto.

Por primera vez Mike tuvo conciencia de que aquella finca era suya. Pensó que le gustaría arrancar los árboles moribundos y sustituirlos por otros. Se le ocurrió que sería agradable recoger un albaricoque, una ciruela, de un árbol suyo. Echó un vistazo al prado y se imaginó jugando a pelota con el hijo de Tess. Y enseñándole (a él o a ella), cuando su hermana no los viera, un poco de kickboxing. Tal vez pudiera instalar alguna máquina de pesas en alguno de aquellos edificios viejos y...

Se obligó a concentrarse en lo que lo había llevado hasta allí. La zona vallada que se extendía junto a aquellos árboles frutales era un cementerio. No le sorprendió descubrir que el apellido McDowell figuraba en varias lápidas antiguas, pero, al llegar junto al cercado, descubrió otra cosa que llamó su atención. A pocos metros del cementerio se extendía una hilera de pequeñas losas de cemento, hechas a mano, con unos nombres y unas fechas escritas en ellas. Eran, sin duda, tumbas de animales domésticos, y la más antigua databa de la década de 1920. Las más recientes correspondían a unos animales llamados King, Queen, Prince, Princess, Duke, Duchess, Marquess, Marchioness, Earl, Countess, Viscount y Viscountess. Las dos últimas, en concreto, eran las que llevaban menos tiempo allí, y la fecha que figuraba en las lápidas era de ese mismo año.

Mientras estudiaba las fechas, se fijó en que todos aquellos perros parecían haber vivido unas vidas muy largas, salvo los dos últimos. Ambos habían muerto con menos de tres años. Tal vez fuera la desconfianza producto de la vida que había llevado, pero Mike se preguntó si aquellos animales habrían sido asesinados. Perder a sus perros explicaría que Lang hubiera colocado unas trampas tan letales.

Todavía no estaba del todo seguro, pero pensó que allí se estaba librando una guerra, y que era probable que aquellos animales hubieran sido bajas. Supuso que alguien había estado atacando al viejo, y que este intentaba protegerse. Pero, al mismo tiempo, como una araña a una mosca, Lang había intentado atraer a su enemigo hasta una trampa. Cuando quien fuera intentara llevarse la marihuana, casi le arrancarían el pie. Y cuando el enemigo se adentrara en el jardín de flores, se encontraría con una red que le caería encima.

Por supuesto, lo primero que le interesaba saber a Mike era quién iba detrás de Brewster Lang. Pero si no lo lograba, a pesar de estar convencido de saberlo ya, lo que haría sería averiguar la causa de aquella contienda.

7

Sara avanzaba a pie por el largo camino que conducía a Merlin's Farm, asombrándose al descubrir tantos cambios desde la primera vez que había estado allí, a la edad de ocho años. La noche anterior a aquella primera visita, durante la cena, su madre había contado emocionada a la familia que Brewster Lang se había puesto en contacto con ella para comunicarle que deseaba vender algunas de sus verduras en Armstrong's Organic Foods. Que aquel hombre cultivaba los productos más suculentos y hermosos del país, y quizá de todo el estado, era algo bien sabido.

—¿Y cómo se ha puesto en contacto contigo? —le preguntó su marido, el doctor Henry Shaw—. ¿Por señales de humo? ¿O ha usado dos latas y una cuerda?

Henry no era originario de Edilean, y a menudo hacía notar a su esposa que, en su opinión, el pueblo era un lugar atrasado.

Solo Sara se rio de la broma, pero, claro, ella siempre había sido el «ojito derecho» de su papá. Sus dos hermanas mayores eran absolutamente convencionales, pero a ella la consideraban una «soñadora».

—Por teléfono —replicó Eleanor, mientras pasaba un cuenco con ensalada de zanahorias y pasas a Taylor, que, con doce años, era la mayor de las tres hijas—. Mañana iré a verle, y Sara, tú vienes conmigo.

Todos, en la mesa, permanecieron mudos, inmóviles, mirándola con expresión de sorpresa. Si las dos hijas mayores eran tan organizadas y decididas como su madre —aunque sin sus tics hippies—, Sara se conformaba jugando con sus muchísimas muñecas, a las que cosía sus vestiditos.

Sara parecía no saber si aquello era un castigo o un honor.

—¿Yo? —susurró. Había ido a trabajar con su padre muchas veces. Siempre en sábado, por supuesto, cuando no había tantos pacientes y él se dedicaba principalmente al papeleo, pero le gustaba el viejo hospital de Williamsburg en el que trabajaba, y su despacho le fascinaba. En cualquier caso, lo que le gustaba era estar con su padre. Pero, a diferencia de sus hermanas, nunca había ido a trabajar con su madre.

—Sí, tú —dijo su madre—. Merlin's Farm es un sitio viejo y misterioso. De los que te gustan a ti. Tú te quedarás fuera mientras yo negocio los términos con el señor Lang. No tardaré más de media hora.

Pero lo cierto era que había tardado más de cuatro, y en ese tiempo Sara se había dedicado a recorrer la granja, con su vestidito rosa, que le había regalado su tía Lissie, y se había enamorado perdidamente de aquel lugar decrépito. Había trabado amistad con los dos perros del señor Lang, se había metido entre unas ocas que eran casi tan altas como ella, y había explorado todos los edificios antiguos de la finca.

Cuando su madre salió, dispuesta a irse, a Sara le pareció que solo habían transcurrido unos pocos minutos. Pero a su madre no. Nunca la había visto tan enfadada.

La seguía un hombre bajo, corpulento y de espalda algo encorvada, y a Sara, al momento, le vino a la mente el personaje de un cuento: el jorobado de Notre Dame. Aquel señor iba detrás de su madre con una sonrisa en los labios, como si acabara de tocarle un premio.

Pero al ver a Sara de pie junto al coche, se detuvo y la miró, recomponiendo el gesto amenazante.

—Es igual que ella —dijo, con una voz grave y temblorosa que a Sara le resultó divertida. Tan divertida que, si él no hubiera estado mirándola con aquella cara, se habría echado a reír.

Ellie estaba abriendo la puerta del coche, pero su nerviosismo hizo que se le cayeran las llaves al suelo. Mientras las recogía, el viejo cambió el gesto y se limitó a mirarla con ojos más neutros.

—Se refiere usted a mi tía Lissie. Sí, Sara se parece a ella, y es como ella.

Abrió la puerta trasera del coche y esperó a que Sara se montara en él. Ellie también lo hizo y puso en marcha el motor.

Desde el asiento trasero, Sara miraba por la ventana, sin apartar la vista del señor Lang, y sabía que su madre no veía cómo la miraba él, y sin duda no veía cómo la apuntaba con el dedo. Cuando su madre arrancaba, Sara vio que el viejo convertía su mano en una pistola y hacía como si apretara el gatillo.

Sara se acurrucó en el asiento, presa del pánico; mientras, en el camino de vuelta, oía a su madre quejarse de lo «pirata» que era aquel Brewser Lang.

—Solo le ha faltado apuntarme a la sien con una pistola.

Y Sara todavía se acurrucó más.

Ella no le había contado nunca a nadie lo que había hecho el señor Lang aquel día, nunca había explicado que le había apuntado con la mano, y que había simulado que disparaba. En los años siguientes, había aprendido a diferenciar la hermosa granja, con sus mariposas que revoloteaban por todas partes, de aquel viejo aterrador que la odiaba porque se parecía a tía Lissie. En una ocasión le había preguntado por él a su tía abuela, pero ella se había limitado a advertirle que se mantuviera lejos de él.

—Recuerda, querida, no te creas nunca lo que te diga Brewster Lang.

Después de aquello, Lissie se había negado a hablar del señor Lang. Tía Lissie creía tan profundamente en el poder del pensamiento positivo que se negaba en redondo a pronunciar palabras feas. A Sara siempre le había divertido que algunas personas en Edilean recordaran aquel rasgo de su carácter con gran cariño, mientras que otras aseguraran que Lissie las sacaba de sus casillas.

Ahora era media tarde, y Sara volvía a visitar Merlin's Farm.

Se encontraba allí porque, hacia las dos, estaba junto a su casa cosiendo cuando vio que Luke iba de un lado a otro por el jardín en compañía de un hombrecillo. Al principio no le dio importancia, pero de pronto sintió que un escalofrío le recorría la espalda. Se estremeció, se frotó los brazos para quitarse la piel de gallina, y alzó la vista. Ahí de pie, a pocos metros de ella, observándola con una expresión que solo podía ser de odio, estaba el monstruo de todas sus pesadillas: el señor Lang. No lo había visto de cerca desde que era una niña —se había cuidado mucho de que así fuera—, pero constató que no había cambiado mucho. Seguía siendo feo, y tenía la cabeza grande y redonda como una calabaza. Tal vez se viera más bajo aún, y algo más arrugado, pero en esencia era el mismo.

Una vez más, como había hecho aquella primera vez, el viejo volvió a hacer el gesto de dispararla con la mano. Pero Sara ya no era una niña. Le sonrió de oreja a oreja, y le dedicó una peineta. Él también esbozó una sonrisa, una sonrisa que volvió a erizarle el vello, antes de volverse y ponerse a andar detrás de Luke.

Después de aquello, y por más que lo intentaba, no podía seguir cosiendo. Así que recogió sus cosas, entró en el apartamento y cerró todas las puertas y ventanas. Cuando lo hubo hecho se acordó de que Mike se estaba quedando allí, y que si lo dejaba todo cerrado, no podría entrar.

De pronto, al pensar en Mike, todo encajó. La noche anterior, durante la cena, se había mostrado muy amable y había escuchado con total atención los motivos que ella le había dado para acompañarlo a visitar la vieja granja. Sara se había acostado segura de que lo había convencido. Desde que había visto Merlin's Farm por primera vez, había soñado con regresar, pero solo si «él» no estaba presente. Cuando pensó en la posibilidad de ir con Mike, un policía que seguramente iría armado, le pareció la oportunidad perfecta. Llegó a plantearse incluso qué ropa se pondría, y qué llevaría para comer de picnic.

Pero al parecer Mike no había tenido la menor intención de dejarla ir con él. «Después de todo lo que he hecho por ese hombre», murmuró, furiosa. Que, en realidad, no se le ocurriera nada que hubiera hecho por él, no rebajó un ápice su enfado. Ahora sabía que Mike había convencido a Luke para que distrajera al señor Lang mientras él, Mike, iba a visitar la granja. Solo.

«Pero a este jueguecito podemos jugar los dos», declaró en voz baja antes de llamar a la encargada de la tienda de su madre y pedirle que le preparara un picnic para dos. Sara era consciente de que la noticia de que había pedido un cesto lleno de comida correría como la pólvora en el pueblo, pero no le importaba. Estaba harta de que los hombres la trataran como si fuera demasiado delicada para oír la verdad. Greg se había negado a contarle qué era eso tan urgente que le obligaba a ausentarse de inmediato. Y ahora Mike dejaba bien claro que no la consideraba capaz de visitar ¡una granja! Con la ayuda de sus parientes, nada menos, se había desplazado hasta allí un día antes de lo que había anunciado.

Veinte minutos después, Sara ya tenía la cesta de picnic en el coche e iba camino de Merlin's Farm. Al ver el de Mike medio oculto bajo un gran roble, se convenció más aún de que estaba actuando correctamente.

En su caso, renunció a husmear por los alrededores. Siguió en coche más allá de la verja, llegó con él frente a la casa y solo entonces aparcó y bajó. Si se encontraba con Mike, bien. Si no, ningún problema.

Cuando estaba recogiendo el bolso, oyó que le sonaba el teléfono móvil. Su madre acababa de enviarle un correo electrónico informándole de que ya tenía la *molokhia* seca que Mike quería. Descubrió entonces que Joce también le había mandado un mensaje de texto pidiéndole que fuera a su casa y le contara quién era aquel hombrecillo espantoso que se dedicaba a seguir a Luke por todo el jardín. Tess, por su parte, le había enviado un correo de voz en el que le preguntaba cómo se llevaba con su hermano. Y además tenía cuatro e-mails de clientes que querían saber cuándo estarían listas sus prendas. Sara dejó el bolso en el asiento, se llevó el móvil y, mientras avanzaba, empezó a pulsar teclas, con la intención de responder a todos.

8

Mike se encontraba en el altillo del viejo granero, y usaba una horca para rebuscar entre el heno seco. Ya había encontrado dos trampas de pierna, una de fabricación casera y la otra tan antigua que seguramente ya era vieja en la Guerra de Secesión. La punta de aquel instrumento chocó contra algo que se encontraba cerca de la puerta, y él se agachó para ver qué era. Ahí estaba el pedazo largo y deshilachado del dobladillo de sus pantalones vaqueros, que habían estado a punto de ser alcanzados por una trampa que, al activarse, había hecho salir disparados unos dardos. El único aviso fue el sonido de aquellos proyectiles mortíferos que venían hacia él. Se echó al suelo, y los dardos pasaron silbando sobre su cabeza y fueron a clavarse en un árbol cercano.

Mike soltó una maldición mientras arrancaba los dardos de las ramas y volvía a colocarlos en su lugar. Por más que detestara hacerlo, había decidido no dejar que el viejo supiera que alguien había estado allí, y así pensaba hacerlo.

Empezaba la tarde, y Mike casi estaba listo para irse. Había encontrado trampas y cepos por todas partes. No había visitado ni un solo edificio, ni una sola zona del jardín que no hubieran sido manipulados para causar daños a un intruso, para mutilarlo e incluso, en ocasiones, para matarlo.

Ya solo le quedaba recorrer el pajar. Mike no se jactaba de haber descubierto aquellas trampas, pero sin duda había tomado nota mental de todas y cada una de ellas. En las horas que llevaba registrando el lugar, no solo había averiguado dónde se encontraban aquellos siniestros dispositivos, sino muchas otras cosas. Había comprendido que Lang era un viejo listo, y fuerte, que no tenía la menor conciencia. En su ciega obsesión por proteger lo que consideraba suyo, se mostraba implacable, sin que le importaran lo más mínimo las consecuencias. Si un niño se hubiera colado en el huerto... Mike no quería ni pensar qué habría ocurrido.

Era evidente que a Lang solo le importaba impedir la entrada a cualquier intruso.

Mike oyó un ruido abajo, que provenía del interior del granero, y con el rabillo del ojo captó un movimiento. Al instante, sin hacer el menor ruido, se echó al suelo boca abajo y miró en dirección a la entrada. Pero no vio nada. «Mierda.» Luke le había dicho que mantendría a Lang ocupado hasta las cuatro.

Permaneció en aquella posición, pensando en qué podía hacer para salir de allí sin que Lang lo viera. Tras él, por encima de la ventana abierta, había un gran tronco del que colgaba una soga. No sabía mucho de graneros, pero suponía que servía para subir las balas de paja hasta el altillo. Volviendo solo la cabeza, observó la soga y la viga. Parecían resistentes, pero después de lo que había visto hasta ese momento, no le habría extrañado que se rompieran si se colgaba de ellas.

Volvió a mirar abajo por las rendijas de los tablones, y entonces vio algo que lo paralizó. Ahí estaba Sara, entrando en el granero sin inmutarse, con la cabeza gacha, concentrada en el teclado de su BlackBerry.

La primera reacción de Mike fue gritarle que no se moviera, que se quedara donde estaba. Pero no sabía quién la acompañaba, ni si lo oiría.

—¡Sara! —dijo en un susurro.

Ella seguía tecleando.

Mike no entendía que hubiera podido entrar en el pajar y salir indemne. Justo frente a la puerta había un hilo de nilón casi invisible, y sobre él, listos para desplomarse, unos viejos arreos

107

de caballo hechos de madera, cuero y hierro. No quería ni pensar qué heridas habría causado en la pequeña Sara si hubieran caído sobre ella.

—¡Sara! —volvió a llamarla.

En ese momento ella pareció dudar y, para horror de Mike, hizo ademán de querer abandonar el pajar. Tal vez hubiera esquivado la trampa en su entrada, pero sin duda la activaría al salir.

Mike no pensó en lo que hacía. Sus muchos años de entrenamiento le habían llevado a actuar instintivamente. Se puso en pie de un brinco y saltó por la ventana, agarrándose al vuelo de la cuerda. Esta, atada al tronco de arriba, no dejaba de oscilar. Aunque le ardían las manos por la fricción, siguió descolgándose, y descendió hasta que, cuando Sara franqueó la puerta, en el momento mismo en que estaba a punto de cortar el hilo de pesca, Mike la agarró con la mano derecha y siguió oscilando.

Aterrizaron los dos sobre la hierba, junto al pajar, en el momento en que casi veinte kilos de arnés ecuestre se desplomaban sobre el punto exacto en que acababa de estar Sara.

Ella había quedado sobre él, casi sin aliento, el rostro a escasos centímetros del suyo.

—En serio, tenemos que dejar de encontrarnos así.

Mike no se rio. Dio media vuelta para liberarse de su peso, se puso en pie y se inclinó sobre ella.

—¿Qué diablos estás haciendo aquí? Te dije que no vinieras. Te dije que...

—De hecho, no me dijiste nada, y además empiezo a pensar que todo lo que has podido contarme es mentira. —Lo miró de arriba abajo—. Estás hecho un asco. ¿Por qué no me cuentas la verdad de lo que está pasando aquí?

Mike se sentía dividido: por una parte habría querido zarandearla, indignado, y por otra habría querido besarla, aliviado al constatar que no estaba herida. Estaba tan guapa con su vestidito amarillo, con aquel estampado de flores rosadas en el cuello, que se limitó a sentarse a su lado, sobre la hierba.

—Podrías haberte matado.

108

—Sí, eso ya lo veo —admitió ella, fijándose en el amasijo de madera y cuero que reposaba en el suelo—. Me pregunto de dónde lo habrá sacado el señor Lang, y de qué siglo será.

Mike pensaba a gran velocidad, intentando valorar qué podía contarle y qué debía mantener oculto.

—¿Qué está ocurriendo aquí? —insistió ella.

Estaba tan serena que los últimos restos de indignación abandonaron a Mike al momento.

—Lo único que quería hacer era echar un vistazo a la finca que mi hermana me ha cedido.

Sara clavó la vista en el pajar, y tras unos instantes volvió a mirarlo a él.

—No querías que te acompañara porque temías que pudiera haber algo así aquí, ¿no es cierto?

Mike sonrió fugazmente. No iba a poder salir de aquel atolladero con más mentiras.

—Las mujeres listas son un engorro en el trabajo al que me dedico.

—O sea, que has venido a Edilean por un caso.

—No habrás traído nada de comer, supongo. Me estoy muriendo de hambre.

—Pues sí. Tengo una cesta llena de cosas.

Mike se incorporó y quiso ayudar a Sara a levantarse, pero ella ignoró el ofrecimiento. Seguía mirando los restos del arnés.

—No pienso dejar que te quedes en mi apartamento ni un minuto más si no me dices qué has estado haciendo aquí hoy.

—No puedo.

—Muy bien. En casa de mi madre hay sitio. Si crees que yo soy fisgona, es que no has pasado un día entero con mi madre. Mi padre dice que es capaz de exprimirles los secretos a las piñas.

Mike volvió a sentarse. Tal vez fuera mejor contarle al menos parte de la verdad.

—En el pueblo, o en sus alrededores, vive una delincuente muy buscada.

—¿Quién?

—Si lo supiéramos, la detendríamos, pero no sabemos ni siquiera cuál es su aspecto. La única fotografía que tenemos de Mitzi Vandlo es de 1973, y se la tomaron a los dieciséis años.

—O sea, que ahora tendría cincuenta y tres.

—Exacto —respondió él, admirado de sus dotes aritméticas.

—¿Y estáis seguros de que se encuentra en Edilean?

—Este pueblo tiene un nombre que no puede confundirse con ningún otro.

—¿Y qué ha hecho?

Mike detestaba tener que contarlo, pero era mejor eso que decirle la verdad sobre Stefan.

—Todo lo que puedas imaginarte, lo ha hecho. Entre otras cosas, asesinó a su marido. No es que no se lo mereciera, pero aun así es algo ilegal.

—¿Ha venido a Edilean a matar a alguien? —preguntó Sara, llevándose una mano al cuello.

—Si quieres que te diga la verdad, no sabemos por qué está aquí, y gran parte de lo que sabemos nos ha llegado a través de terceros, o de cuartos. —Quiso quitar un poco de hierro al asunto—. Circula el rumor de que es tan fea que para persuadir a Vandlo de que se casara con ella tuvo que llevar un velo que le tapaba toda la cara. Lo que todavía llama más la atención si se piensa que ella tenía dieciséis años y él, cincuenta y uno.

Sara no dejó que se desviaran del tema principal.

—Si mató a su viejo marido, ¿por qué no la encarcelaron?

Mike se encogió de hombros.

—La familia lava los trapos sucios en casa. A los agentes que trabajan en el caso les contó un informante que lo que ocurrió fue que se cayó por unas escaleras y se mató. Sin embargo, cuando recientemente se exhumó el cadáver, en el cráneo se encontraron tres depresiones que correspondían exactamente con sendos golpes asestados con un palo de golf. —Mike bajó la voz—. Se ha especializado en robarle los ahorros de toda una vida a la gente, y lo cierto es que queremos ponerla fuera de circulación.

—Si estuviera haciendo algo así en Edilean, todos lo sabríamos.

—Lo que está haciendo en una población tan pequeña es un

misterio para todos. Normalmente opera en ciudades, cuanto más grandes mejor. Así que, ¿qué puede haber en Edilean que sea de su interés? —Aguardó unos instantes, para dar ocasión a Sara a responder, pero ella se mantuvo en silencio—. Tú no habrás oído nada, ¿verdad?

—No, que yo recuerde. Pero he estado tan ocupada con la tienda nueva y con Greg que tal vez no me he dado cuenta. Tal vez mi madre sepa algo...

—¡No! Cuanta menos gente esté al corriente, mejor.

—Lo entiendo —dijo ella, aunque sin llegar a mirarle a los ojos.

—¿Y las mujeres ricas que acuden a tu tienda? ¿Qué sabes de sus vidas?

Sara lo miró con desconfianza.

—Si estás interesado en ellas, entonces yo soy tu mejor contacto, ¿no? Tú has planeado todo esto. Luke me echó de mi apartamento para que pudieras entrar a través del túnel e instalarte en él.

Sin darle tiempo a responder, Sara se levantó y se fue corriendo por el camino, en dirección al coche.

Mike la interceptó cuando apenas había dado tres pasos, y la sujetó por los hombros.

—¡Sí! Te han engañado y te han usado descaradamente. Pero tú no sabes cuántas vidas ha arruinado esa mujer. Hubo algunas chicas jóvenes que...

¡Greg! ¿Os lo habéis llevado justo antes de la boda?

Mike no tuvo tiempo de sopesar su respuesta.

—Sí. —Sara forcejeó para liberarse, pero él la retuvo—. E incendiaron mi apartamento y todo lo que contenía para que tuviera una buena coartada para estar aquí. Sara, siento mucho que te hayan arrastrado hasta esto, pero tú puedes proporcionar acceso a unos lugares y a unas personas a un nivel que no está al alcance de nadie más en Edilean. Por lo que sabemos, Mitzi podría ser una de tus clientas.

—¡Os habéis llevado al novio antes de la boda! —dijo Sara—. ¡No es justo!

—Lo sé —admitió él en voz baja—. Pero lo que Mitzi hace con la gente es algo más que injusto.

—¿Dónde está Greg?

—Sano y salvo.

—¿Y eso qué significa? ¿Que lo habéis encerrado en alguna cárcel?

Mike sabía que en ese momento Greg se encontraba bajo arresto, pero que su abogado estaba a punto de conseguir su libertad. Aquello eran malas noticias, porque su compañero de calabozo era un agente encubierto. Pero Mike no podía contarle a Sara nada de todo aquello.

—A mí me han revelado tan poco sobre el caso que todavía hay muchas cosas que no sé. Mi capitán me lo expuso, y cuando le dije que me iba a casa a hacer el equipaje, me mostró la foto de un periódico en la que aparecía mi apartamento en llamas. —Al ver que ella lo miraba con gesto comprensivo, la soltó un poco más, aunque no del todo.

—Siento mucho todo esto —insistió él—. Alguien al que conocí cuando todavía me estaba formando se acordó de que yo le había dicho que mi abuela era de Edilean. Yo entonces era muy joven y no sabía que es mejor no revelar gran cosa de uno mismo. Cuando apareció el nombre de este pueblo, él se acordó de mí. Los federales llamaron a mi jefe, y aquí estoy.

Sara fruncía el ceño, pero algo en su expresión hizo que Mike se relajara más, y finalmente la soltó.

—Parece que te he manchado el vestido de sangre.

Sara se fijó en las manchas, y entonces le cogió las manos y le puso las palmas boca arriba para verle la piel rasgada.

—¿Esto te lo has hecho con la cuerda?

—Sí —respondió él sin dejar de mirarla a los ojos.

—Esta ha sido la única vez en mi vida en que he interpretado el papel de la Jane de Tarzán.

A Mike se le iluminaron los ojos.

—Siempre podríamos ir al jardín de las flores para que te caiga una red en la cabeza. Yo sujetaría un puñal entre los dientes y cortaría.

—¿Cortarías la red, o cortarías el vestido? —preguntó ella, muy seria.

—El vestido. La red la dejaría donde está.

Él le dedicó una mirada tan lasciva, tan traviesa, que ella se echó a reír.

—Está bien. Esto es lo que vamos a hacer. Vamos a acercarnos a mi coche y yo, no tú, voy a llevarte hasta el tuyo. Después nos iremos al arroyo K, tú llevarás la cesta con el picnic, y allí comeremos y conversaremos. Y tú me contarás qué está pasando.

—Todo lo que pueda.

Ella lo miró desafiante.

—Está bien, te lo contaré todo. —Se pusieron en marcha—. ¿Y tú cómo sabes dónde está mi coche?

—Señor policía. Ahí es donde aparca todo el mundo que quiere ocultarse en esta carretera. La mitad de las chicas de Edilean han perdido la virginidad bajo ese árbol.

¿Tú también?

Sara abrió la puerta del piloto.

—¿Y quién ha dicho que yo ya he entregado la mía?

Mike soltó una carcajada, se montó a su lado y cerró su puerta.

9

—O sea, ¿que lo que dices es que ese árbol es mío? —preguntó Mike. Estaba tumbado sobre el mantel de cuadros rojos y blancos, la cesta de comida entre ellos. Sara se había sentado al otro lado. Al fondo de la suave pendiente corría el agradable arroyo.

—Todas y cada una de sus ramas.

—El árbol de las Vírgenes. Te advierto que esa idea no me va a dejar pegar ojo en toda la noche.

—Y también eres el propietario de una parte del arroyo, y de todas esas construcciones. ¿Qué piensas hacer con todo eso?

—Instalarme en la casa y dejar que Lang me haga de mayordomo. Me servirá rodajas de tomate aliñadas con marihuana... y todo de su propio huerto. —La miró de reojo para ver si se escandalizaba. Pero salvo por un casi imperceptible revoloteo de las pestañas, ella no reaccionó de ninguna manera. «Bien», pensó. «Fría ante las sorpresas.»

—Si Luke descubre que cultiva plantas ilegales, despellejará vivo al viejo.

—Eso mismo he pensado yo, pero lo que le haría tu madre me asusta más que lo que pudiera hacerle Luke.

—A mí también —coincidió Sara, sonriéndole.

Entrelazó las manos detrás de la nuca, y miró hacia el cielo.

—Es la primera vez en mi vida que soy propietario de algo.

—¿No posees siquiera un apartamento en Fort Lauderdale?

—Eso nunca.

—¿Entonces? ¿Ya estás listo para contarme qué está pasando?

—¿Por qué no te limitas a disfrutar del día?

—Porque no —replicó Sara—. Quiero encontrar a esa mujer para que me devuelvan a mi novio y poder casarme con él. ¿Qué hacemos para buscarla?

—ADN. —Se echó a un lado y la miró—. Debemos conseguir ADN de todas las mujeres de este pueblo que tengan alrededor de 53 años, y enviarlo al laboratorio. No disponemos del ADN de Mitzi, pero sí del de su hijo y otros familiares, de modo que podríamos compararlos.

—¿Y estáis seguros de que vive aquí?

—No, pero tratándose de esa mujer, merece la pena intentar incluso una vía tan improbable. —Mike levantó un racimo de uvas negras, pequeñísimas, dulces, volvió a tumbarse boca arriba, las dejó suspendidas sobre su cabeza y empezó a comérselas.

—Pareces un discípulo de Baco. En realidad no eres tan civilizado como finges ser, ¿verdad?

—Si con eso lo que quieres preguntarme es si preparo cenas de cuatro platos todas las noches, la respuesta es no. Intentaba impresionarte. ¿Lo he conseguido?

Sara no pensaba responder.

—¿Y bien? ¿Cuál es el plan?

—Yo tenía uno muy bien preparado, pero tú has acabado con él esta tarde, negándote a permanecer en casa. Creo que ahora te toca a ti idear otro.

—De acuerdo —dijo Sara—. En primer lugar, debemos decidir qué somos tú y yo.

—Suena bien. ¿Qué somos?

—Amigos —replicó ella al instante—. No podemos ser otra cosa, teniendo en cuenta que estoy a punto de casarme. Tú vas a soltar a mi prometido antes del día de la boda, ¿verdad?

—A menos que tu madre descubra dónde está y no nos deje liberarlo. —La miró—. ¿Ha odiado tu madre a todos tus novios?

—Solo hubo otro, y no, a él no lo odiaba. Se ha reservado todo su desprecio para Greg. ¿Podríamos volver al tema que nos ocupa, por favor?

—Sí, claro. Tú vas a casarte con un hombre al que todo el pueblo odia, y que vive aquí, rodeado de animadversión.

Ella le dedicó una mirada asesina.

—Si quieres que te ayude, tienes que ser amable con Greg.

—Eso no me va a costar demasiado, porque no lo conozco. ¿Crees que me caería bien?

—No tengo ni idea, porque sé muy poco de ti que sea verdadero. Creo que es posible que me hayas mentido sobre todo.

—Gajes...

—¡No vuelvas a decirlo! ¡Gajes del oficio! ¡Ja! ¿Podrías no cambiar de tema, por favor?

—Yo creía que Greg era el tema. —Como Sara volvió a mirarlo con odio, él levantó la mano—. Está bien, está bien. Diremos a la gente que somos amigos. ¿Conseguiré así que te relajes y que dejes de tratarme como si fuera tu enemigo?

—Tal vez.

Mike dejó las uvas sobre el mantel.

—Supongo entonces que la idea de que haya algo entre tú y yo queda descartada.

—Por completo.

—¿Estás segura?

Sara se negó a mirarle a los ojos.

—Si tu intención es usar ese tono de voz conmigo, entonces será mejor que te vayas de mi apartamento. No pienso quedarme contigo, ni ayudarte, si intentas... hacerme proposiciones.

—Está bien —dijo Mike, echándose hacia atrás—. Seremos los mejores amigos del mundo. Colegas. Compañeros de piso.

—Como hermanos. Como Tess y tú.

—No. Como Tess y yo no. Nosotros no somos como hermanos. Nosotros somos hermanos.

—¿Y eso qué quiere decir?

—Que ella se pasea delante de mí en ropa interior. Me pide que le abroche... ya sabes, los tirantes de los sujetadores. Eso

116

contigo no podría hacerlo, porque tú eres la mujer más bonita y más deseable que he visto en años. Sara, llevo trabajando como agente secreto casi desde que me uní al cuerpo, lo que implica que las mujeres que he tenido cerca consumían casi siempre algún tipo de droga. La mayoría estaban casadas, y en cuanto a la ropa, tendían a creer que menos es más. Excepto para las joyas y el maquillaje. Ahí no, ahí, cuanto más mejor. Pero tú... —Se volvió para mirarla—. No te pareces a ninguna de las mujeres que he conocido en mi vida. Pareces salida de una brisa de primavera. Me parece que tu ropa, que te cubre casi todo el cuerpo, es más sexy que cualquier otra que haya podido ver. Tu manera de moverte, de hablar... me gusta todo de ti. Te prometo que haré todo lo que pueda por no tocarte, pero que sepas que no va a ser fácil. ¿Queda algún sándwich más, de esos pequeñitos?

Sara seguía sentada en su sitio, mirándolo, parpadeando.

—Bueno, eh...

—Sándwiches...

—En la cesta —logró murmurar finalmente—. No sabía que sentías eso por mí.

—¿Y cómo no voy a sentirlo? —Empezó a rebuscar en la cesta—. No los encuentro.

—Déjame a mí —dijo ella, apartándole las manos. Sus rostros se acercaron. Por un momento, Sara estuvo a punto de echarse hacia delante. Pero se retiró.

—Supongo que te facilitaría el trabajo que tú y yo nos acostáramos juntos.

—Oh, sí, me lo facilitaría muchísimo —dijo él—. De hecho, creo sinceramente que estar juntos ayudaría al país a ser mucho mejor.

Sara negó con la cabeza.

—Pues eso no va a ocurrir.

Mike suspiró exageradamente.

—No se puede culpar a un hombre por intentarlo. Está bien, ¿cuál es el resto del plan?

—Hacer lo que has dicho y recoger muestras de ADN de las mujeres que vienen a la tienda. Pero...

—¿Pero qué?

—Erica.

—Erica es... —Mike tenía la boca llena de sándwich de atún.

—La mujer a la que Greg ha contratado para dirigir la tienda. Ella no me dejará...

—¿La tienda no es tuya?

—Yo solo soy socia sobre el papel. Greg y Erica toman las decisiones.

—Llamaré y daré la orden de que le partan las piernas.

—¿Y por qué no también los brazos? —preguntó ella, fingiendo entusiasmo.

Mike sonrió.

—No eres tan inocente como pareces, ¿verdad?

—Decídete. ¿Parezco una vestal virgen, o soy una sexy arrebatadora?

—Las dos cosas. ¿Queda más ensalada de col?

—Tú comes mucho, ¿no?

—Llevo todo el día arrastrándome por esta granja, salvando a veces la vida por los pelos, y ahora estoy aquí sentado con una mujer estupenda que dice que no puedo ni tocarle un pelo. Pues sí, me muero de hambre.

—Si me cuentas todo lo que has visto hoy, yo te hablaré de mis dos encontronazos con el señor Lang.

Mike se puso serio.

—Tú debes contarme todo lo que sepas.

—No hasta que me cuentes al menos la mitad de lo que sabes tú.

—¿Sobre qué? —Sara le lanzó una miga de pan, y Mike la agarró al vuelo con la mano izquierda—. Sara, encanto, sinceramente no sé qué está pasando. Sé que una de las principales delincuentes de la historia de Estados Unidos está o ha estado viviendo en este pueblecito encantador. Tal vez Merlin's Farm no tenga nada que ver con ella, pero aquí ha estado ocurriendo algo.

Mike no podía contarle que estaba convencido de que el interés que Stefan había demostrado por la granja relacionaba a los Vandlo con Brewster Lang, o con la vieja plantación.

118

Al mirar a Sara, vio que ella seguía esperando en silencio, impaciente, alguna otra explicación.

—Esta mañana, cuando he venido a visitar la granja, esperaba encontrar una serie de edificios destartalados y ruinosos, que es lo que me habían dicho que encontraría. Pero lo que he visto es una zona de guerra.

—¿Qué quieres decir?

Le contó con detalle lo que había ido hallando. Le habló de las trampas, y le dijo que creía que las plantas de marihuana estaban ahí como cebo. Cuando le explicó lo de las tumbas de los perros, Sara frunció el ceño.

—¿Y las ocas?

—Yo no he visto ocas.

—El señor Lang y su padre siempre tenían ocas. Son de una raza rara, se conocen como ocas de Sebastopol, y tienen unas plumas rizadas, y el mejor carácter del mundo. Mi madre asegura que esas ocas son el secreto de las verduras de Lang.

Mike la miró, sin comprender.

Las ocas comen bichos, y producen abono.

—Ah. Tú sabes mucho de agricultura, ¿no?

—Gajes de ser hija de mi madre.

Mike ahogó la risa ante su comentario.

—¿Y bien? ¿Y a ti qué te ha hecho Lang?

Sara le contó que el viejo, en dos ocasiones, había simulado que le disparaba poniendo la mano en forma de pistola. Y Mike sonrió al saber que, la segunda vez, ella le había dedicado una peineta de represalia.

—¿Y crees que te lo hizo porque te pareces a tu tía abuela?

Mike no pensaba contarle que él sabía mucho de aquella clase de odios.

—Supongo que sí. A menos que le repugnen los niños en general. Tratándose de él, ¿quién sabe? Yo lo que sí sé es que cuando era pequeña, en la granja no había trampas. El día que la visité, entré en todos los edificios.

—Rodeada de ocas y de perros —observó Mike—. Debías de parecer una niña salida de un cuento infantil.

Ella lo miró desde su extremo del mantel. Ya había vuelto a crecerle aquella barba negra, cerrada. Sí, definitivamente, tenía unos labios bonitos, pensó. En cuanto al pelo tan corto, y a la frente despejada, empezaba a acostumbrarse a ellos. A lo que todavía no se había acostumbrado era a que la granja, Merlin's Farm, no fuera a ser nunca suya. Sus hijos no se criarían allí.

Mike no la miraba, pero sentía que Sara no le quitaba la vista de encima.

—Y dime, Sara, ¿dónde te ves a ti misma en cinco años?

—Madre de dos hijos —respondió ella al instante.

—¿Sin marido?

—No, no, con marido. Había imaginado que estaría con Greg, y me quedaría en casa con los niños y...

—¿Y qué?

—Y le devolvería el esplendor a Merlin's Farm. —No le apetecía hablar del final de su sueño, así que cambió de tema—. No he llegado a ver mucho antes de que tú llegaras descolgándote de esa cuerda y te me echaras encima. —Lo miró expectante.

—¿Qué mirada es esa?

—No muchos hombres son capaces de sujetarse a una cuerda con una mano y de levantar a una mujer hecha y derecha con la otra.

Mike se encogió de hombros.

—Tú no eres lo que yo llamaría una mujer hecha y derecha. ¿Cuánto pesas? ¿Cuarenta kilos?

—Qué amable eres. Greg dice que debo perder cinco.

«¿Para que su cuerpo cupiera mejor en el maletero del coche?», pensó Mike.

—Si Greg no puede levantarte en brazos, tiene que ir al gimnasio más a menudo.

—¿Y tú? ¿Dónde te ves tú en cinco años?

—No lo he pensado. Mi futuro se lo dejo a Tess.

—Pues ella quiere que te cases, que tengas hijos y que vivas en Merlin's Farm.

—Te estoy robando el futuro —dijo Mike en voz baja, y al ver la tristeza en los ojos de Sara, quiso animarla.

—¿Quieres saber un secreto?

—Sí, claro. —Ella miraba fijamente en dirección al arroyo, con expresión distante.

—Es un secreto bueno.

—Ahá. —Parecía distraída.

—De esos secretos que las mujeres adoran.

Sara se volvió a mirarlo.

—¿Qué sabes tú sobre los secretos de las mujeres?

—Tess va a tener un hijo.

Sara abrió mucho los ojos, y a Mike le alegró pensar que había conseguido animarla un poco. Pero entonces, para su estupor, vio que rompía a llorar.

—Son lágrimas de alegría —se apresuró a aclarar ella mientras se secaba la cara con una servilleta—. De veras. Estoy muy contenta por ellos. Es solo que... Dos de mis mejores amigas ya están embarazadas, ¡y yo ni siquiera me he casado!

Mike estaba descubriendo que Sara poseía un considerable sentido del humor.

—Yo estaría más que dispuesto a ayudarte en uno de tus dos problemas. Te aseguro que me esmeraría al máximo.

A Sara le costó entender a qué se refería.

—Eres horrible —dijo al fin, aunque sin perder totalmente la sonrisa.

—No tanto —se defendió él con gesto compungido—. Lo digo en serio. Mi máxima es que hay que ayudar siempre a una mujer en apuros.

Sara se secó las lágrimas.

—Gracias. Ya me siento mejor. —Se sonó y empezó a guardar los platos en la cesta—. Creo que deberíamos irnos. Se hace tarde. ¿Qué delicias vas a preparar para la cena de esta noche?

—Esta noche te toca a ti. Yo prepararé una ensalada.

—Pues combinará bien con las hamburguesas del McDonald's.

—Supongo que no lo dirás en serio. Con toda la grasa que tienen y...

—¡Eres igual que mi madre! Relájate un poco. Era broma.

Vayamos a la tienda de mi madre y veamos qué encontramos. —Se echó hacia delante—. ¿Quieres saber un secreto mío?

Mike contuvo la respiración.

—Sí.

Sara sostuvo en el aire su juego de llaves.

—Tengo la llave de la puerta trasera de Armstrong Organic Foods.

Al principio Mike no entendió que aquello fuera un secreto, pero recordó que una de las historias que ella le había contado sobre Stefan era que este había exigido comida gratis del negocio de su madre. Si Mike comprendía bien, lo que Sara estaba haciendo era ofrecerle algo que le había negado al hombre con el que iba a casarse. Hizo lo posible por ocultar que aquello le alegraba muchísimo.

—¿Una llave que da acceso a toda esa comida deliciosa? Yo paso de sexo. Me quedo con unos melocotones madurados en el árbol.

Sara se echó a reír.

—¿Y cuándo piensas contarle al señor Lang que ahora tú eres el propietario de una granja que él considera suya? Su madre lo parió en la sala de la casa.

—¿Seguro que no fue en el pajar?

Antes de que Sara pudiera responder le sonó el teléfono, y ella consultó la pantalla.

—¡Oh, no! Por tu culpa me he olvidado de que le había prometido a Joce pasar a verla esta tarde. Soy horrenda. La pobre Joce no puede levantarse de la cama, tiene que hacer reposo para que los bebés no sean prematuros. Su padre murió hace unos meses, Luke trabaja todo el día, y Tess no está, o sea que se pasa casi todo el tiempo sola.

—Y tú la visitas para hacerle compañía. ¡Eh! Tengo una idea. ¿Por qué no les preparamos la cena esta noche? ¿No me contó Tess que Luke había instalado una cocina nueva en la casa grande?

—Sí y no. Luke quería cambiar de arriba abajo la cocina antigua, pero su padre y Joce se lo prohibieron. Acabó arreglando los armarios viejos, y repintándolos, y finalmente Joce acabó «cediendo» y le dejó que instalara —suspiró— encimeras de mármol blanco.

—¿Acabas de pronunciar una declaración de amor a una cocina? Entre el árbol de las vírgenes, y tu manera de pronunciar «encimeras de mármol blanco», esta noche no voy a poder dormir.

—Casi me haces creer que hablabas en serio. Pero sí, me gusta la idea de cocinar para ellos. La pobre Joce está a merced de que Luke compre esto o aquello en las tiendas del pueblo. —Se puso en pie y miró a Mike. Una cena con más gente. Algo absolutamente corriente, pensó, y a la vez, divino. Greg siempre encontraba defectos a todos los actos sociales a los que asistían en Edilean. Al pensar en ello, frunció el ceño. Era demasiado tarde para empezar a comparar al hombre con el que iba a casarse con otro.

Cuando Mike recogió la cesta de picnic y le ofreció el brazo, ella le sonrió. Debía reconocer que había sido bastante agradable que un hombre colgado de una cuerda la agarrara por la cintura y la rescatara.

10

—¿Y cómo es en realidad? —preguntó Jocelyn—. Además de estar buenísimo, claro.

—Yo no pienso en él en esos términos, aunque, claro, estoy enamorada de otro hombre —sentenció Sara, escogiendo con esmero sus palabras para que Joce las oyera altas y claras. Antes, ella y Mike habían perpetrado su asalto al inmenso almacén de su madre, y desde allí se habían dirigido directamente a casa. Sara ya había llamado a Joce, que le había dicho que no descartaba que Luke se echara a llorar de alegría al saber que alguien les iba a preparar una cena casera.

—Pues no es el único —murmuró Sara, que no aclaró a qué se refería—. ¿Entonces os va bien que Mike y yo os preparemos la cena en vuestra cocina esta noche?

—Sara, si quieres instálate aquí y nos preparas tres comidas diarias.

—El cocinero es Mike, no yo.

—¿Y además sabe cocinar?

Sara sabía que la presionaban para que se fuera con otro, pero había tomado una decisión sobre Greg, y pensaba mantenerla.

Tan pronto como entraron en la casa principal, Luke se llevó a Mike al jardín, donde ya había encendido una parrilla de carbón. A Joce le habían instalado una cama en la planta baja, y su gran barriga sobresalía bajo la colcha fina. Sara seguía a su lado, y miraba por la ventana a los dos hombres, que conversaban y reían.

—Se les ve tan contentos... —dijo.

—Mike ha convencido finalmente a Luke para que lo acompañe al gimnasio mañana, y a mí me alegra mucho. El pobre se pasa el día pendiente de mí, como si fuera a romper aguas en cualquier momento. Prométeme que nos acompañarás a la sala de partos. Me da miedo que Luke se desmaye.

—Te lo prometo —dijo Sara—. Espero que tú nos acompañes a Tess y a mí.

—¿Estás...?

—No —se apresuró a responder—. Tess sí, aunque no sé bien si Ramsey está al corriente o no.

—O sea, que Mike y tú habéis intimado lo bastante como para compartir secretos sobre su hermana...

—No hemos...

—¿Es fácil convivir con él?

—De hecho, yo no...

—¿Tiene novia?

—¡Ya basta! —exclamó Sara, que se calmó enseguida—. Oye, antes de que todo esto se nos vaya de las manos, debes saber que Mike ha venido a encargarse de un caso. Y esto, por favor, que no salga de aquí.

Joce asintió.

—¿De qué caso se trata?

—Una mujer, una delincuente implicada en cosas muy gordas, está viviendo en Edilean, y Mike está aquí para encontrarla.

—¿Y cómo sabe que vive aquí?

Sara se encogió de hombros.

—No lo sé. A mí solo me cuenta cosas sueltas, todavía no he conseguido que me lo explique todo. ¿Sabías que tu marido me había echado de mi apartamento para que Mike pudiera entrar por un túnel secreto y aparecer en mi dormitorio... en el de Tess?

Joce arqueó las cejas.

—Sabía que ocurría algo, porque no usó ningún pesticida en

tu apartamento. Aunque sí se ha llevado el lavabo y el fregadero de la cocina.

Sara dirigió la vista a la ventana y dedicó una mirada asesina a su primo, que en ese momento bebía cerveza de una lata, daba la vuelta a los filetes de la parrilla y se reía de algo que le comentaba Mike. Volvió a concentrarse en Joce.

—¿Quieres ayudarme a descubrir qué está ocurriendo aquí?

—Como veo que mi marido también tiene secretos para mí, estaré encantada de colaborar.

Las dos mujeres se miraron, conspiradoras.

Treinta minutos después, la cena estaba lista, y todos se sentaron alrededor de la cama de Joce, cada uno con su bandeja: filete, ensalada y verduras a la parrilla.

Mike y Luke monopolizaban la conversación con su interminable charla sobre el gimnasio.

—He visto lo que hace este tipo en la sala de máquinas, y pretende que vaya con él —comentó Luke.

—Yo solo sé que sabe hacer de Tarzán —intervino Sara, y ella y Mike se sonrieron.

—¿Y eso qué significa? —indagó Luke, mirándolos a los dos.

Antes de que Mike tuviera tiempo de responder, Joce se adelantó.

—¿Y cómo habéis averiguado que esa mujer a la que buscáis vive en Edilean?

Luke no tenía ni idea de a qué se refería su mujer, pero vio que Mike parecía a punto de estallar.

—Mike, no te preocupes —se anticipó Joce—. Nadie va a contar tu secreto. Queremos ayudarte.

Mike dedicó a Sara una mirada asesina, pero ella le devolvió una sonrisa.

—¿Qué está ocurriendo aquí? —inquirió Luke.

—Mike está aquí para ocuparse de un caso —le aclaró Joce—. Está buscando a una delincuente, una mujer.

—¿Es eso cierto? —preguntó Luke.

—Creo que deberíamos irnos —dijo Mike sin apartar los ojos de Sara, y apretando mucho los dientes.

—No —replicó Sara—. En ese momento no me apetece estar a solas contigo. —No le tenía el menor miedo a Mike, pero no quería oír sus sermones, por más que era consciente de que se los merecía. Por otra parte, él no conocía a Joce y a Luke tan bien como ella.

—Sea lo que sea que está ocurriendo, puedes contárnoslo —le tranquilizó Luke—. Puedo asegurarte que, nos digas lo que nos digas, seremos discretos.

—No es eso lo que yo he visto en este pueblo, donde todo son chismes. —Mike seguía mirando a Sara, que no había dejado de comer, ni parecía mínimamente impresionada.

—Mike —intervino Joce en voz baja—. Sé cómo te sientes. Yo también soy nueva aquí, y todavía no termino de acostumbrarme, pero, créeme, sí saben guardar un secreto. Cuando me instalé en el pueblo, todos conspiraron para que no supiera algo sobre el hombre del que me estaba enamorando, y...

—¿Ah, sí? —saltó Luke—. Yo no sabía eso. Creía que tú y Ramsey...

—¿Ramsey y tu erais pareja? —se sorprendió Mike—. Pero si Tess le echó el ojo desde el principio. Según me contó...

—¡Mitzi! —interrumpió Sara—. ¿Te acuerdas? ¿La delincuente excepcional?

Mike bajó la vista y la posó en el plato. No estaba acostumbrado a compartir su vida más que con Tess, y ni siquiera ella sabía todo lo que hacía.

—¿Así se llama la mujer? —preguntó Joce.

Todos permanecían en silencio, esperando a que Mike dijera algo. Notaban que se enfrentaba a un dilema, pero ya no podía borrar lo que ya había contado. Finalmente, llegó a la conclusión de que llevar a los Vandlo ante la justicia era más importante que su reserva a la hora de revelar aspectos de su vida.

—Cartas del tarot —dijo al fin.

—¿Qué pasa con las cartas del tarot? —preguntó Sara.

Mike dio un bocado.

—Queréis saber cómo la encontramos, y la respuesta es «cartas del tarot».

Todos seguían mirándolo fijamente, pero Mike no parecía inclinado a revelar nada más.

—¿Veis? ¿Veis lo que tengo que aguantar? —atacó Sara, gesticulando con el tenedor en la mano—. A mí me hace lo mismo constantemente. Pronuncia alguna frase intrigante, y después se queda callado.

—Sé cómo te sientes —intervino Joce—. Tú, sin ir más lejos, me has hablado de un túnel, pero a mí nadie me había explicado nunca nada sobre ningún túnel que pasaba por debajo de mi casa.

Y miró a Luke como diciéndole que le debía alguna explicación.

—Mike —dijo Luke—. ¿Me ayudas, por favor, a salir de esta antes de que me encierren en la caseta del perro un año entero?

Mike tuvo que respirar hondo varias veces antes de seguir hablando.

—Todo el mundo tiene sus puntos débiles.

—¿Incluso tú? —preguntó Sara, parpadeando inocentemente.

—El mío parece ser una jovencita que va por ahí rodeada de ocas.

Sara bajó la vista, y sus mejillas adquirieron un delicioso tono rosado. No vio que sus primos la miraban con esperanza en los ojos.

En pocas palabras, Mike les expuso entonces la misma historia que había contado a Sara, cuidándose mucho, una vez más, de no revelar que el hijo de Mitzi Vandlo era el prometido de esta.

—O sea, que volvemos a la primera pregunta —intervino Joce—. ¿Por qué creéis que está aquí? Más allá de que quisiera que le leyeran el futuro, vaya. Por cierto, en Edilean nadie lee las cartas del tarot. Al menos no a cambio de dinero. Si así fuera, lo sabríamos.

—Contamos con informantes, gente que intenta salvar el pellejo delatando a sus amigos y familiares. Uno de ellos nos dijo cuál era la gran debilidad de Mitzi.

Los otros tres se echaron hacia delante, impacientes por oírlo.

—Colecciona cartas del tarot gitano.

Uno a uno, todos se echaron hacia atrás.

—¿Y eso es todo? —preguntó Sara—. ¿Todo esto por unas cuantas cartas con imágenes gitanas?

—Sí, eso es todo —replicó Mike en un tono que no dejaba lugar a más indagaciones—. ¿Alguien quiere más té, o una cerveza?

—A mí me gustaría tomarme un margarita con mucha sal —dijo Joce, pasándose la mano por la barriga.

—Con este no bromees sobre comidas ni bebidas; es más fanático que mi madre.

Joce y Luke lo miraron con respeto.

Cuando Mike se levantó para trasladarse a la cocina, Joce le dijo:

—Si no nos cuentas el resto de la historia, me pongo de parto aquí mismo, y te obligo a que te encargues tú. Así que siéntate y habla.

Esbozando la sonrisa que le dibujaba el hoyuelo en la mejilla, Mike volvió a sentarse y les contó lo que había leído en los dosieres que el capitán le había entregado. A través de un informante, habían averiguado que Mitzi Vandlo contaba con la que probablemente era la mejor, y tal vez la única, colección de cartas del tarot de inspiración gitana del mundo. En un intento de atraparla, los federales habían conseguido una baraja que en otro tiempo se había expuesto en un museo.

—Que se sepa, era la única baraja del mundo de esas características, y ya me imagino cómo la consiguieron. La pusieron en venta por eBay.

—¿Por eBay? —se extrañó Sara.

—¿Simplemente por eBay? ¿Por el eBay normal y corriente? —preguntó Joce.

—Sí. Los federales pusieron un precio de salida exageradísimo, pero cuando alcanzó los setenta y cinco mil dólares, todo el mundo se retiró. Menos una persona. Que siguió pujando hasta que quien finalmente se la llevó ofreció ochenta y dos mil quinientos dólares por ella.

—¿Y esa persona era Mitzi? —quiso saber Sara.

—Eso creen. Tardaron seis semanas en dar con el comprador. Descubrieron empresas tapadera que poseían otras empresas, y siguieron investigando hasta dar con un apartado de correos de Richmond. Era de una mujer que tenía una dirección de Edilean en su permiso de conducir.

Aquello último era mentira, pero Mike se esforzaba por que no se le notara. La verdad era que aquel apartado de correos lo había contratado un hombre con permiso de conducir de Pensilvania. Los federales habían controlado el apartado postal, pero nadie lo había abierto. Entonces, un día, un coche estacionado en el aparcamiento de la estafeta había explotado, y esta había sido evacuada. Cuando fue autorizado el acceso, las cartas del tarot ya no estaban.

En realidad, habían llegado hasta Edilean a través de Stefan. Tras años de silencio, de no saber dónde estaba, de pronto había reaparecido el tiempo justo para divorciarse de la mujer con la que llevaba veinte años casado, antes de desaparecer de nuevo. La siguiente vez lo vio un policía de Richmond que estaba fuera de servicio, y para entonces ya estaba comprometido con Sara Shaw y residía en Edilean. Al cruzar el extraño comportamiento de Stefan con la entrega de las cartas del tarot en la cercana Richmond, los federales pensaron que tal vez habían dado con Mitzi. Y cuando alguien les contó que un agente secreto tenía una hermana que vivía en Edilean, fue como si un sueño se hubiera hecho realidad.

Pero Mike no podía contar nada de todo aquello. Pronto tendría que revelarle la verdad a Sara, pero todavía no.

—Tal vez sepa que la están siguiendo y se haya ausentado del pueblo —aventuró Joce.

—Creemos que no. Creemos que vino a Edilean en busca de algo, pero no tenemos ni idea de lo que quiere. ¿Sabéis vosotros de algún tesoro escondido por aquí?

Fue Sara la que rompió el silencio que siguió a su pregunta.

—Cuéntales lo que viste en Merlin's Farm.

Mike tuvo que esforzarse por no fruncir el ceño. Iba a tener que pedirle que no fuera contando por ahí lo que hablaban ellos en privado. Aunque, pensándolo mejor, tal vez lo que tuviera

130

que hacer él fuera mantener la boca cerrada y no confiarle tantas cosas a ella.

Al ver que Mike vacilaba, Sara dijo:

—Está bien, ya se lo cuento yo. —Acto seguido, empezó la narración del relato pormenorizado de todo lo que Mike le había contado sobre su jornada en la granja—. ¿Me he dejado algo?

—No —dijo Mike con cautela—. Pero recordar dónde están puestas las trampas no significa que puedas volver tú sola. Mañana voy a ir a hablar con Lang para informarle de que ahora yo soy el propietario de la granja y...

—Mike solo la conservará si vive allí con Ariel y engendra muchísimos hijos —intervino Sara, fingiendo un gran suspiro.

Él levantó la mano para impedir que nadie dijera nada.

—Yo a esa mujer ni siquiera la conozco, pero sí es cierto que mi cuñado ha puesto bastantes cláusulas en la cesión.

—Ya lo supongo —dijo Luke—. Mi primo es un abogado nato.

—E implacable —apostilló Joce.

—Demasiado —remachó Sara.

—¿Entonces? ¿En qué podemos ayudar? —preguntó Joce al tiempo que miraba a su marido.

Mike se fijó en que Luke estaba como en trance. Tenía los ojos vidriosos e inmóviles, fijos en la pared. Mike se volvió hacia las dos mujeres, interrogándolas con la mirada.

—Es su faceta de escritor —le aclaró Joce—. Ahora está con una idea para un próximo libro, y no merece la pena intentar hablar con él hasta que regrese a la Tierra.

—Ah —dijo Mike—. Nunca había estado con un escritor.

—Joce también escribe —observó Sara.

—Sí, pero yo escribo biografías. Investigo y descubro cosas sobre personas. No es lo mismo que inventar tramas. Luke empieza con una hoja de papel en blanco y...

—La feria —dijo Luke.

—¿Qué pasa con la feria? —preguntó Mike—. Por cierto, ¿dónde se celebra?

—En Nate's Field —respondieron al unísono Joce y Sara.

—Merlin's Farm, El arroyo K, Nate's Field... —enumeró Mike—. ¿De dónde vienen todos esos nombres?

—No tengo ni idea —admitió Joce, que seguía observando a su marido.

Luke se volvió hacia Mike.

—¿Cómo piensas conseguir que esa mujer se ponga en evidencia?

Mike no podía explicar que su intención era usar al prometido de Sara para hacer salir a Mitzi de su escondite.

—¿Alguna sugerencia?

—Mi agencia de publicidad cuenta con un fantástico departamento de diseño, con unos equipos de última generación.

—Qué bien —dijo Mike, sin entender qué tenía que ver aquello con lo que estaban comentando.

—¿Y si creamos una baraja de cartas del tarot con imágenes gitanas, hacemos que mi agencia de publicidad las imprima y que alguien, en la feria, las use para adivinar el futuro? De ese modo...

—Mitzi —dijo Sara.

—Mitzi... si está aquí... las verá.

—Y las querrá —añadió Joce.

Mike seguía en su sitio, observándolas incrédulo, mientras pensaba en la viabilidad de aquella idea. Tal vez fuera genial... pero también podía acabar con alguien muerto.

—No sé... No sé si funcionaría. ¿De dónde sacamos a un dibujante en tan poco tiempo?

—Shamus —pronunciaron Luke, Jocelyn y Sara a la vez.

—No me suena. Creo que no lo conozco —dijo Mike, sonriendo al ver la convicción en sus rostros—. ¿Quién es?

—Es el más joven de los Frazier —le informó Luke.

—Nació cuando ya no lo esperaban —añadió Sara—. Una sorpresa para sus padres.

—Solo tiene quince años, pero es un Frazier —comentó Joce.

—¿Y eso qué significa? —preguntó Mike.

Los tres se miraron, pero ninguno respondió.

—O sea, que a mí me toca ser la pitonisa, ¿verdad? —Se anticipó Joce—. Me tumbo en una *chaise-longue* y voy echando las cartas que Shamus diseñe.

—De ninguna manera —sentenció Luke en tono intransigente.

—Ah —dijo Joce, arqueando las cejas—. Supongo que pretendes que me quede en casa durante la feria. Que me quede tumbada en la cama cuidando de tus hijos, cuidando de tu casa, ocupándome de tu comida y...

—Cuando has mencionado el túnel la casa era tuya, ¿y ahora resulta que la casa es mía? —Luke hablaba con voz sosegada pero firme.

—Creo que nosotros deberíamos irnos —dijo Mike, alargando la mano en dirección a Sara.

Ella se levantó de la cama, le cogió la mano y, tras despedirse, salieron de allí. Cuando se encontraban en el jardín, envueltos en la brisa de la noche, se miraron y se echaron a reír.

Mike no soltaba la mano de Sara.

—¿Quién crees que ganará?

—Apuesto veinte dólares a que mañana me llamará Joce para pedirme que le confeccione un disfraz de pitonisa.

—Yo nunca apuesto si sé que voy a perder. ¿No tiene Tess unos pendientes de aro enormes?

—Sí, ya sé a cuáles te refieres. Podrían usarse como columpios.

Sonriendo, Mike le besó el dorso de la mano.

—¡Eh! —exclamó ella retirándola—. Soy una mujer casada, ¿recuerdas?

—A ti todavía te queda mucho para estar casada. —Estaba oscuro, y hacía frío ahí fuera. Los grillos cantaban su bella canción—. ¿Quieres ir a dar un paseo?

Sara estaba familiarizada con el gran jardín, de modo que le dijo que sí. No había iluminación exterior, pero la luna brillaba intensamente.

—¿Ya tienes ganas de resolver el caso y volver a tu casa de Florida?

—Acabo de llegar. ¿Ya quieres librarte de mí?

—No, pero cuando se resuelva el caso, serás libre.

Mike se alegraba de que la noche ocultara su sonrisa. Sara parecía creer que Mitzi Vandlo caería en la trampa de las cartas de tarot falsas. ¿Imaginaba a la policía levantando los laterales de la carpa y esposando a la mujer?

—Te estás riendo de mí, ¿verdad? —le preguntó ella.

—Por supuesto que no.

—Sí, te estás riendo. Lo noto.

—¿Intuición femenina?

—Si no dejas de burlarte de mí, te...

—¿Qué me harás? —Mike bajó la voz. Cuando Sara se volvió a mirarlo, la luna se reflejó en su rostro, y él sintió deseos de estrecharla en sus brazos. Casi todas las mujeres a las que había conocido en su vida adulta siempre le hacían saber, de un modo u otro, si le dejaban dar el paso. Entonces ¿por qué Sara lo miraba como si fuera... su amiga?

—Me vengaré de ti concertándote una segunda cita con Ariel.

—La odias de veras, ¿no?

Sara se puso en marcha de nuevo.

—Puedo asegurarte que se trata de algo mutuo. ¿Quieres oír lo que me hizo cuando íbamos a cuarto de primaria?

A Mike no le apetecía lo más mínimo.

—¿Qué es ese olor?

—Seguramente, el perfume de mi madre. ¿Cuándo has quedado con Ariel?

—El sábado. ¿Tu madre está aquí, escondida entre los arbustos, y por eso la huelo?

—No quería decir eso, y lo sabes muy bien. Yo llevo su perfume.

Mike se acercó a ella, la sujetó del brazo y la miró a la luz plateada.

—¿Te importa si me acerco más para olerlo?

Sara echó hacia atrás la cabeza para que pudiera acercarse más al cuello, pero casi al momento se incorporó.

—¡Espera! No serás un vampiro, ¿no?

—¿Qué diablos pasa por esa cabecita tuya?

—He visto muchas películas para adolescentes. ¿Quién habría dicho que a los adolescentes les gusta el sexo?

—Cualquier experto en planificación familiar y prevención del embarazo —replicó Mike—. ¿Y bien? ¿Qué hay de ese perfume?

—Ah, sí. —Sara ladeó la cabeza, y Mike se inclinó y acercó mucho la nariz al cuello.

Se lo rozó con los labios, y ella se retiró al instante, frunciendo el ceño.

—No hagas esas cosas. No soy de piedra.

Mike retrocedió hasta encontrarse con un árbol.

—Sara, vas a volverme loco.

—Muy galante por tu parte, pero no te creo.

Él intentaba dominarse. Una noche cálida, la penumbra, y Sara, tan hermosa y deseable, con aquel vestido blanco que parecía hecho de luna, y aquel aroma embriagador que los rodeaba...

—¿De dónde saca tu madre ese perfume? —consiguió articular con su voz ronca y grave.

Ella lo miraba, desconcertada, y sintió un deseo inmenso de posar las manos en su pecho.

—Ella lo... —Sara tuvo que respirar hondo varias veces para sosegarse. Greg, Greg, Greg, entonó para sus adentros, intentando no recordar que llevaban meses sin hacer el amor. Ni que había transcurrido más tiempo aún desde que se habían dado un beso de verdad, más allá de los piquitos de despedida.

—Me estás mirando raro —dijo Mike alargándole la mano.

Sara dio un paso atrás.

—Mi madre.

—¿Qué ocurre con ella? —Mike dio un paso adelante.

—Mi madre hace sus pinitos en la fabricación de productos, champús y esas cosas. Pero este es el único perfume que ha creado. Se llama...

—¿Cómo? —Mike dio un paso más hacia ella.

—Noches escarlata.

—Sara... —Mike extendió las dos manos.

Ella empezó a caminar de espaldas por el sendero que tan bien conocía, sin darle la espalda. Y lo hacía deprisa.

—A mis hermanas y a mí siempre nos ha dado vergüenza ese nombre. Hará unos ocho años, mis padres se fueron a pasar un largo fin de semana fuera de Edilean. Y volvieron... ya sabes, felices y contentos. Dos días después, mi madre creó un perfume y lo llamó Noches escarlata.

—Me gusta —dijo Mike en voz baja—. Me gusta cómo huele, y me gusta el nombre.

—Mis hermanas y yo le dijimos que no podía ponerle ese nombre, pero ella se rio de nosotras y nos dijo...

—¿Qué os dijo?

—Que el sexo gusta a todas las generaciones. Creo que deberíamos entrar. Me está cogiendo frío.

Y, sin darle tiempo a opinar, pasó corriendo por delante de él en dirección a la casa.

Mike, por su parte, decidió quedarse fuera un rato más, hasta que pudiera ser visto en público. Sabía que tenía que controlarse, que tenía que dominar su cuerpo y su mente.

Por el momento, la situación en la que se encontraba lo tenía confundido. En otras ocasiones, se había acostado con mujeres con el único propósito de sacarles información. Más tarde, algunas de ellas habían acabado en la cárcel. Pero, salvo por una vez, Mike había podido mantener la distancia, porque sabía que a ellas no les afectaría su ausencia. Todas tenían dinero, hijos, hogares. Tal vez le dijeran a Mike que les había roto el corazón, pero él sabía que se sobrepondrían.

En cambio, con Sara era totalmente distinto. ¿Qué le ocurriría cuando él se fuera, sobre todo si llegaban a intimar? Esperaba que los Vandlo, madre e hijo, fueran detenidos, esposados y metidos en un furgón policial, pero, ¿y después qué? ¿También se metería Mike en su coche y se largaría de allí?

Visualizó la escena. ¿Se despediría de los habitantes de Edilean agitando la mano? ¿De Luke y de Joce? ¿De Tess y de Ramsey, el cuñado al que ni siquiera conocía?

Y si después regresaba para visitar a su hermana y a su hijo, ¿la gente del pueblo lo odiaría por haber abandonado a Sara?

¿Y Merlin's Farm? ¿Podría vivir allí Mike cuando dejara el cuerpo? ¿Sara ya estaría casada para entonces? ¿Con algún tipo del lugar que fumaría y se pasaría los fines de semana viendo fútbol por la tele? ¿Con algún tipo que freiría un pavo e incendiaría la casa? ¿O tal vez volvería a enamorarse de otro forastero que la convencería con su verborrea de que...?

Mike se pasó la mano por la cara. Hacía mucho tiempo lo habían adiestrado para no implicarse emocionalmente con los sujetos de sus investigaciones secretas. Hasta entonces, aunque no siempre lo había logrado: al final se iba, dejaba atrás sus historias, y se dedicaba a nuevos casos. La idea de hacer lo mismo con Sara le daba náuseas. Si por lo general él trataba con delincuentes, Sara era auténticamente inocente.

Quizá lo que le preocupaba era el pueblo. O el hecho de que se acercaba la hora de su retiro y no tenía la menor idea de lo que iba a hacer con su vida. Se recordó a sí mismo allí, entre los árboles frutales de la granja, pensando en un futuro en el que no tenía que disparar ni traicionar a nadie. O era posible que su hermana supiera lo que hacía cuando decidió cederle aquella vieja granja.

Se volvió y contempló la casa. Si atrapar a los Vandlo no fuera tan importante, dejaría el caso en ese mismo instante, antes de que alguien, sobre todo Sara, saliera perjudicado. Pero no podía hacerlo.

Entró en el apartamento, y sonrió al comprobar que olía a palomitas de maíz y que Sara estaba inclinada sobre el reproductor de DVD.

—¿Quieres ver una película? —le preguntó.

—Solo si es una comedia romántica. Son mis favoritas.

—Qué raro. Habría dicho que eras fan de Jason Statham —dijo, mostrándole la carátula de *Shank*—. Pero si no te gusta, por alguna parte tengo un par de películas de Catherine Heigl.

—Si no hay más remedio, padeceré otra película de acción. —Se acercó al sofá, y vio que sobre la mesa de centro reposaba ya un gran cuenco de palomitas—. ¿Qué tal el cuello?

—Me lo he lavado bien, o sea que esconde las garras.

—No son las garras precisamente lo que debo esconder —dijo, sentándose en un extremo del sofá y dando una palmadita en el asiento, a su lado.

Sara cogió el cuenco y lo colocó junto a Mike.

—Dame eso —dijo él frunciendo el ceño y señalando el mando a distancia.

Sara reprimió una carcajada, y se sentó lo más lejos que pudo de Mike.

En la casa principal, al lado, Jocelyn estaba enviando un mensaje de texto a Tess.

¿Sabías que tu hermano se está enamorando de Sara?

Inmediatamente, Tess le respondió:

Mañana me pasaré el día en alguna catedral rezando para dar gracias. ¿Y Sara? ¿Lo trata como a un primo más? Conspira para que Mike se desnude.

Joce levantó la vista del teléfono y miró a Luke.

—Has comentado que viste a Mike en el gimnasio. ¿Por casualidad lo has visto sin ropa?

—Pues la verdad es que no le he prestado mucha atención a eso. ¿Por qué?

—¿Y qué tal es desnudo?

—Gordo. Tiene barriga. Las piernas torcidas. Ni un solo músculo en el cuerpo.

Joce respondió al mensaje.

Lo haremos. De verdad, eres mi mejor amiga.

11

Mike buscaba a Sara en lo que le habían dicho que era Nate's Field, pero no la veía. «Tal vez debería ver si encuentro a una mujer fuera de sus casillas, con el pelo en llamas. Sería Sara», pensó, mientras recordaba lo que ella había visto aquella misma mañana, cuando él, sentado en el borde del escritorio de Erica, intentaba ligar con ella abiertamente.

Frente a él, en el prado, había unos diez o doce hombres con cintos de cuero llenos de bolsillos para herramientas, que se dedicaban a levantar los pabellones de la inminente feria. De no haber tenido que ir a inspeccionar Merlin's Farm por segundo día, él mismo estaría ayudándoles. «Tal vez mañana», pensó. Jocelyn había dibujado varios bocetos de la carpa de la pitonisa, y se los había entregado a Sara para que la confeccionara. Mike y Sara se habían echado a reír al saber que Joce era la ganadora de la discusión de la noche anterior, y que participaría en la feria.

—No correrá peligro, ¿verdad? —preguntó Sara—. Esa tal Mitzi no le partirá la cabeza para conseguir las cartas, ¿no?

—¿Y perder la posibilidad de obtener lo que realmente quiere... sea lo que sea? —objetó Mike—. No, no creo que haga algo así.

Mike no dijo nada, pero no quería que Sara estableciera contacto directo con Mitzi. Sí le interesaba obtener tanto ADN como pudiera. Su nuevo plan, que no compartió con Sara, era conseguir que la famosa Erica les ayudara. Su misión consistiría en convocar al mayor número de mujeres de la edad correspondiente, hacerles probar un vestido, y ofrecerles un vino en vaso de papel. Después ella anotaría el nombre de cada mujer en el vaso, y los conservaría. No era mucho, pero por algún sitio había que empezar.

Mike había preguntado a un par de personas sobre Erica, y si, sexualmente, era la mitad de voraz de lo que le habían dicho, sabría cómo tratarla. No era la primera vez, ni mucho menos, que persuadía a una mujer como ella para que hiciera lo que él quería.

Aquella mañana, cuando iba al gimnasio, donde había quedado con Luke, había hecho un alto en el camino para charlar con la madre de Sara, que se había comprometido a mantener todo el día ocupados a Brewster Lang y a su hija, para que él pudiera inspeccionar la granja en paz. Ellie le dijo que encomendaría a Sara la labor de confeccionar las guirnaldas de flores para la carpa de Luke, pero que retener a Lang era más difícil que atrapar a una anguila untada en brea. Aun así, le prometió que haría lo que pudiera.

Desde allí, Mike se había trasladado hasta la tienda de Sara y Stefan. Al acceder a ella, había abandonado el centro del pueblo, pequeño y anclado en otro tiempo, y había entrado en un establecimiento todo de vidrio y acero. No pudo evitar volverse y mirar hacia fuera, para convencerse de que seguía en Edilean. La regulación urbanística del municipio impedía modificar las fachadas, pero el interior era modernísimo. Había espejos por todas partes, así como adornos dorados y asientos con tapicería de seda. Se fijó en que el precio de una sencilla blusa blanca era, según constaba en la etiqueta, de 1.200 dólares.

No era de extrañar que la gente de Edilean detestara a Vandlo. La clientela que atraería un negocio de esas características no sería la que contribuiría a la riqueza de la localidad. No; aquella gente aparcaría sus vehículos caros en la puerta, adquiriría lo que le interesara y se iría.

Mike echó un vistazo a su alrededor y vio lo que, para gente como los Vandlo, eran los elementos propios de la clase alta, pero no encontraba nada que le recordara ni remotamente a Sara. Todavía no había accedido a su apartamento, pero dudaba que se pareciera en algo a ese lugar.

—¿Puedo ayudarlo en algo? —le preguntó una mujer joven.

Mike la miró de arriba abajo. Vestía de negro, un color más adecuado para Nueva York que para Edilean.

—Vengo a ver a Erica —dijo.

Una hora después, abandonaba la tienda. Todo le había salido según había planeado, y había conseguido camelarla —cuarentona y desesperada— para que hiciera lo que le pedía de sus clientas. El problema llegó cuando Sara, que iba cargada con una pila de ropa, entró en el establecimiento antes de que él hubiera terminado su trabajo.

Con el rabillo del ojo la vio salir, y a juzgar por su paso rápido, no le cupo la menor duda de que estaba molesta. Habría querido seguirla, pero en ese momento no podía dejar lo que había empezado con Erica. De hecho, tendría que pasar más rato del previsto con ella, para devolverla al estado anterior a la irrupción inesperada de Sara. Sabía que era muy posible que Sara no considerara trabajo lo que estaba haciendo con aquella mujer, pero lo era, y debía seguir adelante.

Ahora, finalmente, todo estaba claro con Erica. Al final de la jornada, un agente pasaría a recoger las bolsas con los vasos de papel, y los trasladaría a un laboratorio. Su gran esperanza era que alguna de las muestras perteneciera a algún familiar de Stefan.

Y dado que Lang estaba ocupado en el Mercado de los Granjeros, a Mike ya solo le quedaba ir al encuentro de Sara y conseguir que se calmara.

—Tendrían que duplicarme el sueldo por esta misión —murmuró, mientras recorría el recinto.

Algunas personas lo saludaron agitando las manos, pero al verlo, Luke supo a quién andaba buscando, y señaló en dirección a unos árboles que, en una esquina, proporcionaban una buena sombra. Mike distinguió la cabellera dorada de Sara, esparcida entre lo que parecían varias toneladas de hierbas.

En ese momento ella alzó la vista, vio a Mike, hizo ademán de sonreírle, pero la expresión de su rostro cambió y volvió a bajar la mirada.

A su alrededor, unos hombres a los que Mike no conocía lo observaban con curiosidad, y Luke le dio una palmada en el hombro, comprensivo.

—Buena suerte —dijo entre risas.

Mike se acercó a donde Sara seguía sentada. Tenía un rollo de alambre en el regazo, y largas tiras de flores rojas. Al verla, temió que se negara a dirigirle la palabra.

Pero estaba equivocado.

—Qué imagen más repugnante —soltó Sara levantando mucho el labio superior y mostrándole los dientes—. Ahí sentado en el pico de la mesa de Erica, como una vulgar secretaria de los años cincuenta. Abalanzándote sobre ella y hablándole con esa voz rara que tienes para... flirtear con ella.

—Sí, y qué. ¿Cuál es tu queja?

—Esa no es manera de trabajar, esa es mi queja. Ya sabes lo chismosa que es la gente en este pueblo. Si no te importa lo que opine de ti la gente, deberías pensar un poco en Tess. Ella va a seguir viviendo aquí. Con sus hijos.

—¿Y según tú cómo tendría que haberlo hecho?

Sara no pudo reprimir la indignación.

—¡De manera más profesional! Sentarte en una silla, frente a ella, y hablarle de manera respetuosa.

—¿Pretendías que le pidiera amablemente que hiciera tu trabajo? ¿Que espiara a sus propios clientes? ¿Que recabara información para una investigación federal pero que mantuviera la boca cerrada al respecto?

Sara estaba horrorizada.

—¿Le has hablado de Mitzi?

—Claro que no. Le he contado que pertenezco a la Oficina Federal de Sanidad y Enfermedades, que no existe, y que estoy investigando el brote de una enfermedad de transmisión sexual. Al parecer, en Edilean todo el mundo se acuesta con todo el mundo.

—¡No le has dicho eso!

—Sí se lo he dicho.

—¿Tienes idea de lo que dirá la gente cuando oiga semejante mentira?

—¿Quién se va a creer lo que diga una forastera como Erica? Además, no creo siquiera que vaya a contárselo a nadie. En realidad, diría que esa mujer es de las que siente interés por saber que hay otros con enfermedades de transmisión sexual. ¿Cuánto apostamos a que esta misma tarde va a consultar a su médico?

—No se trata de lo que le has dicho, sino de cómo lo has hecho. ¿Es que no tienes el menor orgullo?

—El suficiente como para creer que, salvo en tu caso, gusto a las mujeres.

—Eso es porque yo veo las cosas desde una perspectiva más elevada, no solo a través de la atracción física. Y, para tu información, estar enamorado no es solo cuestión de sexo.

—Hablas como una mujer que tiene el pozo seco.

—Eso es absurdo... y vulgar. —Sara apartó la mirada y se concentró en sus guirnaldas—. No es que sea asunto tuyo, pero Greg y yo mantenemos una relación satisfactoria a todos los niveles.

Como Mike no decía nada, Sara lo miró y descubrió que estaba sonriendo como si no la creyera.

—¿Desde hace cuánto? —se limitó a preguntar.

—Solo lleva fuera unos días.

Mike no dejaba de dedicarle aquella sonrisa traviesa.

Ella entrecerró los ojos y lo miró con odio.

—¿Y tú? ¿Cuánto tiempo hace que no estás con nadie?

—Años. Siglos. Hace tanto que la capa de ozono corre peligro.

Sara hizo esfuerzos por controlar la risa, por no sonreír siquiera, pero no pudo evitarlo. Volvió a concentrarse en las guirnaldas.

—¿Ya hemos hecho las paces entonces? —Como Sara no decía nada, añadió en voz baja—: Sara, yo hago todo lo que haga falta para limpiar las calles de delincuentes. En la vida normal,

143

no abordaría a una mujer a la que acabo de conocer, pero necesitaba que hiciera algo por mí, y esa ha sido la manera más rápida de conseguirlo.

—Supongo que sabes que ahora Erica espera que te acuestes con ella, ¿no?

—No lo creo —replicó él en tono solemne.

Sara suspiró.

—Está bien. ¿Y qué has averiguado de ella?

—Creo que tiene novio.

—¿Erica? Pero si nunca sale del pueblo.

—Entonces tiene que ser alguien de Edilean.

—Si lo tuviera, yo lo sabría. Lo sabría todo el mundo, y no he oído nada. Es adicta al trabajo, y pasa con Greg doce horas al día.

Mike murmuró algo así como «ahá», y ella le dedicó una mirada asesina.

—Eso ni se te ocurra. Por más que la gente se queje de Greg, es un trabajador nato. Y eso nadie se lo discute. Bueno, Joce sí, pero es que ella...

—¿Ella qué?

—Nada. ¿Qué vas a hacer hoy? Mi madre me ha encargado que prepare estas coronas para la carpa de Luke.

—¿Necesitas ayuda?

—Sí, claro. Si lo hacemos entre los dos, seguro que tardaré la mitad.

—Esto... Sara... me refería a que tal vez podría ayudarte alguien. ¿No tienes primas?

Mike dio un paso atrás.

—Está bien, está bien, he captado la indirecta. Esto es cosa de chicas, y tú quieres largarte de aquí. ¿Vas a visitar a Erica? —Lo dijo en broma, pero al alzar la vista para mirarlo vio que a Mike le brillaban los ojos de una manera especial, que ya empezaba a reconocer.

—Pensaba ir al gimnasio a Williamsburg a hacer un poco de cardiovascular, y después al *outlet* —dijo—. Necesito algo más de ropa.

Lo dijo de una manera tan rara que Sara supo que no estaba diciéndole la verdad.

—Estás mintiendo. Me estás contando una mentira como una casa.

—Eso es ridículo. Tengo que irme.

Sara miró la corona que sostenía en la mano, lo miró a él y sonrió.

—Espero que pases un día agradable, y apuesto lo que quieras a que yo confeccionaré al menos un centenar de estas. Seguro que se venderán muy bien.

Su cambio brusco, de enfado a amabilidad y dulzura, lo desconcertó.

Ella seguía sonriendo.

—¿Y si preparo yo la cena hoy?

—¿Guiso de atún?

—Sorpresa de atún.

—Suena genial —dijo él, que aun así frunció el ceño—. ¿Seguro que estás bien?

—No podría estar mejor. Vete, vete a comprar tu ropa nueva, y esta noche me la enseñas. Tal vez podrías incluso hacerme un pase de modelos privado. Yo reservaré la mejor corona de flores para mostrártela.

Mike se alejaba caminando hacia atrás.

—Suena muy bien. ¿Nos vemos sobre las cinco?

—Perfecto.

Con la frente todavía arrugada, Mike dio la vuelta y se dirigió hacia su coche. ¿Por qué había cedido tan fácilmente?, se preguntaba. Hacía unos instantes lo había enviado casi al infierno por mentir y, poco tiempo después, le deseaba suerte con total naturalidad.

Entonces se dio cuenta. Ella sabía dónde iba, y por qué. Al pasar en coche por el estacionamiento de Nate's Field, se percató de que el coche de Sara estaba estacionado bajo un árbol grande. Tardó un par de minutos en llegar hasta allí, y no le sorprendió descubrirla apoyada contra el tronco, con el bolso colgado del hombro.

—Has tardado bastante en darte cuenta —soltó ella—. ¿Seguro que eres policía? ¿En tu coche o en el mío?

—Sara...

—¿Sí?

A Mike le pasaron por la mente algunas imágenes: que la ataba, que la metía en el maletero del coche y que se la llevaba a algún lugar seguro. Pero Sara era una pieza central de toda la investigación, y debía mantenerla cerca.

—En el mío. Ese coche tuyo es chatarra.

—Menudo fantasma estás hecho. No todos podemos tener un V-10 de cinco litros, de quinientos caballos, que pasa de cero a cien en 4,6 segundos.

Mike la miró, asombrado.

—Lo he buscado en internet.

—¿Te metiste en mi cuarto a husmear, y has investigado mi coche? ¿Qué otras maldades has hecho?

—Si te lo contara, dejaría de ser secreto, ¿no? ¿Te has planteado alguna vez que te ahorrarías mucho tiempo si me contaras la verdad sobre lo que intentas averiguar?

—Si te juro por la vida de Tess que no lo sé, ¿me creerás?

—Sí —respondió ella muy seria—. Pero yo soy la clave, ¿verdad?

Cuando llegaron al coche, él la miró fijamente.

—No hace falta que me lo digas —prosiguió ella—. Pero no soy tonta. Sé que soy una de las mujeres con las que flirteas para obtener información. ¿Es porque soy propietaria de la tienda de ropa y tengo acceso a gente?

Todavía no era el momento de hablarle de Stefan.

—Sí. —Abrió las puertas, y se montaron—. Sara, en serio, no puedo contarte nada, pero debes confiar en mí. La verdad es que eres el centro de este caso. Tal vez tenga que ver con la tienda, pero no estamos seguros. No puedo decirte ni por qué ni cómo, en parte porque no lo sabemos, pero creemos que tú tienes algo o sabes algo que Mitzi quiere.

Se dio cuenta de que Sara intentaba mantener la calma, y actuar como si no acabara de abatirla con un rayo.

—Mi tía Lissie me dejó algunas joyas en su testamento —dijo al fin—. Tal vez tengan valor.

Mike habría querido rodearla con sus brazos, pero estaban en una zona demasiado pública. Se obligó a recordar la lista de joyas que Mitzi Vandlo había acumulado con los años. Sus clientas se las regalaban como muestra de agradecimiento, por lo que creían que había hecho por ellas.

—Tal vez.

—En serio, eres el peor mentiroso del mundo. Este caso es más importante. No va de unas pocas joyas, ¿no es cierto?

—A menos que hayas heredado el diamante Hope, la respuesta es que no, que no va de unas pocas joyas.

Mientras ponía en marcha el coche, Sara se fijó en que tenía la mandíbula apretada.

—¿Le has pedido a mi madre que me encargara la confección de esas coronas?

—Sí.

—Y supongo que le habrás pedido también que mantenga al señor Lang alejado de la granja.

—Hasta las cuatro.

—Mi madre y tú os habéis vuelto inseparables, ¿no?

—Solo tengo que susurrarle unas palabritas sobre enzimas, y es mía. ¿Qué va a pensar Luke cuando vea que las coronas no están terminadas?

—No pasa nada. Tengo dos hermanas intachables. A las dos les encanta destacar en todo.

—¿Y eso qué significa?

—Cuando descubran que he abandonado las coronas de flores y he dejado al pobre Luke en la estacada, se pisotearán la una a la otra para dejarme en evidencia. Hace tiempo aprendí a parecer desamparada y a librarme de mucho trabajo.

Mike meneó la cabeza.

—¿Quién, además de mí, sabe cómo eres en realidad?

—Mi padre... y Tess un poco.

—¿Tu madre no?

—Ella cree que soy insegura.

—¿Y tu novio?

—Supongo que te refieres a mi prometido, Greg. No, él cree que soy dulce y tranquila, y que coincido con todas sus ideas.

—¿Y crees que una mentira tan gorda es una buena base para un matrimonio?

—Tal vez tú puedas enseñarme algo sobre sinceridad en las relaciones.

Permanecieron un instante observándose, muy serios, y se echaron a reír.

12

—Creo que deberías andarte con más cuidado cuando inspecciones Merlin's Farm —le dijo Sara desde el asiento del copiloto a Mike, que conducía por la carretera serpenteante—. Ya sé que ocultas las pruebas de tu paso por allí, pero si el señor Lang descubre... Bueno, es famoso por sus represalias.

—¿Por ejemplo?

Sara lo observaba mientras conducía. No apartaba nunca los ojos de la carretera y, por su manera de agarrar el volante, firmemente con las dos manos, parecía como si temiera que en cualquier momento fuera a ocurrir algo malo.

—Nadie puede demostrarlo, pero en Edilean todo el mundo sabe que si ofendes de alguna manera al señor Lang, tarde o temprano acabas pagándolo. Es algo que nos dicen a todos desde que somos niños, y a mí me han contado que su padre era igual.

Mike revisó los tres espejos.

—¿Crees que alguien puede estar siguiéndonos?

—En un caso como este, nunca sé qué voy a tener que hacer.

—Supongo que eso incluye desvivirte por Erica, la mujer del apetito sexual voraz. —Mike la miró fugazmente con el rabillo del ojo—. Está bien, está bien. —Evidentemente, no estaba dispuesto a seguir hablando de aquella mujer—. Veamos. ¿Por dónde empiezo? Llevo toda mi vida oyendo hablar de esas historias.

Cuando tenía unos doce años, un hombre que trabajaba en Williamsburg se trasladó aquí con su familia, y ese hombre se jactaba de su mermelada de ciruelas. Recuerdo a mi madre diciéndole que el señor Lang sería su competidor en la feria local y que normalmente ganaba él.

—O sea, que Lang tiene que ganar a toda costa.

—No, no. Ha perdido algunas veces, pero su producto es tan bueno que es raro que no gane. Pero aquella vez, cuando perdió, se fue a hablar con mi madre, que era juez del concurso, y le dijo que aquel hombre había hecho trampas. Recuerdo que mi madre se enfadó y le dijo que no sabía perder, por lo que, desgraciadamente, no investigó el asunto.

—¿Qué hizo él? —preguntó Mike.

—Has de saber que el señor Lang es un gran observador de la gente. —Hizo una pausa—. Por decirlo claramente, es un mirón. Nadie ha podido comprobarlo, pero todo el mundo sabe que es así. Si lo irritas, cuenta tus secretos, cuenta a los demás lo que no quieres que se sepa.

—¿Entonces? ¿Qué le hizo al hombre de la mermelada?

—Yo no lo vi, pero me contaron que durante la siguiente asamblea general, en el instituto de Williamsburg, mostraron unas diapositivas de aquel hombre besando a la mujer del director. Iban ligeros de ropa.

Mike no pudo evitar reírse.

—A ver si lo adivino. Tu madre acabó investigando la mermelada.

—Sí, claro. Contenía ron blanco, prohibido por las reglas. El señor Lang también dijo que le había robado la fruta de sus árboles, aunque eso no pudo demostrarse.

—Sería interesante saber si cuando Lang espiaba, se limitaba a hacerlo en general, o iba en busca de niñas bonitas.

Mike pensó que si aquel viejo se dedicaba a espiar, tal vez hubiera visto algo interesante.

—Nunca he oído decir que espíe a jovencitas mientras se visten. Creo que además de mirar, escucha. Mi madre dice que no tiene vida propia, y que se dedica a observar las de los demás.

—¿Y nadie en el pueblo ha hecho nada al respecto?

—Los Lang forman parte de la comunidad, y aquí se vive con las cortinas corridas.

—Las puertas abiertas, pero las cortinas cerradas —sentenció Mike, meneando la cabeza—. ¿Y qué otras cosas ha hecho?

—Una vez, un hombre parecía decidido a conseguir que los McDowell le arrendaran la granja. El padre de Ramsey le dijo que se la cedería si conseguía sacar de allí a Lang. El pobre no sabía que tío Benjamin bromeaba. Mi madre se negó a contarme los detalles de lo que el señor Lang reveló sobre aquel hombre, pero el hecho es que renunció a su cargo en la Universidad William and Mary, y se trasladó a Maine.

Sara hizo una pausa.

—De todos modos, para ser justos, el señor Lang también ha hecho cosas buenas. Cuando yo era adolescente, una niña se escapó de su casa, y él no solo sabía dónde estaba, sino también por qué había huido. Cuando la encontraron, la pequeña corroboró la historia, y encarcelaron a un vecino.

—Interesante —comentó Mike—. ¿Y nadie ha intentado espiarle a él?

—Sí, claro. Luke y Ramsey dedicaron gran parte de su infancia a intentar averiguar en qué andaba metido Lang. Se escondían entre los arbustos que rodean Merlin's Farm, y lo espiaban. Pero, salvo en una ocasión, él siempre los descubría.

—¿Y nunca le ha hecho daño a nadie? —preguntó secamente, pensando en las trampas.

—No es tan tonto como para hacer algo así. Gritaba a todo el mundo que se acercaba, y sus perros eran excelentes guardianes. Los niños del pueblo decían que era mitad murciélago, que podía ver y oír en la oscuridad.

—Es probable que, si pasa tanto tiempo solo, tenga los sentidos más desarrollados.

—¿Y todo lo que sabes de él te lo contó tu abuela? —Mike asintió, y Sara dijo entonces—: Teniendo en cuenta que tu abuela adoraba la granja, y que él vivía en ella, tal vez se llevaran bien.

—Mi abuela decía que le resultaba graciosa la manera que

Lang tenía de mirarla cuando creía que ella no lo veía —replicó Mike—. Pero nos decía, a Tess y a mí, que si alguna vez llegaba a ser propietaria de Merlin's Place, él sería su criado, su chico para todo.

—¿Chico? ¿Seguro que lo decía así? ¿No eran de la misma edad?

Mike estaba estacionando el coche bajo el que había bautizado como Árbol de las Vírgenes, solo que esta vez se aseguró de que no resultara visible desde la carretera.

—Mi abuela repetía siempre las mismas historias, por lo que hay cosas de las que estoy muy seguro. Tess y yo crecimos oyendo hablar sobre la ingratitud y actitud conspiratoria de todos los habitantes del pueblo. Lang tenía quince años cuando ella se fue de Edilean a los veintidós. Le gustaba decirnos a Tess y a mí que algún día regresaría a Merlin's Farm, y que Lang sería su sirviente, su mayordomo. Siempre lo vio como a un niño, y como a alguien de una clase inferior a la suya. Para ella, Lang nunca pasó de los quince años. ¿Crees que podrás caminar campo a través con esa ropa?

Se refería al vestido de algodón amarillo pálido, y a sus sandalias italianas de tiras.

—Te habría desilusionado si hubiera venido en vaqueros y camiseta.

—Habría sido un atuendo más adecuado para colarse en una granja vieja. —Ella lo miró fijamente—. Tienes razón, tienes razón —admitió él al fin—. Habría llorado de decepción. —No llegó a sonreír, pero el hoyuelo asomó a su mejilla—. Sígueme, y haz todo lo que te diga.

—Eso lo hago siempre —murmuró ella, y se rio al oír que Mike mascullaba algo.

Mike se aproximó a la granja por el mismo camino que en su primera visita, más cuidadoso aún de no dejar rastro de su paso. En una ocasión levantó a Sara por las axilas para ayudarla a saltar un charco. Pero una vez que ella volvió a encontrarse sobre terreno seco, ya no la soltó y siguió rodeándola con el brazo.

—Puedo seguir sola —dijo ella.

—¿Seguro?

—Por supuesto. Puedo... —Se dio cuenta de que él le estaba tomando el pelo—. Cuéntame una cosa. ¿Estoy antes o después de Erica en tu lista de mujeres con las que flirteas para obtener información?

Mike volvió a ponerse en marcha.

—Tengo que pensarlo. Diría que Erica sabe algunos truquitos que tú desconoces.

—Sí, eso seguro —convino Sara mientras lo seguía—. Pero, claro, por otra parte a mí se me pueden enseñar muchas cosas, y a ella no.

—No empieces lo que no puedes terminar —le dijo él, volviendo la cabeza.

Sara no pudo evitar una sonrisa. A veces, Mike la hacía sentirse la mujer más deseable del mundo. Sí, ella sabía muy bien que lo que él estaba haciendo formaba parte de su trabajo, pero aun así le gustaba. Greg y ella ya habían pasado hacía tiempo la fase en que él le decía que era bonita y sexy. De hecho, en los últimos meses, él parecía haber dejado de hablarle de nada que no tuviera que ver con sus negocios.

Se fijó en la espalda de Mike, que seguía avanzando entre los matorrales. Saltaba ágilmente entre un parterre plano y otro y, cuando llegaba a él, se volvía para darle la mano y ayudarla en su corta ascensión. Se daba cuenta de que estaba empezando a depender de él siempre que necesitaba ayuda.

—¿Por qué pones esa cara? —le preguntó Mike.

—Nada. Estaba pensando. Eso es todo.

—¿Sobre lo que puede querer Mitzi de lo que tú tienes?

—Ah, sí, claro. En eso estaba pensando exactamente.

—¿Quién miente ahora?

—Lo he aprendido de ti.

Ahogando una risa, Mike dio un paso al frente, llegó al claro y miró a su alrededor.

—Si mi madre se ha comprometido a mantener ocupado al señor Lang hoy, lo hará. —Sara estaba a su lado—. ¿Te entregaron llaves de la casa en la Notaría?

—Sí, pero no tengo la menor intención de usarlas.

—¿Entonces cómo vamos...?

Mike la miró de arriba abajo.

—Me va a encantar empujarte para que te cueles por la ventana.

—Y a mí me va a encantar... —No terminó la frase, y no dijo que estaba impaciente por que la empujara. Se recordó a sí misma que estaba prometida, que iba a casarse. El día anterior había pasado tres horas con la persona encargada de organizar la boda, y le había pedido que cambiara algunos detalles. Sustituyó los claveles por rosas. Sabía que Greg se enfadaría, pero en ese momento no podía preocuparse por algo así.

—Entraremos por una ventana porque es posible que Lang haya puesto trampas en las puertas. Y, una vez dentro, no vas a poder tocar nada. ¿Me entiendes? No me extrañaría que hubiera colocado una trampa en alguna preciosa cajita...

—Dudo que... —Pero Mike la miró fijamente, y ella se calló—. No tocaré nada.

—Solo puedes tocarme a mí —sentenció él muy serio.

—Está bien, está bien, capto el mensaje. Mis manos solo pueden ir a Mike —dijo ella, muy seria también—. ¿Alguna parte en concreto que deba tocarte?

—En las rodillas estaría muy bien. Empieza por ahí, y después vas subiendo. Despacio.

Sara se rio.

—Vamos. Tú primero. Yo te sigo.

—Siempre había querido oír a una mujer decirme eso.

Se volvió y cruzó tan deprisa el área despejada que Sara casi no podía seguirle el ritmo. Una vez frente a la casa, él ejecutó con destreza la operación de abrir una ventana, se agarró al alféizar y entró por ella. «Es un gimnasta —pensó Sara—. Un Tarzán y un gimnasta.»

Al ver que se asomaba por la ventana y extendía las manos para ayudarla a entrar, no lo pensó dos veces, y se dio cuenta, una vez más, de lo mucho que había llegado a depender de él en tan poco tiempo.

Mientras tiraba de ella, Sara se dio cuenta de que la tocaba varias veces en puntos innecesarios de su anatomía. Cuando le posó la mano en la pierna, ella hizo un intento de fulminarlo con la mirada, de recordarle que era una mujer a punto de casarse. Pero no pudo. Le gustaba la sensación. Y, sobre todo, le gustaba que la tocara un hombre con deseo en los ojos.

«El amor y el matrimonio no tienen que ver solo con la pasión sexual —se recordó a sí misma mientras Mike la soltaba y empezaba a mirar a su alrededor—. Hay otras cosas en el matrimonio igual de importantes, como la amistad y...» —En eso mejor no pensar, porque Greg y ella no era lo que se diría amigos, su relación no era en absoluto como la que mantenía con Mike. Greg y ella eran... Mike la miraba, esperando a que su pensamiento la trajera de nuevo a la misión que los ocupaba.

Era la primera vez que se encontraba en el interior de aquella casa, pero sabía todo lo que podía saberse sobre ella.

—¿Quieres que te lleve a realizar una visita guiada? —Sara necesitaba hablar para no seguir pensando en Mike. Al parecer, lo único que hacía últimamente era compararlo con Greg. Caía bien a todos los que lo conocían. Y no veía que hiciera el menor esfuerzo por gustar: se mostraba tal como era. Greg, en cambio, se empeñaba en agradar a todas las personas a las que vendía algo, pero con su familia y sus amigos no ocultaba su desprecio. «Tontos de pueblo», llamaba a la gente de Edilean. A Luke lo ridiculizaba especialmente. «El tipo debe ganar una fortuna con esos libros que escribe. ¿Por qué no se busca a alguien que le corte el césped del jardín?» Sara había intentado explicarle que tener éxito no era razón para convertirse en un Rey Midas. Que ella mencionara un nombre del que Greg no había oído hablar en su vida, solo sirvió para que se pusiera furioso.

—¿Sara? —Mike la observaba con curiosidad.

—Lo siento. Tenía la mente en otra parte. ¿Qué me decías?

—Te he preguntado que cuándo habías visitado este sitio, y por qué no me lo habías contado.

—¡Yo no te he ocultado ninguna información! —replicó ella,

y se disculpó al momento por su tono. Su enfado no se lo causaba Mike, sino sus recuerdos de Greg—. Conozco el interior por el IPEH.

—¿Por qué no me vas contando lo que sabes mientras recorremos la casa? —le preguntó él amablemente, como si supiera que estaba disgustada por algo.

Sara se dio la vuelta para que él no viera más de lo que ella quería que viera. ¿Por qué aquel hombre al que solo conocía desde hacía dos días le resultaba más transparente que Greg, con el que llevaba saliendo más de un año? Con Greg había convivido mucho. Habían montado juntos la tienda. Bueno, tal vez, a decir verdad, él había tomado todas las decisiones y ella se había ocupado de hacer las cosas. Pero lo habían hecho juntos, ¿no?

—¿Y bien? ¿Me vas a contar eso del ipe? —le preguntó Mike.

—IPEH, todo con mayúsculas. Es el Inventario Patrimonial de Edificios Históricos. —Él la observaba atentamente, como si intentara adivinarle los pensamientos. Sara volvió a compararlo con Greg, que jamás le habría pedido que le contara lo que sabía de algo. A veces parecía que Greg creía que Sara solo debía pensar y hacer lo que él le dijera. O peor, últimamente, más o menos desde que el sexo entre ellos había desaparecido, Greg había empezado a decirle que si de verdad lo amaba, ella ya debía saber qué era lo que él quería. Intuir de algún modo todas sus necesidades. Una noche le había dicho que si lo amara tanto como debería, tendría que haber sabido que no le apetecería cenar pollo, porque ya lo había comido en el almuerzo. «Si me hubieras llamado y me lo hubieras dicho, tal vez habría podido...», replicó Sara. Pero Greg la interrumpió: «¿Tienes la menor idea de lo ocupado que estoy todo el día? ¿Esperas que te diga lo que he almorzado? Y después me pedirás que te diga con quién he comido. ¿Es de eso de lo que se trata? ¿De celos?»

A veces, discutir con Greg la aturdía de tal manera que al final ya no sabía de qué habían empezado hablando.

—¿Estás bien? —le preguntó Mike.

—Sí, estoy bien.

—Tal vez deberías esperarme en el coche.

—¿Y perderme la visita a la casa de mis sueños? —replicó, y al momento se puso a hablarle de la casa.

Mike no sabía qué le había ocurrido a Sara apenas había puesto un pie en la vieja construcción, pero había algo en su aspecto que le gustaba.

Oía solo a medias la historia sobre la fundación de aquel inventario de casas históricas, creado por Franklin Roosevelt para crear puestos de trabajo durante la Depresión. Sí se enteró de que había fotografías antiguas de la casa, e incluso algún plano, en internet, y se dijo que los consultaría él también en cuanto pudiera. Pero por el momento solo quería echar un vistazo a la casa de la que su abuela —y Sara— tanto le habían hablado. Y quería intentar encontrar alguna razón por la que los Vandlo pudieran estar interesados en el lugar.

Mientras buscaba, pasando las manos por las paredes, inspeccionándolo todo, Sara hablaba sin parar. «Molduras» y «original» eran palabras que repetía sin cesar. También comentó algo sobre puertas con casetones, y sobre la señal de la cruz grabada en ellas.

—Para protegerse del diablo —apostilló.

Recorrieron las cuatro grandes estancias, y el amplio corredor de la planta baja. La casa no era señorial ni imponente, como Edilean Manor, pero a Mike no se le escapaba que, pintándola y rehabilitándola, podría resultar bastante habitable. Imaginó al niño de Tess montado en su triciclo en el gran comedor. Pero, claro, Sara seguramente no se lo consentiría, por miedo a que estropeara las paredes forradas de madera.

Al momento la miró, temeroso de que pudiera leerle los pensamientos, como a veces parecía capaz de hacer. Pero ella seguía hablando de proporciones, y de la altura de los techos. Él jamás se había visto a sí mismo como marido y padre, pero cuando se imaginaba viviendo en aquella casa, Sara siempre aparecía en la composición.

La vio señalar el techo, mientras seguía explicando, y le asombró constatar la cantidad de tiempo que debía de haber pasado estudiando sobre aquel lugar.

Regresó a su búsqueda. No era posible que Vandlo quisiera la casa porque la quería Sara. ¿Podía ser que no hubiera otro motivo más que el deseo de complacerla, y convencerla de ese modo de que se casara con ella? No, no lo creía.

Como a Mike le interesaba más el presente, se fijaba en las intervenciones de Lang. La casa estaba limpia y ordenada —además de escasamente amueblada—. En el espacioso salón, el sofá tenía un ladrillo bajo una pata, y estaba cubierto por una lona desgastada. Las sillas eran baratas y, además, la tapicería había sido remendada varias veces.

Las habitaciones resultaban bastante impersonales. Allí no había fotografías ni libros. Solo un montón de catálogos de empresas de semillas y plantas que reposaban sobre la mesa de centro.

Mientras seguía a Sara por las estancias, se dio cuenta de que si Brewster Lang vivía allí ahora, aquello no había sido siempre así. Se encontraban en lo que debía de haber albergado la biblioteca de la casa, y distinguía claramente el espacio que en otro tiempo habían ocupado los libros en los estantes hechos a medida. También resultaban visibles unos rectángulos más claros recortados en las paredes, testimonios de cuadros y pinturas que ya no colgaban de ellas.

Se volvió hacia Sara.

—Sé que Lang y su familia eran los caseros en 1941, y que ahora él vive aquí. Pero ¿quién vivió aquí entre las dos fechas?

Sara pareció sorprendida.

—Eres observador. Un historiador de Williamsburg y su familia residieron en la casa diez o doce años.

—¿Y por qué no la ocupa ningún miembro de la familia Mc-Dowell?

Sara se encogió de hombros.

—No les gusta este sitio. Ramsey no lo soporta, y su hermana tampoco.

—Entonces ¿por qué no la venden?

—Hasta hace poco no podían, porque la granja estaba sujeta a una cláusula hasta el siglo XXI. Hace unos doscientos años, un antepasado de los McDowell redactó un testamento por el que la propiedad no podía venderse hasta...

—El año 2000 —se adelantó Mike—. ¿Y qué tiene que ver el historiador en todo esto?

—No conozco los pormenores, pero creo que la madre del señor Lang se fugó con alguien cuando él era todavía un niño. —Sara se encogió de hombros—. A partir de entonces, el padre de Lang dejó de cuidar los edificios, por lo que tío Alex trasladó a los dos hombres —creo que Lang tendría diecisiete o dieciocho años—, a otra casa, y fue entonces cuando alquiló la granja al historiador. Acababa de casarse, y aquí criaron a su familia. Pero de todo eso hace mucho tiempo. Cuando yo nací el padre de Lang ya había muerto, y él, el hijo, ya vivía solo en esta casa.

—¿Me estás diciendo que Lang tiene otra casa en otra parte? ¿Un sitio al que podría trasladarse?

—Tú estás pensando en instalarte aquí, ¿verdad?

—Quizá. Con Tess y el niño y...

—No te olvides de Ramscy.

—Ah, sí. Él.

—¿O quieres a tu hermana para ti solo?

—Creo —dijo en voz baja— que sí me gustaría tener a alguien para mí solo.

Durante un instante permanecieron mirándose fijamente a los ojos. Sara fue la primera en apartar la mirada.

—¿Ya estás listo para subir a la planta de arriba?

—Yo te sigo donde tú vayas.

—En ese caso, vuelvo al pajar.

—Por encima de mi... —Mike sonrió—. Está bien, me has pillado. Adelante.

Inspeccionaron la primera planta y fueron descubriendo los cuatro dormitorios y el gran cuarto de baño. El alicatado era característico de la década de 1930, en damero blanco y negro.

—Yo lo dejaría tal como está —comentó Sara.

—Sí, lo sé. Porque es «original».

Sara habló en tono algo redicho.

—Cuando uso ese término en relación con la casa, lo que

quiero decir es que es de la época en que se construyó, 1674. Para tu información, este baño es bastante reciente.

Mike se fijó en el lavabo de pie y en el inodoro, de una altura atípica.

—¿Este baño es nuevo?

—Sí. —Siguió hablando de molduras, de paredes forradas, y cuando volvió a pronunciar la palabra «original», Mike se rio de ella.

—¡Tú no aprecias la importancia de esta casa! —protestó Sara, aunque con una sonrisa en los labios.

—Siempre que te tenga a ti para que cuides de ella, todo irá bien. Puedes hacer con ella todo lo que... —Cuando se dio cuenta de lo que estaba diciendo, se interrumpió—. ¿Este sitio tiene cocina?

Sara bajó las escaleras casi corriendo, mientras Mike se tomaba su tiempo. Todavía le asombraba que aquella casa fuera suya. Desde lo alto del rellano, miró hacia abajo e imaginó el golpeteo de las mosquiteras con las idas y venidas de los niños, y a Sara llamándolos.

—Vamos, tortuga —dijo ella desde abajo—. La cocina es horrible. Espera a ver el suelo.

Mike bajó y accedió al anexo que, según le contó ella, había sido añadido en la década de 1930.

—Seguramente cuando se instaló el baño —dijo ella.

Pero si el baño tenía su encanto, la cocina carecía por completo de él. El viejo suelo de linóleo estaba tan desgastado que se adivinaban los tablones de madera que cubría. Los muebles eran de los años setenta, en color verde aguacate, y las puertas apenas se sostenían en su sitio.

—Esta estancia creo que podría reformarse —opinó Sara de inmediato.

—Lo sé. Con encimeras de mármol blanco. Por favor, repite para mí esas palabras.

—Pídele a Ariel que te las diga el sábado. Ella es la que va a vivir aquí contigo. A menos que se le adelante Erica.

Tal vez fuera aquella mención a la realidad, o tal vez fuera el ruido de una ardilla al posarse en la chimenea, pero lo cierto es que los dos regresaron al presente a la vez, y permanecieron unos instantes observándose.

Mike rompió el silencio.

—¿Y el viejo pabellón de verano todavía se mantiene en pie? No lo vi el otro día. Estaba demasiado ocupado desactivando las trampas de Lang.

A Sara se le iluminó el rostro.

—¿Así que sabes de la existencia del lugar? Yo recuerdo haberlo visto de niña. Es precioso. Las paredes son de celosía.

—Mi abuela nos contaba que muchas veces se iba allí cuando el pueblo se le hacía insoportable.

—Qué triste.

—Conociéndola como la conocía, diría que todos los líos a los que se enfrentó debieron de ser culpa suya. ¿Crees que sabrías encontrarla?

Ella se sacó del bolsillo un pedazo de papel que parecía ser un mapa.

—Otra ventaja de los vestidos es que tienen bolsillos.

—Los vaqueros también los tienen.

—Y además se aprietan mucho a las partes de cuerpo que las mujeres desean lucir.

Mike se echó a reír.

—Eso es cierto. Qué maravilla. ¿Entonces? ¿Dónde está el pabellón de verano?

Mike se acercó para consultar el mapa.

—No, no lo hagas —dijo ella apartándose—. Me gusta más cuando me sigues tú.

—Las vistas son mejores, eso seguro.

Diez minutos después se encontraban ya en el viejo pabellón, que resultó ser más bonito aún de lo que Sara recordaba. Mike no lo había visto en su incursión anterior porque se encontraba entre unos arbustos que habían crecido más de dos metros y que lo ocultaban. Desde ese lado del sendero, la zona parecía impenetrable. Pero Sara sabía dónde buscar para dar con la entrada escondida.

Una vez en el interior, las malas hierbas dejaban de ser un obstáculo, porque el señor Lang había podado y recortado la vegetación del lugar hasta dejarlo como una especie de jardín turístico. Sobre sus cabezas se alzaba una hermosa haya roja de ramas bajas, colgante. El suelo, a su alrededor, estaba tapizado de musgo.

El pabellón de verano era un octágono, y en él apenas cabían dos personas. Sus paredes de celosía habían sido pintadas recientemente de azul turquesa. La construcción, y el entorno, eran tan apartados y tan románticos como la abuela de Mike le había descrito.

Mientras él inspeccionaba el pequeño edificio, Sara se sentó bajo el inmenso árbol de sombra y se dedicó a observarlo. Lo vio trepar hasta el tejado acampanado. Después revisó palmo a palmo la base de cemento. Sara suponía que su interés por el pabellón iba más allá del caso, pero también sabía que no lo admitiría directamente si se lo preguntaba. Tendría que sacárselo ella, o hacer alguna travesura para averiguarlo. Debía admitir que empezaba a disfrutar con aquellos jueguecitos.

Cuando Mike finalizó su exploración, ella supuso que le pediría que se fuera —por su propia seguridad, sin duda—, pero él la sorprendió tendiéndose a su lado sobre el musgo mullido y fresco, y entrelazando las manos bajo la nuca. Con el codo casi le rozaba la cadera.

Ella apoyó la espalda en el árbol. Habría querido quedarse allí. Para siempre.

—La casa necesita una reforma completa —dijo Mike, rompiendo el silencio.

—Sí, sí la necesita.

—Lo dices como si te alegraras.

—Ayudé a Luke a arreglar Edilean Manor, y lo pasé bien.

—Y también te gustaría intervenir aquí. Pues hacemos una cosa: tú diseñas y yo sierro los tablones.

Sara habría querido reírse, pero no podía. Todavía no terminaba de asumir que Merlin's Farm nunca sería suya.

—Eso querrá hacerlo tu mujer.

—Yo todavía estoy muy lejos de casarme. Con el trabajo que tengo, mañana puedo estar muerto.

—Y, por lo que he oído, yo también podría morir contigo —dijo ella sin inmutarse.

—No, si a mí me queda un soplo de aliento —susurró él en voz muy baja.

Se hizo un silencio incómodo entre ellos, y Sara lo llenó volviendo a hablar de la casa.

—Al menos se conservan casi todos los paneles de las paredes que mandó instalar el primer Merlin.

—¿Y quién fue?

—Supongo que Alexander McDowell —dijo, sonriendo—. Lo siento, es una broma nuestra. Todos los primogénitos varones de los McDowell se llaman Alexander. La familia se remonta a Escocia, y a Angus McTern Harcourt. Él fue el que fundó el pueblo, al que bautizó con el nombre de su esposa.

—Un nombre más que he oído pronunciar varias veces.

Ella lo observó, interrogándole con la mirada.

—Mi abuela decía que solo a los descendientes de Angus McTern les iban bien las cosas.

—Seguramente es cierto —dijo Sara—. Pero es que es nuestro pueblo.

Mike masculló algo.

—Ahora has hablado como una auténtica aristócrata.

—No creo que ser descendiente de un escocés que con toda probabilidad era ladrón y secuestrador me convierta en aristócrata. Ariel me contó que ese antepasado se coló de polizón en un barco... y no fue en el Mayflower, precisamente.

Mike se volvió hacia un lado para mirarla.

—Pues a mí me pareces toda una dama. —Pensó que estaba guapísima allí sentada en el suelo, bajo aquel árbol viejo. No le costaba nada imaginarla con un sombrero de ala ancha, cosiendo—. Este lugar te sienta bien. —Volvió a tenderse boca arriba. Debía dejar de mirarla: si no lo hacía, el deseo de acercarse a ella y acariciarla se le haría irresistible. Se obligó a recordar que estaba allí por un caso, y por Stefan Vandlo. Vandlo jamás viviría en una casa vieja, y menos en una tan pequeña como aquella, pensó. A juzgar por su tienda, era más de los que instalaba griferías doradas en los baños de invitados.

Permanecieron un rato más en silencio, hasta que Sara, sin poder contenerse, le preguntó:

—¿Has estado enamorado alguna vez?

—No. —Mike hizo una pausa—. Aunque una vez estuve a punto.

—¿Y qué ocurrió?

—Cuando supo que yo no era quien le había dicho, y se llevaron detenido a su marido por mi culpa, se desenamoró de mí. Al momento.

—Ya lo supongo.

—Más tarde supe que había pagado la fianza de la amante del esposo, y que se fueron a vivir juntas. Pero a mí nunca me perdonó.

Sara no pudo evitar reírse.

—Qué vida tan extraña has llevado.

—Supongo que todo depende de cómo lo veas. Y dime, ¿qué harías tú con este sitio si fuera tuyo?

Ella no dudó ni un momento.

—Replantaría el huerto de frutales.

—¿No empezarías por la casa? ¿Por el mármol blanco de la cocina?

—Los árboles necesitan tiempo para crecer. El mármol, en cambio, me estará esperando en algún almacén.

—¿Crees que Anders te dejaría?

—¿Anders? ¿Qué ha pasado para que ya no lo llames Greg?

—Sara —dijo Mike despacio—. Yo no conozco al hombre con el que estás prometida pero, por lo que he oído, no creo que sea digno de ti. ¿Estás segura de que quieres casarte con él? ¿No preferirías...?

—Ni lo digas siquiera. —No quería que sus palabras fortalecieran las dudas que ya empezaban a apoderarse de su mente—. Los preparativos de la boda están todos listos. Me he reunido con la persona encargada de organizarlos.

—¿Y cómo vas a conseguir Merlin's Farm si el propietario soy yo?

—No lo sé. —Sara se dio cuenta de que había pronunciado aquellas palabras con un tono desesperado—. Desde que te he conocido, es como si todo en mi vida hubiera cambiado. Antes, sabía perfectamente adónde iba, pero ahora... ahora no lo sé. Parece que no soy capaz de pensar con claridad.

—Eso es lo mejor que he oído en meses, tal vez en años.

—Para ti tal vez, pero para mí no —musitó ella.

Mike se levantó, extendió los brazos y la ayudó a ponerse en pie. Cuando la tuvo frente a él no la soltó.

—Sara —dijo con voz suave—. A veces me parece que te conozco desde siempre.

Se inclinó hacia ella para besarla. Ella no se apartó, y aquello le dio ánimos.

Cuando se encontraba a un dedo de sus labios, ella le dijo:

—¿Eso también se lo dijiste a la mujer casada con aquel hombre que detuviste?

Mike se echó hacia atrás.

—¿Qué?

—A tus mujeres, a las que conquistaste y traicionaste... ¿También les dijiste las cosas que me dices a mí? Ya sabes, que si eran las más bonitas, las más...

Él le soltó las manos. Sí, había dicho muchas de aquellas cosas a aquellas mujeres, las mismas que ahora decía a Sara, pero... Se dio media vuelta. La diferencia era que ahora era sincero al decirlas... y aquella revelación le desconcertó.

—¿Nos vamos?

—¿Ahora estás enfadado conmigo?

Él se volvió de nuevo.

—He hecho lo que he tenido que hacer... todo lo necesario, para que se hiciera justicia. Y, para tu información, nunca he metido a nadie en la cárcel que no lo mereciera. A muchas de las mujeres a las que también habrían debido procesar las dejé en libertad.

Sara no se inmutó al verlo indignado. Cuando Greg se enfadaba, el pánico se apoderaba de ella, un pánico que se combinaba con desconcierto. Casi nunca estaba segura de qué había hecho para causar su cólera. Solo sabía que era ella la que tenía que calmarlo a él, hacer que la perdonara y conseguir que las cosas volvieran a ser como eran durante sus primeros meses juntos.

En cambio, con Mike no se sentía confundida. Su enfado siempre respondía a un motivo, y siempre había algo que lo causaba. Era la furia irracional de Greg, sin causa conocida, la que la volvía loca.

Se dijo a sí misma que, por más que Mike pudiera llegar a gustarle, se trataba de algo temporal. Estaba ahí en una misión de trabajo, y cuando terminara se iría de allí y no volvería a verlo más, salvo, tal vez, como el hermano de Tess. Aunque lo dudaba. Su amiga llevaba varios años viviendo en Edilean, y él no había ido nunca a visitarla.

En cuanto a Merlin's Farm, Mike le había dejado claro que era idea de Tess, no suya. Cuando dejara la policía, seguramente se quedaría en la soleada Florida, y la granja regresaría a los McDowell.

—¿Por qué me miras así? —le preguntó Mike.

—Estaba pensando en lo distintos que somos. Yo quiero estabilidad. Alguien con quien compartir mi vida. Quiero hijos y árboles frutales. Pero tú quieres... —hizo una pausa—. ¿Qué quieres tú? ¿Lo sabes siquiera?

Ninguna mujer le había formulado aquellas preguntas, y no supo qué contestar. Había pasado toda su vida no yendo en una dirección, sino huyendo de algo. Pero Sara no era como las demás, y le hacía cuestionarse a sí mismo.

—¿Ahora es cuando me dices lo distinta que soy de todas las mujeres a las que has conquistado en el cumplimiento de tu deber?

Tenía tanta razón que Mike no pudo evitar soltar una carcajada.

—Pues sí, estaba pensando precisamente en eso. —Alzó la vista al cielo—. Parece que va a llover. Creo que deberíamos irnos.

Sara hizo ademán de dirigirse hacia el coche, pero súbitamente Mike la sujetó del brazo y la atrajo hacia sí. Por un momento ella pensó que iba a besarla, pero él le cubrió los labios con el dedo índice. Sara escuchó, pero no oyó nada.

Mike le tenía la mano agarrada, y miraba a su alrededor. Había solamente dos maneras de salir. Una era por entre las hierbas altas que se extendían tras el pabellón de verano. Si iban por allí dejarían rastro. La otra era pasar por una zona de campo abierto e intentar llegar al pajar. Pero si lo hacían, quien fuera que estuviera aproximándose, los vería.

Mike alzó la vista hacia la gran haya roja, y miró a Sara interrogándola. Ella asintió con un movimiento de cabeza.

Tras ellos se oía el leve crujido de unas pisadas sobre la gravilla, y la voz inconfundible del señor Lang, que murmuraba algo. Cuando era niña, la hermana de Sara se reía de ella porque cuando el señor Lang se paseaba por el Mercado de los Granjeros, ella se escondía bajo el mostrador. Aun hoy, el sonido de aquella voz la asustaba.

Mike le señaló los pies, y a continuación se dio una palmada sorda en los hombros. Sara tardó unos segundos en comprender lo que quería decirle, pero al captarlo asintió con un gesto de cabeza.

Entonces él se acercó al árbol, se agachó y volvió la cabeza para mirar a Sara. Si el silencio y la rapidez no hubieran sido tan importantes, ella le habría dicho que no podría levantarla estando de cuclillas. Pero no había tiempo para debates. Sin pensarlo más, se quitó las sandalias, se ató las tiras a la cintura, y se subió a los hombros de Mike. Este se incorporó al momento, y Sara estuvo a punto de soltar un grito por la rapidez de su movimiento. Se sujetó al tronco para no perder el equilibrio, y sin dificultad se agarró a una rama. Le costó algo más impulsarse para subirse a ella, y en ese momento sí habría preferido llevar puestos unos vaqueros. Pero no había tiempo para pensar en el decoro, ni en la integridad de su vestido. Pasó una pierna por encima de la rama y se sentó a horcajadas en ella.

Desde abajo, Mike la miraba, interrogándola. Ella asintió, y él se colgó de la rama dando un salto, y meciéndose en ella, se dio impulso para trepar hasta ella.

Ahora la voz del señor Lang llegaba hasta Sara con mayor nitidez, y vio que los arbustos se movían. Estaba cada vez más cerca.

Mike le tocó el brazo y, cuando ella lo miró, él señaló hacia arriba con un movimiento de cabeza. Quería que siguiera trepando. Le indicó que permaneciera sentada, y él se puso en pie sobre la rama. Se echó hacia delante, colocó las manos en otra rama, y Sara ahogó un grito de temor.

Mike se volvió y frunció el ceño, pero al ver que se preocupaba por él, no pudo evitar una sonrisa orgullosa. Un segundo después, se agarró de una rama más gruesa y se balanceó un poco para subirse a ella. Una vez allí, se inclinó y extendió los dos brazos hacia Sara.

Ella no lo dudó ni un segundo. Se agarró de las manos de Mike como había hecho al colarse por la ventana, con la diferencia de que, en esa ocasión, una caída habría tenido consecuencias más graves.

Él la sujetó con fuerza de las muñecas, y tiró de ella hacia arriba. Era un movimiento arriesgado, y por más que él le había dicho que era menuda y pesaba poco, Sara notaba que a Mike le costaba subirla.

La segunda rama era más corta que la primera, y les dejaba menos espacio. Mike se apoyó en el tronco, con las piernas colgando, y atrajo a Sara hacia sí. Ella pegó la espalda a su pecho, y él la rodeó con sus brazos.

Sara se daba cuenta de que no era una posición casual, y de haberse encontrado en otras circunstancias, se habría despegado de él. O quizá no, pensó. Tal vez se habría despegado, pero debía admitir que sus cuerpos encajaban bien. La barbilla de Mike se apoyaba en la cabeza de Sara. Perfecto.

Pensaba tanto que se olvidó de por qué habían trepado al árbol, por lo que cuando oyó al señor Lang en el claro, allá abajo, estuvo a punto de decir algo. Pero Mike la estrechó entre los brazos, y ella se reclinó más sobre él. Al notar el roce del vello crecido de su mejilla en su cuello, cerró los ojos. Su aliento era leve, y su perfume dulce llegó hasta ella.

Mike levantó las manos y se las pasó por el pelo; ella sintió sus dedos fuertes recorriendo su cabeza. Echó la cabeza hacia atrás, cerró los ojos y la ladeó para dejarle el camino libre hasta el cuello.

Pero el beso que esperaba no llegó. Lo que sintió, en cambio, fue que el cuerpo de Mike se tensaba y que sus manos se paralizaban en el acto.

A regañadientes, abrió los ojos. La mejilla de Mike estaba pegada a la suya, y miraba hacia abajo. El señor Lang había llegado a la base del árbol. Sara se movió mínimamente para verlo mejor. Llevaba dos cubos de plástico grandes, llenos de algo que no alcanzaba a identificar. Murmuraba cosas con su voz gutural. No oía lo que decía, pero parecía enfadado.

Le interesaba mucho más seguir allí apoyada a Mike que lo que pudiera estar haciendo el señor Lang. Seguramente pretendería instalar alguna otra trampa, pensó.

Cuando Sara acercó más la mejilla a la de Mike, este apartó la suya, y ella reprimió un suspiro. No era verdad, por supuesto, pero lo primero que le vino a la mente fue que otro hombre más perdía el interés en ella. A lo largo de su vida, muchos hombres se habían acercado, pero a ella solo le habían atraído dos, además de Mike. Aunque, en realidad, a Mike no podía sumarlo a la lista de los hombres de su vida. ¿O sí?

Fue mientras sopesaba aquella posibilidad cuando oyó que Lang pronunciaba la palabra «Anders». Llegó hasta ella con tal claridad que, sin pensarlo, ahogó un grito.

Al instante, Mike le cubrió la boca con la mano. Abajo, el señor Lang interrumpió lo que estaba haciendo y miró a su alrededor.

Mike le retiró la mano de la boca, y ella contuvo el aliento. Si Lang los veía escondidos entre las ramas del árbol, nunca llegarían a saber por qué repetía en voz baja el apellido de Greg.

Mike le señaló la rama inferior, y Sara comprendió que le pedía que descendiera hasta ella para oír mejor. Deprisa, con gran agilidad, Mike se separó de Sara, se agarró a una rama más alta y se descolgó hasta la inferior. Apoyando el vientre en la rama, se reclinó y escuchó con gran concentración.

Sara no estaba segura de querer oír lo que decía el viejo. ¿No sería mejor ignorar que el hombre con el que iba a casarse estaba implicado de algún modo en lo que Mike denominaba «una guerra»? Era imposible que Greg hubiera hecho algo que hubiera traído como consecuencia que el señor Lang instalara aquellas trampas por toda la finca. ¿O no?

Pero entonces oyó la palabra «perros», y se enderezó al momento. Desde la rama de abajo, a su derecha, Mike la miraba: él también la había oído.

La primera reacción de Sara fue taparse los oídos. Si Greg estaba haciendo algo que no debía, no quería saberlo.

Pero, por otra parte, si no escuchaba, sabía que estaría posponiendo lo inevitable.

Con gesto desafiante, Sara se ató mejor las sandalias al brazo y bajó a la rama de Mike, para poder oír bien al hombre, que seguía en el mismo sitio. No había duda de que estaba armando otra trampa. Colocaba un hilo de nilón, extraído de un carrete de pesca, en la puerta del pabellón de verano, en su parte baja, y pegaba algo en el interior, aunque no veía de qué se trataba. Minutos después, lo oyó ahogar una risita, un sonido desagradable, feo, y lo observó mientras se alejaba un poco a contemplar su obra. Recogió una piedra del suelo y la arrojó contra el hilo.

Para horror de Sara, cuatro flechas grandes, de acero, salieron disparadas desde la puerta, y fueron a aterrizar en el bosque, del otro lado.

Sara tuvo que cubrirse la boca con la mano para no gritar de indignación. Miró a Mike, que movió la boca y, sin palabras, le preguntó si estaba bien. Ella asintió, no sin esfuerzo. Si hubieran acudido a la granja al día siguiente, o incluso ese mismo día, más tarde, era muy posible que las flechas de metal se le hubieran clavado a él, pues era él quien siempre abría paso.

Al ver que Mike le sonreía, su calma le devolvió cierto equilibrio. Oyeron que Lang volvía a murmurar algo, esta vez en voz más alta, y Mike se volvió hacia él.

—Así aprenderás, Greg Anders —sentenció Brewster Lang, recogiendo las flechas y armando la trampa de nuevo—. No puedes matarme a los perros y quedar impune. ¡Espero que estas flechas acaben contigo!

Airado, recogió sus herramientas, las metió en los cubos y regresó al sendero que llevaba a la casa.

Mike miró a Sara a través de las ramas, y esperó al menos diez minutos antes de ponerse en pie.

—¿Te ves capaz de avanzar hasta donde estoy yo? —le preguntó.

Ella aún tenía la mente en lo que acababa de oír.

—Sí, claro.

Mike le cogió la mano, y Sara dio una gran zancada, pero estaba distraída y resbaló.

Por suerte, Mike estaba ahí, y la sujetó. Con una mano se agarró a la rama que tenía por encima de la cabeza, y con la otra sostenía a Sara, que, con gran rapidez, trepó como pudo hasta la rama y se pegó mucho a él. Los dos estaban de pie. Mike tenía la espalda apoyada en el tronco, y la rodeaba con sus brazos.

Sara seguía inmóvil, los suyos apretados contra el pecho de él, aliviada por la seguridad que le proporcionaba. ¿Cuándo había hecho aquello Greg? —se preguntaba—. Si siempre estaba en la tienda. ¿De dónde habría sacado el tiempo para ir a Merlin's Farm?

¿Y por qué? ¿Solo porque quería quedarse con la finca? ¿Acaso creía que el señor Lang era la razón por la que Rams no se la vendía? ¿O quería comprarla porque ella, Sara, la mujer a quien amaba, estaba encaprichada con ella?

Mike le agarró la barbilla con suavidad y le levantó la cara.

—¿Seguro que estás bien?

—Sí —respondió ella—. Sorprendida, pero bien. ¿Y tú?

—Yo no estoy sorprendido —dijo él, mirando a su alrededor—. Y, aunque me encantaría quedarme aquí todo el día, en esta posición, creo que deberíamos bajar y regresar a casa.

171

Sara tampoco habría querido irse. Además, sabía que cuando regresaran a la tierra, tendría que enfrentarse a la verdad sobre el hombre con el que iba a casarse.

—Sara...

—Lo sé —dijo ella, y se incorporó para agarrarse a una rama.

Mike hizo ademán de apartarse, pero en vez de hacerlo se acercó más a ella y le besó la mejilla

—Todo irá bien, te lo prometo.

—Sí, seguro. —Sara intentó esbozar una sonrisa, pero no lo consiguió.

Mike se descolgó desde la rama baja, y le hizo un gesto a Sara para que saltara a sus brazos. Bromeó con ella, diciéndole que había estado a punto de tirarlo al suelo, pero al fijarse en su expresión, decidió no seguir.

Sin pausa, la condujo al otro lado del seto, más allá de la casa, camino del coche. Al llegar a él le abrió la puerta y se la sostuvo. Como vio que le temblaban las manos, le abrochó el cinturón de seguridad, y solo entonces se sentó al volante.

Permanecieron en silencio, y ninguno de los dos dijo nada hasta que hubieron recorrido la mitad del trayecto de regreso al apartamento de Sara. Mike quería darle el tiempo que necesitara para digerir lo que acababan de oír. De haber sido por él, habría llamado a Lang para darle las gracias. A partir de ese momento se iniciaría el proceso que culminaría contándole la verdad a Sara: el hombre con el que pensaba casarse solo la quería porque... eso todavía no lo había averiguado.

La miró. Sara seguía sentada en silencio, a su lado. Su precioso vestido estaba cubierto de hojas y ramitas, y tenía un roto a la altura del hombro.

—Siento lo del vestido —dijo.

—¿Crees que Greg intentaba conseguir la granja por mí?

—Creo que esa respuesta puedes dártela mejor tú misma.

—Es posible que Greg haya hecho todo lo posible por echar al señor Lang, pero no habría matado a los perros. Creo que debe de haberse tratado de una coincidencia en el tiempo, y el señor Lang ha relacionado los dos hechos sin tener pruebas.

Mike sabía que era pronto aún para contarle lo que sabía. Cuando era más joven, había aprendido a golpes a no contar más de la cuenta, ni antes de tiempo. En su primer caso como agente secreto, le había contado a una mujer, sin el menor reparo, que su marido era traficante de armas y tenía dos amantes. Su ingenuidad le había llevado a creer que aquella señora se lo agradecería. Pero su reacción fue la contraria. Llamó mentiroso a Mike, y se mantuvo al lado de su esposo hasta el final. Cuando la llevaban a la cárcel, escupió a Mike. Sí, la experiencia le había llevado a ser cauto.

—¿Estás segura de que lo conoces lo bastante bien como para afirmarlo?

—Tal vez Greg no sea el ser más honorable del mundo, pero es buena persona. —Permaneció un instante en silencio—. Sé que hace cosas que no me gustan, pero...

—¿Como cuáles?

Le contó que cambiaba las etiquetas con las tallas en los vestidos.

—Pero eso lo hacía para que las mujeres se sintieran mejor. No tiene nada que ver con envenenar a unos perros.

—Yo no te he dicho nunca que los hubieran envenenado, y de hecho no sé si murieron así. ¿Qué te ha llevado a decir eso?

Ella permaneció largo rato en silencio, dubitativa.

—El dueño de la droguería de Edilean me dijo que le recordara a Greg que anduviera con cuidado con un matarratas que había comprado. —Mike apretó los dientes, pues hasta ese momento ella no le había facilitado aquel dato—. Aunque sigo sin creer que Greg haya sido capaz de hacer algo así, me gustaría que pudiera comprarle otros perros al señor Lang.

Mike le sonrió.

—Pues creo que en eso vas a salirte con la tuya.

—¿Por qué?

—En este caso, trabajo para el gobierno federal, ¿y sabes por qué aguantamos sus delirios de grandeza?

—No.

—Por dinero. Tienen muchos de los verdes. Dime de qué

raza eran los perros de Lang, y le compraremos otros iguales.

—Yo era una niña cuando los vi, y no sé de qué raza eran. A mí me parecieron bonitos. Mi madre me dijo que eran irlandeses.

—¿Los reconocerías si los vieras en fotografía?

—Tal vez.

Le alargó su teléfono.

—Envíale un mensaje a Tess y pídele que te envíe fotos de razas irlandesas.

—Tú siempre te acuerdas de tu hermana, pero olvidas que está casada con mi primo. ¿Y si le envío un mensaje a Rams y le pregunto directamente de qué raza eran?

—Mejor aún —concedió él, sonriendo.

—¿Por qué me miras así?

—Estaba pensando en lo mucho que te pareces a todas las demás mujeres con las que he trabajado.

Su sarcasmo la animó un poco.

—¿Ellas no se escondían contigo entre las ramas de los árboles?

—No, y no sabían lo que se estaban perdiendo. Me ha gustado tenerte abrazada. —Al ver que Sara no apartaba la mirada, añadió—: Además, ellas tampoco habrían querido comprar otros perros a un hombre que les cayera mal. —Mike tuvo que mirar en otra dirección para que no se le notara lo contento que estaba por cómo se había desarrollado el día, y por ver a Sara allí, sentada a su lado, frunciendo el ceño. Por fin el mito de Greg Anders había recibido su primer ataque—. ¿Y si nos tomamos la noche libre del caso? —le propuso.

A Sara se le iluminaron los ojos.

—¿Vemos una película juntos?

—Yo estaba pensando más bien en ir a tu apartamento y cenar allí. Todavía no me lo has enseñado.

—Olvidas que no tengo fregadero en la cocina. —Entrecerró los ojos, y lo miró—. Quieres inspeccionar todo lo que tengo, ¿verdad?

—Sí —dijo, pero en un tono lascivo que provocó las carcajadas de Sara.

—Por mí, ningún problema. No solo podrás ver las joyas que me dejó en herencia mi tía Lissie, sino que te dejaré que te las pruebes.

—Preferiría que te las pusieras y me hicieras un pase de modelo con ellas.

—Después de lo que acabo de oír de mi prometido, no lo descarto.

Mike sonrió de oreja a oreja.

13

En el apartamento de Sara todo «olía» a familia. Si el de Tess era como el de Mike, con muebles adquiridos en tiendas, a poder ser prefabricados, no creía que Sara poseyera un solo plato que no hubiera llegado hasta allí procedente de casas de amigos o familiares. Y lo que había comprado lo había escogido cuidadosamente por su aspecto antiguo y gastado, por ese aire romántico que tanto gustaba a las mujeres.

Tan pronto como abrió la puerta —que, como no podía ser de otra manera, no estaba cerrada con llave—, Sara se fue corriendo a su dormitorio. Pero Mike se plantó junto al quicio y la observó.

Aunque el salón de Sara tenía la misma forma que el de Tess, no podrían haber sido más distintos; el suyo parecía sacado de algún programa del Canal Historia titulado: «Los muebles y sus épocas.»

Tenía un gran sofá color melocotón, de inmensos brazos redondeados. Mike no sabía mucho de historia, pero no le costaba imaginar a damas con vestidos largos tomando el té sentadas en aquella pieza. La butaca contigua, con su tapicería de estampado floral, resultaba casi tan sofisticada. Al otro lado había una silla con asiento y respaldo de cuero marrón. Estaba seguro de haber visto una igual en una película sobre la Segunda Guerra Mundial.

Por toda la sala se distribuían mesitas y detalles que recorrían el espectro temporal que iba desde Thomas Jefferson hasta la década de 1980. Allí no había nada nuevo.

Y por todas partes se veían fotografías enmarcadas. Algunas eran tan viejas que parecían tomadas por el mismísimo Thomas Brady, e incluso había una de la boda de Tess. Mike sonrió al ver que su hermana llevaba un traje de chaqueta azul oscuro que seguramente habría aprovechado después para ir al trabajo. A los dos les habían enseñado los valores de la austeridad y el reciclaje mucho antes de que se pusieran de moda. Recordó los muchos esfuerzos que había hecho para intentar estar presente el día de la ceremonia. Pero no había podido. Ese día había estado atado... literalmente.

—¿Quién te ha regalado todas estas cosas? —le preguntó Mike, alzando la voz para que lo oyera.

—¡Mucha gente! —respondió ella desde su cuarto—. En el pueblo la gente dice: «Si no quieres algo, dáselo a la pobre Sara.»

Mike ahogó una risotada. Aquello no podía ser menos cierto, porque todo lo que había allí había sido cuidadosamente seleccionado. Pasó una mano por una mesa pequeña con extensiones a ambos lados. No sabía mucho sobre antigüedades, pero había pasado bastante tiempo en casas de gente rica, y sabía que aquel mueble auxiliar debía de ser bastante caro. Si hubiera estado ocupándose de otro tipo de delincuente habría dicho que, fuera cual fuese el tesoro que se estaba buscando, este debía de encontrarse en algún lugar de aquel salón. Pero Stefan había vivido allí con Sara, por lo que seguramente lo habría visto todo, y sabría que, en alguna otra parte, había cosas más valiosas.

Sara entró en el salón. Se había duchado y se había puesto un vestido de algodón azul celeste, y a Mike le pareció que no la había visto nunca tan hermosa.

Se acercó a Mike y le dio la espalda.

—¿Podrías abrocharme los botones?

Aquel vestido tenía al menos treinta botoncillos blancos que descendían por la espalda, y él empezó por el más alto. Entre la piel y el vestido se había puesto un viso anticuado, y él se preguntó si también heredaría la ropa.

—No es el mejor vestido para quitárselo con prisas —comentó él, bromeando, y abotonándoselo despacio.

—Precisamente —replicó ella.

Mike reprimió una risa.

—Sí, supongo que sí. Bueno, esto ya está. Abrochado hasta abajo. Háblame de tu casa. ¿Has comprado algún mueble en toda tu vida?

—No. Solo algún detalle. De hecho, mi padre tiene alquilado un gran guardamuebles en Williamsburg lleno de piezas antiguas y fotos que me han regalado mis familiares. A ellos les gusta Ikea; a mí me gusta el estilo eduardiano.

—Suena a inmenso ajuar.

—En algún momento me pareció que lo era.

—¿Y le enseñaste a Anders lo que tenías guardado?

—No quiero saber cómo lo has sabido, pero sí, Greg y yo nos pasamos tres días revisándolo todo. A él le interesaba ver qué podríamos aprovechar cuando tuviéramos nuestra propia casa. Yo había planeado usarlo todo con Brian, pero...

—¿Quién es Brian? —preguntó Mike mientras miraba la foto de dos chicas jóvenes y guapas con sendos hijos también preciosos. Supuso que eran las dos hermanas de Sara.

—Mi primer novio formal.

No le contó que llegó a estar tan segura de que se casaría con él que, seis meses después de conocerlo, rechazó una extraordinaria oferta de trabajo como conservadora de un museo de Boston. Su vida con Brian la habría llevado en una dirección totalmente distinta. Que era precisamente lo que ella tanto deseaba.

Al ver que Mike la miraba sin entender, ella se encogió de hombros.

—Me dejó. ¡Buaa! Pobrecita Sara.

Mike sabía que lo decía en broma, pero notó tristeza en su voz.

—Pues es el hombre más tonto del que he oído hablar en mi vida —dijo, y se alegró al verla sonreír—. ¿Y qué piensa tu prometido de todo esto? —le preguntó, señalando a su alrededor.

Sara se echó a reír.

—Que ardería bien en una hoguera. A él le gustan las cosas de acero y cristal.

Mike se volvió para que ella no viera su expresión de desconcierto. Si Vandlo había sido tan sincero con ella sobre lo que le gustaba y lo que no, y si los gustos de Sara eran tan distintos, ¿por qué diablos quería casarse con él? Se sentó en la amplia silla de cuero.

—Pues a mí me gusta lo que tienes aquí. Nada de acero. Y no soporto las mesas con base de cristal. Se rompen durante las peleas, y cortan. En una ocasión vi una arteria seccionada que... —se encogió de hombros y no siguió hablando.

Sara permanecía de pie, observándolo.

—¿Me han salido cuernos, o algo?

—Esa silla parece hecha para ti. Te ves como un piloto de la Primera Guerra Mundial. Casi puedo verte con una chaqueta de aviador.

—¿Estás pensando en esos chicos que murieron antes de cumplir los veintitrés años? ¿En los que lucharon con el Barón Rojo y cayeron abatidos, envueltos en llamas?

—Sí, exactamente en esos. —Se sentó al borde de su sofá, sin dejar de mirarlo—. Greg...

—¿Qué pasa con Greg? —preguntó, intentando no mostrar demasiado interés.

—Nada. Tú quedas bien en este salón. Muchos hombres se sienten incómodos aquí, pero tu aspecto es el de alguien que ha leído, ha conocido sitios, ha hecho cosas...

—Sara... susurró él, pero ella se levantó sin darle tiempo a añadir nada.

—Voy a buscar las joyas —dijo y, pasando por el pequeño vestíbulo, se metió en su dormitorio.

Mike aprovechó para inspeccionar el resto del apartamento. A la cocina le hacía falta un arreglo, y vio el gran hueco que hasta hacía muy poco había ocupado el fregadero. No pudo evitar sonreír al comprobar cómo Luke lo había desmontado todo.

—¿Y no había nada que le gustara a Anders? —le preguntó a gritos—. ¿Ni una silla, ni una foto?

Al ver que Sara entraba de nuevo en el salón, bajó la voz.

—En realidad, no.

Le entregó una caja de madera.

Mike la abrió y vio que contenía seis joyas. Eran antiguas, pero no dudó ni un momento que las piedras preciosas fueran auténticas. Aun así, ninguna de ellas era de un tamaño suficiente como para valer gran cosa. Sin duda, no lo bastante caras para tentar a Vandlo. Cerró la caja.

—No creo que...

—Lo sé. Lo bueno se lo llevaron sus cuñadas. La madre de Ram tiene algunos pedruscos falsos que no se pone nunca. A mí me tocaron las bonitas.

—Sara, tú podrías llevar joyas de hierro y se verían buenas.

—Yo... —quiso decir ella, y Mike vio que se sonrojaba. Pero entonces clavó la vista en la pared que él tenía detrás.

—El cuadro de CAY.

—¿Qué?

Lo rodeó y se fue hasta la pared del fondo.

—Una vez, Greg me dijo que lo único mío que le gustaba era este cuadro. Quería que se lo regalara. —Retiró el marco de la pared y se lo alargó.

Por un momento se le aceleró el pulso, pero se sintió decepcionado al ver la pintura. En ella, con trazo infantil, se veía una especie de lago con patos nadando en él. Solo que el cielo era verde, el agua, rosa, y los pobres patos, de color rojo intenso.

La acuarela parecía antigua, pero él no veía de ningún modo que pudiera ser valiosa. Tal vez Vandlo la quisiera para sus futuros nietos. Si seguían con la tradición familiar, la nieta adolescente de Mitzi se casaría pronto con algún señor mayor.

Mike se fijó en las iniciales del ángulo inferior: CAY.

—¿Es alguno de tus antepasados?

—No lo sé. Tía Lissie no sabía quién era. Me dijo que el cuadro pertenecía a la familia desde siempre, pero solo nos gustaba a ella y a mí. Ella creía —y yo también— que es de época victoriana.

—No es posible que sea de Beatrix Potter, ¿verdad?

—Ojalá. No. Es un descarte. Como todo lo demás en esta casa. Como yo, incluso —añadió, dándose la vuelta.

Frunciendo el ceño, Mike volvió a colgar el cuadro en la pared, y al volverse a mirarla, vio que tenía los hombros hundidos, en un gesto que no le gustó. Parecía que su primer novio la había rechazado, y él sabía que tarde o temprano descubriría que el segundo solo la quería por lo que pudiera obtener de ella.

Sin pensar en lo que hacía, se acercó a ella, la agarró de un brazo y la atrajo hacia sí. Acercó los labios a los suyos y la besó con todo el deseo acumulado que había sentido desde el momento mismo en que la había visto por primera vez.

Temía que ella se apartara, pero no solo no lo hizo, sino que levantó más la cabeza y le agarró la nuca con las dos manos. Sus labios eran dulces, y sus cuerpos se acoplaron a la perfección, mejor que con cualquier otra mujer a la que hubiera abrazado.

Mike se controló como pudo, y evitó besarla más profundamente, y que aquel beso los llevara más allá.

Fue él quien se retiró. Siguió abrazándola, y posó los labios en su cuello.

—Sara —susurró—. Quiero...

—Lo sé —se anticipó ella—. Soy parte de tu trabajo. Y tú quieres... —Se separó de él, y se dirigió apresuradamente hacia la puerta—. Ven a verme a casa de Joce dentro de una hora. Necesito tiempo para pensar en todo esto.

Segundos después de que Sara se ausentara, Mike se dejó caer sobre la silla de cuero. Le habían encomendado que hiciera todo lo que estuviera en su mano para alejar a Sara de Vandlo.

—¡Mierda! —balbució—. Me atraen hasta este pueblo con el cebo de una granja antigua, unos muebles cómodos y la mujer más dulce que ha caminado jamás sobre la Tierra. —Se pasó la mano por la cara—. Si alguien está siendo seducido, ese soy yo.

14

Joce estaba en la cama, rodeada de árboles genealógicos. Sobre la mesilla de noche tenía una impresora.

—¿Te interesa saber quién es tu primo sexto?

—No especialmente —respondió Sara—. Con los primos que tengo aquí y ahora, ya tengo bastante.

Joce se fijó en su amiga, y prima séptima, según acababa de descubrir, y le dijo:

—¿Qué te pasa?

—Mike me ha besado.

—Vaya. Ya sé, ya sé que es algo horrible, porque estás comprometida con otro hombre, pero antes de que empiecen los lamentos, cuéntame: ¿qué tal el beso?

—Genial. Aunque, claro, él tiene mucha experiencia.

Joce no pensaba decir nada al respecto de ese último comentario.

—¿Y comparado con Greg?

Sara se dejó caer en la silla instalada junto a la cama.

—¿Te ha ocurrido alguna vez que estabas absolutamente segura de que lo que estabas haciendo estaba bien y entonces te sucedió algo que te hizo dudar de todo lo que sabías?

—Si te refieres a hombres, sí. En la universidad tenía un novio al que adoraba. Estaba segura de que era él. Entonces volví a casa, a Edilean, y pasé una semana aquí. Una mañana, estábamos desayunando e imaginé cómo sería tener a mi novio allí. Y al momento supe que tendría que pasarme el día enfrentándome a sus celos. Si un día antes me hubieras preguntado si mi novio era celoso, te habría dicho que no. Pero lo era. Era celoso de mi trabajo, de mis amigas, incluso de mis horrendas hermanastras. ¿Te referías a eso?

—Sí, en gran parte sí. Estoy empezando a ver y a recordar cosas de las que hace una semana no era consciente. —Suspiró—. Cuando Greg y yo empezamos a salir, todo era tan maravilloso que habría caminado sobre fuego por él.

—Y por lo que Tess y yo oíamos a través de la pared, diría que lo hiciste varias veces.

Sara asintió.

—Todo era genial. No hacía mucho que Brian me había abandonado, y...

Joce no había conocido al otro novio de Sara, pero había oído hablar de él. Se trataba de un joven arqueólogo inglés, y Sara y él habían sido inseparables durante cuatro años. Todos, incluida la interesada, estaban convencidos de que acabarían siendo marido y mujer.

Cuando él le dijo que iba a casarse con su novia de toda la vida, Sara quedó destrozada.

—Lo peor —le contó Tess a Sara— fue que todo el mundo trataba a Sara como si estuviera a punto de volverse loca.

—¿Y lo estaba? —le preguntó Joce, que sobre estar a punto de desmoronarse algo sabía.

—Sí —respondió Tess—. Lo estuvo.

Ahora, Joce se acercó más a Sara y le tomó la mano.

—Greg te hizo sentir deseable, te hizo sentir que alguien te deseaba.

—Sí, y que a la gente del pueblo le cayera mal me hacía sentir como si estuviera luchando contra... no sé. Tal vez me sentía como la Julieta de Shakespeare, luchando por retener el Verdadero Amor. Ahora creo que quizá lo que quería era demostrar a la gente que... no sé qué.

—Yo, de rebeliones, sé algo —dijo Joce muy seria—. En

183

aquella familia mía, tan marginal, provoqué un gran enfado cuando me negué en redondo a hacerme un tatuaje.

Sara se echó a reír.

—¿Ni uno solo?

—Ni siquiera una mariposa en el tobillo izquierdo.

—Pues sí, sí que eres rebelde.

Joce aguardó un momento antes de proseguir.

—¿Y entonces? ¿Qué hay de la boda?

Sara se llevó las manos a la cara.

—No lo sé. Es que... no, en serio, no lo sé. —Miró a Joce—. A los pocos días de conocer a Greg ya empezamos a hacer negocios juntos, a viajar, y a...

—Trabajar.

—Sí, sí —admitió Sara—. Tanto trabajo... Montones, montañas de cosas que yo tenía que hacer, y que me mantenían ocupada los siete días de la semana.

—Y el sexo.

—Al principio, sí. Yo deseaba demostrar que era al menos tan deseable como la... mujer con la que Brian quería casarse, que yo también era insaciable.

—¿Y ahora?

—Ahora, cuando recuerdo a Greg pienso en el hombre. No es fácil vivir con él, y resulta imposible complacerlo. Pero, cuando lo conocí, no tenía tiempo ni para pensar en ello. Pasamos de una cita a ciegas a hacer planes de boda en lo que diría que fueron unos pocos minutos.

—¿Y dónde entra Mike en todo esto?

—En ninguna parte. Mike no tiene nada que ver con esto.

—Ah —dijo Joce.

—¿Qué significa ese «ah»?

—Nada. Es solo que creía que él y tú erais...

—Amigos. Eso es lo que somos. —Como Joce no decía nada, Sara se rindió—. Está bien, tal vez Mike me haya recordado qué se siente disfrutando de la compañía de un hombre. Él y yo hacemos cosas juntos.

—¿Como cuáles?

—Saltar de árbol en árbol —dijo, y al momento renunció a explicárselo—. Pero eso no importa.

—¿Estás segura? A mí, que me gustaran las cosas que Luke y yo hacíamos juntos fue lo que me llevó a escogerlo a él y no a Rams.

—Joce, sé sincera. A ti Luke te ponía a cien desde el día en que te echó la mostaza encima. Ramsey no tuvo nunca nada que hacer. Además, él estaba enamorado de Tess pero era tan tonto que no se daba cuenta.

—Tienes razón —reconoció Joce—. Sé que suena a tópico, pero creo que debes hacer caso de lo que te dicte el corazón.

—Si hiciera eso, entonces me casaría con Merlin's Farm. De esa granja sí estoy realmente enamorada.

Joce soltó tal carcajada que los gemelos empezaron a dar patadas en su barriga.

15

Mike llevaba puesta la ropa del gimnasio. Todavía era de noche, y por debajo de la puerta de Sara no se veía luz. La noche anterior, tan pronto como Mike aparcó el coche, Luke salió al jardín para hablar con él en privado.

En voz baja, le preguntó cómo iba el caso, y se ofreció a ayudarle en lo que hiciera falta.

Mike, instintivamente, seguía mostrándose cauto, aunque con el paso de los días, su cautela iba menguando.

—No encuentro qué es lo que busca la familia Vandlo en Sara.

Luke se mostró sorprendido al oír la palabra «familia» asociada al apellido Vandlo.

—¿Hay más gente? ¿No solo Mitzi? —Mike se limitó a observarlo, y Luke ahogó un grito—. Es Greg, ¿verdad? ¿En qué está implicado?

—Es el hijo de Mitzi.

Luke soltó un silbido.

—¿Y Sara lo sabe?

—No. Quiero que llegue a confiar más en mí antes de contárselo.

—Por lo que he ido viendo, no podría confiar más en ti de lo que ya confía.

—¿En serio? —A Mike se le escapó una sonrisa.

Luke arqueó una ceja y lo miró.

—Eres consciente, supongo, de que si le haces daño a nuestra Sara, te mataremos.

—¿Y qué haréis si soy yo el que acaba con el corazón roto?

—Tengo una grapadora en la camioneta.

Mike se echó a reír.

—Dime, al menos, que es una grapadora grande.

—Es de las pequeñas, de bolsillo.

Se acercaron riendo a la puerta, por la que en ese instante salía un adolescente. Era tan alto como Luke, pero pesaba unos treinta kilos más, todos de músculo.

El joven no dijo nada, pero al ver a Mike se detuvo y lo miró fijamente. Le acercó la mano a la barbilla, se la levantó y le volvió la cara a lado y lado, pasándole un dedo por la nariz. Se la habían roto varias veces, y casi nunca se la habían tratado. Consecuencia de ello era que el tabique, en su parte superior, estaba un poco doblado, lo que, según le decían, le daba aspecto de hacha.

El adolescente, sin decir nada, retiró la mano y siguió andando. Junto a las columnas del porche había un moderno Mercedes descapotable de dos plazas. Sentada al volante esperaba una joven pelirroja guapísima, de abundante cabellera. Al verlos, saludó a Luke agitando la mano, y observó a Mike mientras esperaba a que el joven se subiera al coche. Cuando lo hizo, arrancaron a toda velocidad, dejando atrás una estela de gravilla.

—¿Quién diablos...? —preguntó Mike.

—Un Frazier —respondió Luke entrando en casa.

—¿El mayor...?

—Shamus. Está diseñando las cartas del tarot egipcias.

—¿Y por qué me ha mirado así?

—Le gustan los rostros aunque, ¿quién sabe qué le pasa por la cabeza a un Frazier?

—La chica es guapa.

—Esa es Ariel, y es peligrosísima. Ha heredado el carácter de los Frazier.

—Supongo que estaré mejor con Sara —tanteó Mike.

—Sin duda.

—¿Y en este pueblo todo el mundo hace de celestina?

—El señor Lang no —replicó Luke al instante.

Mike se echó a reír. Oyeron voces de mujer, y se dirigieron al salón, donde encontraron a Joce y a Sara.

Como en la ocasión anterior, la velada fue agradable. Mike casi logró olvidarse del caso mientras conversaban sobre comida, y sobre la visita de Luke al gimnasio de aquella misma mañana.

—Cuarenta y seis minutos de infierno —estaba comentando Luke—. ¿Quién hubiera dicho que podía causarse tanto daño en tan poco tiempo? —Se llevó una mano al hombro—. Mañana voy a tener agujetas en los deltoides.

—Tienes unos buenos dorsales. Voy a tener que trabajar para seguirte el ritmo.

—Sí, claro —convino Luke, sarcástico—. Y esto lo dice un hombre que para descansar se sube a una cama elástica. —Miró a las dos mujeres—. Deberíais ver lo que es capaz de hacer en el gimnasio. Os juro que la mitad de la gente que había en la sala dejaba de ejercitarse para mirarlo.

De ahí pasaron a hablar sobre Merlin's Farm. Cuando Sara comentó lo que había visto en el interior de la casa, a Mike no le pasó por alto el tono apasionado de su voz. Jamás se le había ocurrido que pudiera amarse un objeto inanimado como ella parecía adorar aquel lugar. Aunque, se dijo, probablemente aquella mujer lo acusaría a él de amar a su coche con la misma intensidad. De hecho, ya se había burlado de él por tenerlo tan limpio, pero él no veía nada malo en lavarlo todos los días ni en pasar el aspirador por la tapicería. La gente no debería comer dentro del coche. ¿Qué problema había en tener las ruedas bien engrasadas?

—Y entonces el señor Lang ha vuelto y lo ha estropeado todo —concluyó Sara, mirando fugazmente a Mike.

No había contado el momento en que se habían sentado juntos en la rama del árbol, acurrucados como dos pajarillos en un nido.

Después de cenar, Sara y Luke se fueron a la cocina, mientras Mike se quedaba sentado junto a Joce para hacerle compañía. Se fijó en los árboles genealógicos, detalladísimos, y le comentó que estaba haciendo un gran trabajo.

—A Sara le gustas —dijo Joce en voz baja—. La estás apartando de Greg, ese ser horrendo.

—¿Tú eres una de las pocas personas a las que no os cae bien?

—Es que él hace todo lo posible por conseguir que la gente se sienta mal. A menos que tengas dinero. Se abalanza sobre las mujeres que entran en esa tienda. —Se acercó más a Mike y le habló en un susurro—. Si puedes parar esa boda...

Mike le tomó la mano y se la besó.

—Para eso he venido.

—¿En serio? —Joce abrió mucho los ojos—. Creía que tu misión era atrapar a los malos.

—Todo forma parte de lo mismo. No le digas nada a Sara.

Joce lo miró con gratitud en los ojos.

—¿Te estás insinuando a mi mujer? —preguntó Luke desde la puerta.

—No ha podido controlar la lujuria —dijo Joce, acariciándose la barriga.

—En ese caso lo entiendo, y te perdono —zanjó Luke—. ¿Quién quiere pastel?

—¿Cuántos kilos puedo comer yo? —preguntó Joce, y todos se echaron a reír.

Ahora, de madrugada, Mike estaba a punto de irse al gimnasio, pero la voz de Sara lo detuvo. Se acercó a su dormitorio y abrió la puerta. Ella estaba sentada en la cama, con un camisón que parecía sacado de alguna serie de la BBC.

—¿Te vas al gimnasio? —le preguntó.

—¿Quieres venir conmigo?

Ella torció el gesto.

—¿Y qué tienes previsto para hoy?

—Había pensado ayudar con los trabajos de montaje de la feria.

—¿Sabes algo de construcción?

—Algo aprendí durante uno de mis primeros casos. —Ella

lo miraba con los ojos muy abiertos, como si sus historias fueran ciertamente emocionantes. Aquella mirada suya le parecía irresistible—. Me infiltré para investigar a un contratista que aceptaba sobornos de fabricantes. Sus edificios tenían tendencia a desplomarse sobre la gente.

—¿Y tuviste un romance con su mujer?

—No —respondió, solemne—. No lo tuve. —Sus ojos empezaron a resplandecer—. Lo tuve con su hija, de veintidós años. Ella me enseñó un par de cosas. ¡Espera! Ese fue el caso en que me peleé con doce tipos a la vez y rescaté a la niña. Tenía doce años, creo. ¿O fue la vez que...?

Sara se echó a reír.

—Será mejor que te vayas. Dudo que puedan abrir el gimnasio si no estás.

—Acabarían haciéndolo. ¿Y qué planes tienes tú?

—Ah, nada, esto y aquello.

—No irás a pasarte el día pegada a la máquina de coser... Le pedí a Erica que buscara a otra persona para eso, que tú eres la jefa, no una esclava que se mata por un mísero sueldo.

—Gracias —dijo ella.

—Supongo que no te veré hasta la noche. —Al ver que Sara sonreía pero no decía nada, Mike salió del dormitorio.

Tan pronto como oyó que su coche se alejaba, Sara y Joce empezaron a intercambiarse mensajes de texto.

—¿Te importa que use tu cocina hoy?

—Solo si me dejas que te ayude.

—Puedes quedarte ahí sentada y pelar fruta. ¿Está Shamus?

—Sí. Le he dado fiesta del colegio. Ese chico me adora.

Diez minutos después, Sara ya estaba vestida e iba camino de la tienda de su madre.

Tan pronto como Mike salió del gimnasio, revisó el móvil. Tess le había telefoneado. Él le devolvió la llamada.

Como de costumbre, ella no se anduvo con rodeos.

—Si haces que Sara se enamore de ti y después la dejas por una de tus rubias tontas, no volveré a dirigirte la palabra en la vida. Te repudiaré total y absolutamente.

—No hay peligro de que ocurra eso —replicó Mike—. Sara no quiere tener nada que ver conmigo. Solo me acepta como amigo —se le hizo un nudo en la garganta—. Compartimos palomitas de maíz y vemos películas juntos. Me he insinuado muchas veces, pero parece que ella no está interesada.

Tess permaneció en silencio unos instantes, y cuando habló lo hizo en susurros.

—¿Me estás diciendo que Sara no te desea, que no te desea a ti, que has sido deseado por las mujeres desde que alcanzaste la pubertad?

—¿Te estás burlando de mí?

—Intento no hacerlo, pero no es fácil. ¿Entonces? ¿Cómo vas a impedir que se case con ese capullo?

—Supongo que tendré que atarla.

—¿Y después le harás cositas deliciosas?

—¿Qué ha sido del famoso apoyo mutuo del que siempre habláis las mujeres? Parece que quieras que espose a tu amiga.

—Sabes muy bien que lo que quiero es que te cases con Sara y que viváis felices en Merlin's Farm. ¿Con quién va a jugar mi hijo si no te das prisa con ella?

—Yo no participo en este caso para casarme. Creo que...

—Tengo que dejarte. Ha llegado Rams.

Veinte minutos después, Mike se encontraba ya en Nate's Field. Quería ayudar en el montaje de la feria, sí, pero también recabar más información. Aunque Sara le había dicho que le contaría todo lo que supiera, él no dejaba de descubrir nuevos datos.

Había algunas gradas en el gran recinto abierto, varios árboles, pero nada más. Cuando Nike se acercó, todos enmudecieron, y comprendió qué ocurría. Eran hombres, y estaban expectantes por ver si sabía siquiera sujetar un martillo. Seguro que la madre de Sara habría contado por ahí que sabía mucho sobre comida orgánica y cocina, cosas que había aprendido mientras estaba infiltrado investigando unos casos. En un par de ocasiones, había tenido que aprender durante meses antes de aceptar un encargo. Con los años, Mike se había dedicado bastante a la construcción, por lo que se sentía como en casa con un cinturón de herramientas puesto.

Tras un par de horas observándolo, los demás hombres se relajaron y empezaron a incluirlo en sus conversaciones. Pero Luke y él trabajaban muy bien juntos. Cada uno se colocaba en un extremo, situaban los remaches en su sitio y los clavaban.

—¿Has usado una de estas alguna vez? —le preguntó Luke, sujetando una clavadora eléctrica.

—¿En personas o sobre madera? —replicó él en voz baja, para que solo lo oyera él.

—Cuando termines con este caso quiero que me ayudes con mis novelas de misterio.

—Por cierto, mi capitán querría tener un ejemplar firmado de tu último libro.

—Será un placer —dijo Luke mientras agarraba una sierra de mano—. ¿Y estas? ¿Sabes usarlas?

—¿Quieres que te hable de la vez que me obligaron a fabricarme mi propio ataúd con herramientas manuales, sin electricidad?

—Estoy impaciente —respondió Luke, sincero.

—Estaban aburridos, así que, mientras esperaban, a ellos se les ocurrió que yo...

—¿Quiénes son «ellos»?

—Eso no puedo decírtelo, pero eran malos.

Luke asintió, y siguió escuchándolo mientras se guardaba el martillo en el cinto.

Hacia las diez de la mañana aparecieron tres jóvenes, corpulentos como luchadores profesionales.

—¿Quiénes son esos cachas? —Mike preguntó a Luke.

—Los hermanos Frazier. Y nuestros contrincantes en los juegos de la feria.

Mike los observaba, sopesando si podría con ellos en caso de pelea. Se dijo a sí mismo que aquello no ocurriría. Aun así, no podía evitar pensarlo: deformación profesional. A pesar de la envergadura y los músculos de los Frazier, se fijó en que no se movían deprisa. Aunque lo cierto era que en aquel momento no les hacía falta.

—Mañana tengo una cita con su hermana. Supongo que será mejor que me porte bien con ella.

—Ariel sabe cuidarse sola. —Mike lo miró, extrañado, y Luke sonrió—. No te preocupes. Ya viste que no es tan grande como sus cuatro hermanos.

—Ah, claro. No he de olvidar al joven Shamus. ¿Cómo le va?

—Está en casa, con mi mujer, sentado a una mesa de dibujo, creando imágenes de gitanos. No se las mostrará a nadie, para que Joce pueda dar el gran golpe.

—Bien —dijo Mike, sonriendo.

A las diez y media se concedieron una pausa, y Luke le presentó a su prima Kimberly Aldredge, que era una de las pocas mujeres encargadas del puesto de las bebidas. Tenía aproximadamente la edad de Sara, y era bastante guapa. Durante aquellos días, en más de una ocasión le habían sugerido que saliera con ella.

—Kim diseña joyas y las vende en la tienda de Sara, entre otros establecimientos. Ella fue la que diseñó el anillo de compromiso de Tess. —Por su tono de voz, se notaba que Luke se sentía orgulloso de ella. Transcurrido un momento, Luke se disculpó y se acercó a ver a un hombre al que quería pedir unas plantas.

—Todo el pueblo habla de ti —dijo Kim, alargando a Mike un vaso de papel con limonada.

—Pues qué mal —replicó él, apurando el vaso de un trago y entregándoselo para que se lo llenara de nuevo.

Kim se acercó más a él y bajó la voz.

193

—¿Puedo ser sincera contigo?

—Sí, sí, por favor.

—Todos adoramos a Sara, pero ella se ha alejado mucho de sus amigos y su familia. Greg y ella tienen tiempo para sus clientas, pero no para nosotros. Cuando se celebra algún picnic, alguna fiesta familiar, ella siempre está ocupada, o tiene que ir a algún sitio con Greg. Creo que no es consciente del daño que él le está haciendo. Y en el pueblo se rumorea que tú estás aquí para devolvérnosla.

—La verdad es que no estoy haciendo grandes progresos con ella —dijo él con modestia—. Cree en la fidelidad.

Kim lo observó en silencio durante unos instantes.

—Parece que te ha dado fuerte con ella.

—No, es que... —No supo qué decir.

Ella sonrió.

—Tranquilo, no le diré nada. Sara se merece que le pasen cosas buenas en su vida. Los últimos años han sido difíciles.

A las doce y media, Sara apareció con su madre y una camioneta llena de sándwiches y ensaladas. En el maletero había varias tartas caseras. Los hombres empezaron a dar palmaditas en el hombro a Mike, y a decirle «gracias, tío. Te debemos una».

—¿De qué va todo esto? —preguntó Mike.

—Sara llevaba mucho tiempo sin prepararlas. Cuando era adolescente, no había acto en el pueblo en el que no apareciera ella con sus... cosas de frutas. Lo que es capaz de hacer esa chica con una fruta es legendario. Pero no había preparado nada al horno desde...

—Déjame que lo adivine... Desde que llegó Anders.

—De hecho, dejó de hacerlo algo antes. Supongo que habrás oído lo de su primer novio. El declive, en la vida de Sara, empezó cuando él la dejó de una manera que todavía me indigna recordar. Yo habría querido ir a Inglaterra y partirle varios dientes de un puñetazo, pero Rams me disuadió. —Luke levantó la cabeza, y le gritó a un primo—: Ken, si te comes toda esa tarta de melocotón, te enseñaré para qué sirve en realidad una clavadora

194

eléctrica. Lo siento, tengo que irme —informó a Mike, y se alejó de su lado.

Mike vio entonces que Sara se encontraba junto a la camioneta, sujetando una bolsa de papel y una fuente con una tarta roja. No pudo evitar sonreír, pues parecía que hubiera salvado algo de almuerzo solo para él.

Aquella noche volvieron a cenar con Joce y Luke, y hablaron de la feria. Cuando regresaron a su apartamento, Sara bostezó varias veces.

—Lo siento —dijo—, pero llevo de pie todo el día, y estoy agotada.

—No tenía ni idea de que supieras preparar esas tartas. ¿Qué tenía aquella de albaricoque?

—He usado Moscato d'Asti para el sabayón —respondió ella, volviendo la cabeza, camino del dormitorio—. Nos vemos mañana.

Mike permaneció unos instantes inmóvil, parpadeando. Había usado un vino dulce italiano para elaborar una salsa cremosa. Desde que la conocía, había tenido la impresión de que Sara no sabía gran cosa de cocina. Sí, era cierto, Tess le había enviado un pan de manzana confeccionado por ella, pero él había supuesto que aquello fuera tal vez lo único que sabía preparar. Y no. Por lo que había visto y había probado a lo largo del día, Sara habría podido hacer sombra al chef de repostería del hotel de cinco estrellas en el que había trabajado como infiltrado.

Cuanto más sabía de ella, más le gustaba.

16

Mike pasó el sábado en un campo de golf de Williamsburg con el padre de Sara, un médico retirado tan tranquilo como hiperactiva era su mujer. Cuando hablaba de Sara, lo hacía con gran amor, y Mike se sintió observado por él en varias ocasiones.

Iba en contra de la naturaleza de Mike participar en competiciones deportivas, pero no quería que el hombre se sintiera mal. En el primer *tee*, no puso el menor empeño, y la bola quedó lejos del hoyo.

El doctor Henry Shaw miró a Mike, sopesándolo.

—Cuanto peor puntúes, mejor hablaré de ti a mi hija.

Mike lo miró un momento, murmuró «otro celestino», y alcanzó el hoyo en un solo tiro.

Cuando regresaron al club, cinco o seis hombres le pidieron que jugara con ellos.

—Lo que estos tipos necesitan es apuntarse a clases —murmuró el señor Shaw, y le dio una palmadita en el hombro.

—¿Y entonces nuestro trato qué?

—Lo habría hecho de todos modos. Luke me ha comentado que eres un atleta nato, y quería ver si era cierto.

—Ahora veo de dónde ha sacado Sara su talento para conspirar.

El señor Shaw soltó una risotada que le salió del alma.

—Eso no se lo digas a su madre. Ellie está convencida de que Sara es «la débil» de la familia.

Los dos almorzaron juntos, y el señor Shaw presentó a Mike en todo momento como «el amigo de Sara». Nadie le comentó que la fecha de su boda, con otro hombre, ya quedaba cerca.

Aquella noche Mike tenía su cita con Ariel Frazier.

—Si quieres, la cancelo —le dijo a Sara cuando regresó al apartamento.

—¿Y por qué habría de quererlo? Ariel es una chica inteligente, viajada y guapa. Estoy segura de que te lo pasarás muy bien con ella.

Era, claro está, algo absurdo, pero a Mike le decepcionó que a Sara no le importara que tuviera una cita con otra mujer. Durante aquellos últimos días, habían llegado a... vivir casi juntos, podría decirse. Compartían casi todas las comidas, iban juntos casi a todas partes, y la gente, en Edilean, parecía considerarlos pareja.

—¿Estás segura? —insistió Mike.

—Vete. Y pásalo bien. Yo iré a ver qué hace Joce. Luke me ha dicho que se pondría a escribir, o sea que estará sola.

—Si estás segura de que no te importa...

—¡Vete! Y disfruta.

Tan pronto como Mike salió por la puerta, Sara le envió un mensaje de texto a Joce.

¿Te he comentado alguna vez que odio a Ariel Frazier?

Jocelyn le respondió:

A Mike no le gustará. Ven a verme y hablamos.

Cuando Sara se desconectó del servicio de mensajería, intentó acordarse del rostro de Greg. Y lo logró, aunque no pudo reproducir la imagen con nitidez en su mente. No poseía ninguna foto que se lo recordara. Una de las anteriores novias de Greg había sido fotógrafa profesional, y él le había contado que se había portado tan mal con él que desde que lo dejaron no había querido que nadie más le tomara ninguna fotografía. Ahora, al pensar en aquella historia, Sara se preguntó si sería cierta.

En los últimos días, no solo el rostro de Greg se le había borrado de la mente, sino también... no sabía cómo expresarlo... su esencia. Solo parecía capaz de acordarse de todo el trabajo que le daba, y de que muchas veces la hacía sentirse confusa y torpe.

¿Dónde estaría? ¿Y qué estaría haciendo? Todavía le enviaba mensajes de vez en cuando, pero en ellos ya no transmitía la impaciencia de los primeros.

Sabía que era por culpa de Mike —una persona de trato fácil, con el que la convivencia no costaba lo más mínimo. Cuando no estaban juntos, como esa noche, lo echaba de menos.

No se atrevía a pensarlo, pero lo cierto era que no le sucedía lo mismo con Greg.

Sara salió del apartamento y fue a ver a Joce, para hablar del hombre que se había apoderado de su vida.

Desde que Mike había visto a Ariel Frazier en su coche, frente a Edilean Manor, supo que no le interesaba. Sus pendientes de brillantes, y sus tres pulseras de oro le habían recordado demasiado a otras mujeres de su pasado. Además, en aquel primer intercambio de miradas había reconocido su agresividad, y una suficiencia excesiva.

Ahora la encontró sentada en la barra de lo que, en Edilean, pasaba por un club de campo. Llevaba vaqueros negros, un top verde y unos zapatos de tacón que seguramente le habrían costado lo que él cobraba en un mes. Cuando Mike llegó, había al menos cuatro hombres observándola e intentando decidir cuál era el mejor momento para abordarla.

En otras circunstancias, es decir, antes de conocer a Sara, a Mike le habría gustado ver que una mujer como ella estaba esperándolo. Pero ahora le pareció que se veía estrafalaria y excesivamente maquillada.

Al mirarle a los ojos, vio que ella parecía divertirse y saber lo que él estaba pensando. Se plantó a su lado, se acodó en la barra, e hizo que dos de los hombres que la repasaban de arriba abajo se largaran de allí al momento. Solo entonces se volvió para verla. Era, ciertamente, una mujer guapísima. Como no había necesidad de presentaciones, no las hubo.

Cuando el jefe de sala les comunicó que su mesa ya estaba lista, Mike dio un paso atrás para permitir que Ariel lo precediera. Se sentaron, y ella no abrió siquiera la carta.

—Yo tomaré el ceviche de primero, y después, trucha.

—Lo mismo para mí —dijo Mike.

Tan pronto como se quedaron solos, Ariel soltó:

—Has caído bajo el hechizo de Sara, ¿verdad?

—No sé bien qué significa eso, pero sí, me gusta.

El camarero sirvió un poco de vino blanco en la copa de Mike. Después de probarlo y dar su conformidad, pasó a servírselo a Ariel.

Volvían a estar solos.

—¿De modo que estás a punto de ser doctora? —le preguntó Mike.

—No sé por qué, pero tengo la sensación de que no te interesa lo que hago. Diría que has aceptado salir conmigo para averiguar más cosas sobre Sara. ¿Me equivoco?

No se equivocaba. Mike quería que le contara cosas sobre ella, pero no dijo nada. La experiencia le había enseñado que la gente tendía a rellenar por sí sola los silencios.

—En el pueblo, todo el mundo sabe lo que estás haciendo —prosiguió Ariel, antes de hacer una pausa para dar un sorbo al vino—. Intentas alejar a Sara de su prometido.

Él logró ocultar el alivio que sentía: por un momento le pareció que ella, y tal vez el pueblo entero, estaba al corriente del caso.

—¿Te ha contado Sara que en el colegio éramos rivales? —No esperó respuesta—. Ella siempre estaba rodeada de niños que le pedían que saliera con ellos, que querían estudiar con ella, lo que fuera, pero ella no dejaba que se acercaran. A ellos les desesperaba. En cuanto a mí, las preguntas siempre eran las mismas:

«¿Quieres jugar a béisbol?» o «Ariel, levanta el otro extremo de la mesa de picnic y ayúdame a llevarla».

»No veía el momento de largarme de este pueblo, de alejarme de mi padre sobreprotector, y de mis hermanos. Quería ir a algún sitio donde los hombres me vieran como a una mujer, y no como a "uno de los Frazier".

Mike experimentó una especie de *déjà vu*, como si reviviera uno de sus casos. Ariel lo tenía todo a su favor, pero seguía quejándose por lo que había vivido en el instituto.

—No funciona, ¿verdad?

—¿El qué?

—Mi intento de dar lástima.

—Pues no, en absoluto.

—Está bien —se rindió ella, metiendo la mano en la cesta del pan—. Si no puedo impresionarte, entonces tendremos que ser amigos. Y eso significa que no tengo por qué hacerme la damisela desvalida. ¿Y si nos ponemos mantequilla en el pan?

—Buena idea —dijo Mike sin tener que esforzarse por mostrar una sonrisa.

—¿Y qué es lo que quieres saber sobre la pequeña Sara?

Mike la miró como diciéndole: «no vayas por ahí», y ella se echó a reír.

—Háblame de su primer novio —le pidió Mike mientras les servían el primer plato—. Brian no-sé-qué.

—Yo no llegué a conocerlo. —Ariel dio un bocado a un pedazo de pan con mucha mantequilla.

—No sé por qué, pero diría que recuerdas todas y cada una de las palabras que has oído pronunciar sobre Sara a lo largo de tu vida. ¿Me equivoco?

Ariel sonrió.

—Me has pillado. Se llama Brian Tolworthy, y es arqueólogo. Como en un cuento de hadas, Sara se fue a Williamsburg y regresó a casa con un inglés guapísimo que, además, cómo no, iba a heredar una gran mansión con su correspondiente fortuna. Sara se habría convertido en lady Tolworthy. Recuerdo el apellido porque cuando volví a casa por Navidad, mi madre no hablaba de otra cosa. Yo estaba a punto de entrar en la Facultad de Medicina, pero lo que ella quería era que yo me casara y tuviera niños, que era lo que estaba a punto de hacer la pequeña Sara, la perfecta Sara. Lo siento. Sara Shaw es una piedra en mi zapato.

—¿Y por qué no llegó a casarse con él?

—En el pueblo se dice que Tess y Luke han conspirado para juntaros a Sara y a ti. ¿Es cierto?

—En el pueblo se habla mucho. ¿Por qué Sara no se casó con aquel inglés?

Ariel se puso más seria.

—Yo no estaba aquí, pero mi madre me escribió para contarme que, al parecer, él recibió una llamada telefónica en plena noche. Alguien le dijo que sus padres habían muerto en un accidente de coche. Sara lo llevó al aeropuerto y... —Ariel se encogió de hombros—. Me dijeron que ya no volvió a verlo más. Un par de meses después, mi madre volvió a escribirme y me contó que Brian iba a casarse con su novia de la infancia, en Inglaterra. —Miró a Mike—. Si vives con Sara, ¿por qué no le preguntas tú mismo todas estas cosas?

Mike era experto en pasar por alto las preguntas que no le interesaba responder.

—¿Y qué ocurrió entonces?

—¿Qué les ocurre a todas las princesas Saras del mundo? Que enseguida apareció otro hombre.

—Anders.

—Exacto. Greg Anders. —Ariel sonrió fugazmente—. ¿Lo conoces?

—No lo he visto nunca, pero he oído hablar mucho de él.

—Le gusta causar problemas. —Su sonrisa se afianzó, y llegó a escapársele una risita.

—Se diría que lo conoces.

—Todas las mujeres un poco guapas de este pueblo —al menos las que no van a ir con el cuento a Sara— han tenido un encuentro con él. Mi hermano Colin me dijo que Sara no debía de haber recibido gran cosa en la cama de él, en estos últimos meses, porque se pasaba el día abordando a Erica en la tienda, y a otras dos clientas. Al parecer, le gustan las maduritas.

Mike pensó en lo que había leído en los informes. El matrimonio de Stefan había sido uno de aquellos asuntos de conveniencia tan frecuentes en su familia. Cuando tenía dieciséis años, lo casaron con una viuda de treinta y cuatro. En la actualidad, el hijo de Stefan ya había cumplido los dieciocho, y su hija, los diecisiete; por si fuera poco tenía un hijastro que había nacido el mismo año que él. Sin embargo, a pesar de la diferencia de edad, el matrimonio había funcionado. Todo el mundo sabía que Stefan quería de verdad a su mujer, que era solo un año menor que su madre, aunque ello no implicaba que le hubiera sido fiel. Y, en efecto, la documentación demostraba que, en sus aventuras extraconyugales, prefería a las mujeres mayores que él.

Ariel bajó la mirada y, durante unos instantes, la mantuvo fija en el plato.

—No sé cómo te sonará todo esto a ti, pero la verdad es que todas esas rivalidades de patio de colegio no se borran fácilmente. En el instituto tenía que hacer grandes esfuerzos para que los otros niños no me excluyeran. Me apunté al grupo de *cheerleaders*, y ayudaba a confeccionar el anuario de nuestra promoción. Hacía de todo. ¿Pero sabes a quién escogieron como chica más popular? A Sara, que no creo que se apuntara jamás a una sola actividad extraescolar. —Permaneció un momento en silencio—. ¿Entonces? ¿Piensas arrancarla de las garras de Anders para llevártela a...? ¿Dónde es que vives?

—En el sur de Florida.

—¿Y os instalaréis en un bloque de apartamentos frente al mar, y tendréis que enfrentaros a huracanes todos los veranos?

—Los únicos que se preocupan por los huracanes son los que no viven allí.

—Esa ha sido una manera muy hábil de no responder.

—Es la mejor respuesta que tengo. ¿Nos vamos ya o quieres algo más?

—¿Tanta prisa tienes por regresar junto a Sara?

Mike habría querido contestar con alguna vaguedad, pero la verdad afloró a pesar de sí mismo.

—Sí.

—La envidio.

Mike pagó y abandonaron el restaurante. Ayudó a Ariel a entrar su coche, y llamó a Tess para pedirle que averiguara todo lo que pudiera sobre Brian Tolworthy, de Inglaterra.

—¿Puedo enviarle un correo electrónico insultante?

—¿Tú lo conociste?

—Claro. Todos creíamos que iba a casarse con Sara, pero la dejó de una manera indigna. Estuve a punto de ir a Inglaterra y darle una patada o, mejor aún, de enviarte a ti para que le dieras una paliza. Te escribí para contártelo.

—¿De veras? No me acuerdo de todas las historias sobre chicas abandonadas que me cuentas. Pero, ahora, ¿podrías averiguar todo lo que sepas de él? Pídele al capitán que me envíe todos los datos de que disponga, y que se ponga en contacto con la policía inglesa. Pídele que envíen a alguien a Inglaterra a hablar con Tolworthy, y que grabe la conversación. Quiero oír la versión de ese capullo sobre lo que le hizo a Sara.

Tess permaneció unos instantes en silencio.

—Tú crees que Greg tuvo algo que ver en todo eso, ¿verdad? Te lo noto en la voz. ¿Crees que es posible que amenazara a Brian para conseguir que se largara? Sé que Greg apareció por el pueblo poco después de que se fuera Brian, y que todos pensamos que Sara empezó a salir con él por despecho. Parecía querer demostrarnos a todos, y a sí misma, que era capaz de salir con un hombre, de mantenerlo a su lado.

—¿Y por qué no me habías explicado todo esto?

—¡Pero si te lo expliqué! ¡Te lo expliqué todo, palabra por palabra!

—Sí, quizá me lo explicaste, pero yo lo olvidé —admitió él sin perder la calma—. Averígualo todo. Hazlo por mí, ¿quieres?

Tess se serenó.

—¿Cómo va lo de las cartas del tarot?

—Yo no las he visto. ¿Puedes propagar el rumor por el pueblo de que Joce va a leer la fortuna usando una baraja de cartas del tarot muy raras?

—Sí, claro. Será fácil. Solo tengo que llamar a una persona. A las tres horas, todo el pueblo lo sabrá. Mike, Joce no va a correr ningún peligro, ¿verdad?

—No, pero espero que desaparezca un par de barajas de cartas. Estamos construyendo una cortina que puede correrse, para que Joce pueda mirar hacia otro lado cuando aparezcan clientes de la edad que nos interesa. Si Mitzi se pasa por ahí, esperamos que robe una baraja cerrada. Y uno de los primos de Luke está instalando una cámara, para poder grabar todo lo que ocurra en la carpa.

—¿Cuál?

—Las cámaras son de...

—¡No, idiota! ¿Qué primo instala la cámara?

—¿Y cómo diablos voy a saberlo? Si todo el mundo que conozco es primo, o tía, o lo que sea, de Sara?

—¿Y qué te ha parecido Ariel? Demasiado guapa, ¿no?

Su hermana no lo engañaba: sabía exactamente qué quería saber.

—Es feísima comparada contigo.

—¿En serio?

—Buenas noches, hermanita.

—Buenos días, hermanote.

Cuando Mike llegó al apartamento, se alegró al comprobar que Sara ya estaba acostada. Había vuelto a traerse unos informes del coche para repasarlos, por si algo le había pasado por alto.

Horas después, Mike cerró las carpetas y las guardó debajo del colchón. Por más veces que hubiera leído lo que había hecho Mitzi, nunca dejaba de sorprenderle. Que aquellos delitos pudieran haber pasado desapercibidos, y haber quedado impunes durante tanto tiempo —generaciones enteras—, era algo que le repugnaba.

Eran las seis de la mañana cuando apagó la luz. A pesar de lo mucho que había averiguado, seguía sin saber por qué los Vandlo querían algo de Sara.

17

El domingo por la mañana, Sara informó a Mike, a través de la puerta cerrada de su dormitorio, que tenía que levantarse de la cama y vestirse para ir a la iglesia.

—Déjame en paz —replicó él con voz cavernosa, como si tuviera una almohada puesta sobre la cara.

—No pienso salir de casa sin ti. Te levantas todos los días antes del amanecer para ir al gimnasio. Hoy son más de las nueve, o sea que sal de esa cama y ven a la iglesia. —Esperó un poco, pero no oyó nada. En silencio, hizo girar el tirador y entró. Estaba tan oscuro que supuso que Tess tendría colgadas unas cortinas de forro grueso. ¿Tal vez anticipándose a la llegada de su hermano?, se preguntó.

De puntillas, se acercó a la ventana, descorrió las cortinas, y al momento la luz del sol iluminó la habitación. Se volvió al oír refunfuñar a Mike. Lo único que veía de él era un brazo desnudo que sostenía la almohada sobre su cabeza.

—Levántate, dormilón. Es hora de irse.

—Edilean...

Sara no entendía lo que decía, e intentó levantar el cojín por un pico. Pero Mike se lo impidió y tiró de él.

—¿Has pronunciado una palabrota en el Día del Señor?

Mike volvió la cabeza sin soltar la almohada.

—¡Michael Newman! —exclamó Sara con los brazos en jarras—. ¡Tienes que levantarte de la cama ahora mismo! No pienso ir a la iglesia sola. Todos me acribillarán a preguntas sobre ti. Así que ya puedes... ¡Aaah! —gritó cuando la mano de Mike se asomó bajo la sábana y tiró de ella, haciéndole perder el equilibrio. Cayó hacia delante, con las manos separadas. Cuando se posaron sobre la cama, Mike se las apartó para que se diera de bruces contra el colchón, mientras todavía tenía los pies en el suelo.

—Bien. Callada... —masculló, más parecido a Tarzán que nunca.

Sara se incorporó al momento.

—Con la fuerza bruta no vas a llegar a ninguna parte. Te digo que te levantes, y te lo digo en serio. —Levantó la colcha y tiró de ella. Mike no movió ni un músculo, lo que era raro, pues, al parecer, dormía desnudo.

Durante unos instantes, Sara permaneció allí de pie, observándolo, con los ojos muy abiertos. «En ese caso, entiendo que está vestido», le había dicho Tess aquella primera noche. Ahora entendía el porqué de aquel comentario.

Mike tenía un cuerpo espléndido. Podría haber posado como modelo para una escultura de atleta griego. Sus hombros, anchos, se combinaban con una cintura estrecha, e incluso estando, como estaba, absolutamente inmóvil, se le marcaban los músculos de la espalda. En ella había montículos y valles que le habría encantado acariciar.

Por debajo de la cintura, las nalgas redondeadas y firmes se recortaban perfectamente sobre unas piernas que se curvaban hasta alcanzar la parte trasera de las rodillas.

—Frío... —musitó él.

—¿Qué? —preguntó ella con voz aguda.

—Que tengo frío. Si ya ha terminado de examinarme, doctora, tápeme otra vez.

Sara tragó saliva y respiró hondo. Que Dios la perdonara, pero lo que deseaba en ese momento era saltarse la iglesia, olvidarse de su promesa de matrimonio y meterse en la cama con ese Adonis.

Pero no. Haciendo un gran esfuerzo, consiguió dominarse.

—¡Examinarte! ¡Ja, ja! He visto a los hermanos Frazier totalmente desnudos, y tú no les llegas ni a la suela del zapato. —Se fue hasta el armario para sacar de él su único traje, sin añadir que cuando los había visto iban a preescolar, y que ella misma era poco más que un bebé—. Si dejas de exhibirte, tienes veinte minutos para afeitarte y vestirte.

Oyó un rumor tras ella, y se negó a mirar, porque sabía que Mike acababa de darse la vuelta. Ya había resistido la tentación una vez, y no se creía capaz de resistirla de nuevo. Además, no sabía si se habría cubierto la entrepierna con las sábanas.

—Treinta minutos —repitió mientras salía del dormitorio y cerraba la puerta.

Segundos después, Sara salió por la puerta trasera en dirección a su apartamento. Ya estaba vestida para ir a la iglesia, pero una vez allí se quitó toda la ropa y la dejó tirada en el suelo. Le alegró constatar que Luke había instalado un lavabo nuevo, aunque ese no era el motivo de su incursión. Sin pensarlo, se metió en la ducha y encendió el agua fría a máxima presión. De haber tenido tiempo, habría llenado la bañera con cubitos de hielo y se habría sumergido en ella.

Dejó correr el agua todo lo que su conciencia ecológica le permitía, y, finalmente, la apagó. Tenía la piel de gallina, pero ni así lograba apartar aquella imagen de su mente. Mike desnudo, boca abajo en la cama. Sus brazos musculosos, sus piernas, ¡su espalda! Los valles que formaban los músculos de su espalda eran tan profundos que en ellos habrían podido plantarse semillas.

Sara seguía de pie, sin moverse, chorreando, y se cubrió el rostro con las manos. No quería ser una más de las mujeres a las que Mike se llevaba a la cama para ganar un caso. No quería...

—Pues claro que quiero... —murmuró, envolviéndose con la toalla.

Se miró en el espejo las mejillas coloradas, los labios casi morados de frío. Solo se había acostado con dos hombres en su vida. Mientras estaba en el instituto, se había «reservado» para el amor, y, a los diez minutos de conocer a Brian, supo que iban a casarse. No tenía la menor idea de sus orígenes aristocráticos, ni del dinero y las propiedades que heredaría. Solo sabía que era perfecto para ella.

Pero él la había abandonado, y Greg había ocupado su lugar. Greg era todo lo distinto que se podía ser de Brian. Su novio inglés era amable y dulce, y le encantaba dejarse hacer, y que fuera Sara la que organizara sus vidas. A él le interesaba la arqueología, y ella le facilitaba el estudio, la escritura. Se ocupaba de su comida, de su ropa, de su vida social. El día que conoció a sus padres, se dio cuenta de que eran iguales que Brian y ella. Su madre se encargaba de todo, mientras que el padre de Brian seguía trabajando en un libro que llevaba veintitrés años terminando.

Para Sara, Brian y ella estaban hechos la una para el otro, pero cuando recibió aquella carta en la que le decía «lo siento, pero me caso con otra», fue como si le destruyeran sus cimientos. En una sola carta mecanografiada, el futuro del que tan convencida estaba había quedado destruido. Durante semanas, le costaba ver con claridad: de no haber sido por su madre, que la obligó a ir a la tienda a ayudarla, se habría quedado en la cama todo el día, llorando.

Cuando empezaba a recomponer las piezas de su vida, cuando empezaba a fingir que nunca había estado enamorada, que no le habían destrozado el corazón, Joce llegó al pueblo. Y poco después le presentaron a Greg. Que fuera tan distinto a Brian le gustó. Tal vez, si en vez de llevar ella la voz cantante, se dejaba llevar por un hombre, las cosas funcionarían mejor. A veces se alegraba de que a la gente de Edilean le cayera mal. Aquello les compensaba por las miradas de lástima que le habían dedicado cuando Brian la había abandonado de aquella manera tan fría. «Lo había dejado todo —oyó en una ocasión que comentaban dos mujeres en una tienda—. Renunció incluso a su carrera profesional por ese joven, y él la dejó tirada.»

Sara sacó un vestido del armario y se dio cuenta de lo bien que se sentía estando en su propia casa. Descolgó también otro vestido muy bien planchado, de plumeti —su madre decía: «Sara, eres la única mujer en el mundo que todavía usa esa tela»—, y se lo puso.

Tras respirar hondo dos veces para armarse de valor, salió al jardín. Mike, que llevaba traje y corbata y, maravilla de las maravillas, iba impecablemente rasurado, estaba sentado a la mesa de hierro forjado, y leía el periódico del domingo mientras se tomaba un café.

—¿Dónde estabas? —le preguntó al verla—. Seguro que la misa ya se ha terminado.

—La misa no empieza hasta que llego yo. Está en los estatutos.

Mike ahogó una risa, dobló el periódico y lo dejó sobre la mesa.

—¿Por qué te has cambiado de ropa?

—Tenías una almohada en la cara. ¿Cómo has visto lo que llevaba?

—Lo he visto todo. —Sonrió, y al hacerlo se le formó el hoyuelo de la mejilla.

Sara se negaba a contarle que verle desnudo la había afectado. Le sostuvo la mirada.

—¿En mi coche o en el tuyo?

Mike ahogó una carcajada, y juntos se dirigieron al de él. Cuando llegaron, le abrió la puerta.

—Me gusta lo que te has puesto.

Ella se sentó en el asiento de cuero color crema.

—A mí también me gusta tu traje.

—Con tal de que lleve algo, ¿verdad?

—De las dos maneras, me da igual. —Miró por la ventanilla para ocultar el sofoco. ¿Las mentiras que se decían en domingo eran peores que las demás?

Cuando llegaron a la iglesia baptista de Edilean, la gente se abalanzó sobre ellos. Los pocos que no conocían aún a Mike se morían de ganas de conversar con él. Cuando Sara estaba a punto de ser arrastrada por aquella marea humana, Mike se acercó a ella y la cogió de la mano. Al verlo, cinco mujeres ahogaron unos grititos al unísono, escandalizadas. Dentro de muy poco, Sara iba a casarse en esa misma iglesia, pero no con el hombre que tenía los dedos entrelazados a los suyos.

Ella sabía que debía soltarse, pero no lo hacía. La piel de Mike estaba tibia, y le daba seguridad. Además, aquella mano estaba unida a aquel cuerpo. Una vez más, las imágenes de ese cuerpo, desnudo sobre la cama, bañado por la luz del sol que entraba por la ventana, inundaron su mente.

Como si pudiera leerle los pensamientos, Mike apartó un momento los ojos de su tío James y los posó en los suyos. Sara sintió que una oleada de deseo la recorría de arriba abajo, y para sus adentros rezó una oración de arrepentimiento. No debía pensar aquellas cosas en la iglesia.

Mike y Sara se sentaron juntos, y a ella le gustó comprobar que él se sabía todas las letras de los cantos. Cuando empezaba el sermón, ella lo miró, extrañada.

—De niño no me perdía una misa —le susurró—. Mis abuelos no me dejaban.

Sonriendo, Sara se concentró en las palabras del pastor.

18

Tras una tarde ociosa con Sara, a Mike le pareció que la jornada no podía terminar mejor cuando sonó su teléfono y en la pantalla vio que era Tess. Salió al jardín y se situó bajo el gran árbol de sombra para atender la llamada. Esperaba que su hermana hubiera averiguado algo sobre Brian Tolworthy.

—Hola, hermanita —dijo Mike—. ¿Le has contado ya a tu marido lo del niño?

—No, no lo ha hecho. —El que hablaba era Ramsey, y por su tono de voz, parecía que había ocurrido algo espantoso.

Al instante, el temor se apoderó de Mike de tal manera que las piernas le flaquearon y tuvo que sentarse en una de las sillas de hierro colado.

—¿Es muy grave? ¿Está viva?

—Tess está bien. Está sedada, pero está bien.

—¿Y el bebé?

—El bebé está bien. Ella todavía no me ha contado nada, pero he pasado tanto tiempo con mi hermana, que se pasa la vida embarazada, que no me ha pasado por alto por qué Tess estaba tan cansada. Ese no es el problema. El problema es Sara.

—Pero si está aquí conmigo. ¿Y cómo ibas a saber tú si...?

—Yo no —dijo Rams, interrumpiéndolo—. Tess se ha acordado de que conservaba el número de Brian guardado en la memoria de su teléfono, y lo ha llamado a su casa de Inglaterra.

—¿Ah, sí? ¿Y cómo le va al muy cabrón?

—Está muerto. Aunque sus padres sí que están vivitos y coleando.

Mike sintió que su temor por la seguridad de las dos mujeres de su vida se esfumaba, y volvió a mostrarse profesional.

—Cuéntame.

Parece que la llamada que recibió Brian, en la que le informaban de la muerte de sus padres, era falsa. Cuando volvió a Inglaterra, el coche que alquiló en el aeropuerto, y que había de llevarlo a su casa, fue arrollado por un tren. Estaba detenido en la vía, sin luces. Tolworthy falleció en el acto. Sus padres intentaron llamar a Sara varias veces para contarle lo ocurrido, pero ella no respondía. Supusieron que Brian había decidido regresar a casa de manera tan precipitada, y sin avisar, porque Sara y él habían roto, y que ella no quería saber nada de él. Desde entonces le echan la culpa a ella de que su hijo estuviera tan alterado que, probablemente, causara el accidente.

Ramsey hizo una pausa, pero Mike no dijo nada.

—¿Sigues ahí?

—Sí. ¿Y Tess se ha tomado muy mal la noticia?

—Muy mal. Está asustada por Sara y por ti. Sea quien sea el que ha planeado esto, lo ha hecho por dinero, y sin duda se ha tomado mucho tiempo para planificarlo todo.

—Yo me ocupo de ello.

—¿Podrás conseguir mantener a Sara alejada del caso?

—No. Aunque me la llevara a la otra punta del mundo, ellos la seguirían.

—¿Y no podrías esconderla?

—¿Durante el resto de su vida? —preguntó Mike, molesto—. Si quieres ayudarla debes descubrir qué es lo que tiene Sara que hace que esa gente esté dispuesta a matarla por conseguirlo.

—Greg...

—Si ella se casa con él, y muere, heredará lo que tenga. Tengo que dejarte. Viene Sara. Envíale un fax a Luke con lo que tengas, y piensa, piensa mucho. Y cuida de Tess.

—Lo haré. Ella... —Rams no dijo nada más, porque Mike acababa de colgar.

—¡Vaya! —dijo Sara al verlo sentado en la silla de hierro—. No tienes buena cara. ¿Tess está bien? ¿El bebé...? —Se temió lo peor al ver cómo lo miraba, y se sentó frente a él—. ¿Qué ha ocurrido?

—Nada —consiguió decir él, mientras estudiaba la expresión de su rostro. No le cabía duda de que los Vandlo habían asesinado al hombre con el que Sara iba a casarse. Poco después, Stefan había aparecido en el pueblo y, como le había comentado el capitán Erickson, Vandlo había recurrido a sus «maneras de hombre de gran ciudad» para seducir a una mujer a la que acababan de romper el corazón. «No le habría resultado difícil», pensó Mike. Sara seguía sin tener ni idea de por qué el hombre al que amaba la había abandonado, y Mike había visto ya lo bastante de Edilean como para saber que la lástima que sentían todos por ella habría bastado para desesperarla. Los Vandlo se especializaban en personas, sobre todo en mujeres, que sufrían.

—Mike... —dijo Sara en voz baja—, empiezas a asustarme.

Él intentaba pensar a toda velocidad. Solo había una manera de proteger a Sara: apartando los focos de ella, y poniéndolos sobre él.

—¿Hay alcalde en Edilean?

—Sí, pero ¿qué tiene eso que v...?

—¿Y quién es?

—De hecho, es mi madre. Ella.

—Mike se puso en pie.

—Sara... yo... —No sabía qué decir—. Tienes que confiar en mí. ¿Lo entiendes?

—Claro. Eres hermano de Tess y...

—¡No! ¡En mí! Tienes que saber que actúo pensando en tu bien, en la protección de tus intereses.

—Ahora sí que tengo miedo. Por favor, cuéntame qué es eso que te ha afectado tanto.

—Ahora no puedo. Te lo contaré todo muy pronto.

Se dirigió a toda prisa a su coche, pero a medio camino se detuvo y se dio la vuelta. Sara estaba de pie junto a la mesa y lo observaba perpleja, con el temor dibujado en los ojos.

Él volvió junto a ella, la estrechó en sus brazos y la besó. Fue un beso breve, duro, y por un momento la abrazó con tanta fuerza que ella se quedó casi sin respiración. Le rodeó la cara con las dos manos, y apoyó la nariz en la suya.

—Confía en mí —le susurró—. Debes confiarme tu vida.

Se separó un poco de ella, y sonrió.

—Y ponte algo bonito —dijo, antes de montarse en el coche y alejarse a toda velocidad.

A Sara no le sorprendió que, cuando todavía no había transcurrido un minuto, le sonara el teléfono. Era Joce.

—¿Qué diablos ha sido todo eso? Os he visto por la ventana. Creía que no erais... ya sabes

—No lo somos. No hemos... —respondió Sara—. No tengo ni idea de qué está pasando.

—¿Quieres venir a casa y hablamos?

—Sí, claro, aunque... No —se desdijo—. Creo que voy a irme a casa a darme un buen baño, y me lavaré el pelo con ese champú y me pondré ese acondicionador tan caro que me regalaste por mi cumpleaños.

—Ahora sí que estoy intrigada. ¿Qué te ha dicho Mike que te ha causado esa reacción?

—No es lo que me ha dicho, sino cómo me lo ha dicho. Tengo que dejarte.

—Mantenme informada —dijo Joce, y colgó.

Cuatro horas después, cuando Mike regresó, Sara estaba limpia y fresca. Se había puesto un vestido blanco calado y, nerviosa, hojeaba una revista que ya había leído.

—¿Sara...? —La llamó Mike, y a ella le dio un placentero vuelco el corazón. «¿Cuándo ha empezado a ocurrirme esto? —se preguntó—. Aquí, aquí dentro», se dijo.

Mike entró y estuvo a punto de tropezar con la silla que quedaba frente al sofá en el que ella estaba sentada. Al verlo, a

Sara le pareció que había envejecido diez años de golpe. Hizo ademán de ponerse en pie, pero él le dijo:

—Tengo que contarte algunas cosas.

—Lo sé. Pero antes voy a buscarte algo de beber. —Sabía que, al ejercitarse tanto, Mike bebía el doble de líquido de la gente corriente—. Para que recuperes lo que has perdido sudando —añadió.

Él la miró con expresión de agradecimiento, y un instante después ella regresó con una bandeja que ya le tenía preparada. Sobre ella había un vaso grande de té helado con arándanos, y un pedazo de tarta de frambuesas que había horneado el día anterior. Mike se bebió el vaso de un tirón, pero la tarta ni la probó.

—¿Tan malo es? —le preguntó ella, sentándose de nuevo en el sofá, frente a él.

—Supongo que depende de cómo lo veas. Tengo... Hay algunas cosas horribles que debo contarte.

Sara se llevó la mano al cuello.

—Alguien se ha hecho daño.

—No. Al menos, no recientemente.

Suspirando de alivio, Sara se apoyó en el respaldo.

—Tienes algo que contarme sobre Greg, ¿verdad?

—Sí.

—No te preocupes. Ya he decidido que quiero suspender la boda.

—¿Y cuándo lo has decidido?

Habría querido decir «ahora mismo», pero no lo hizo, y se limitó a encogerse de hombros.

—Cuando me di cuenta de que en realidad esperaba que no volviera nunca, supe que no podía seguir adelante con todo esto. Mi vida es mucho más agradable cuando él no está aquí. —Sara confiaba en que Mike se alegrara de oírlo, pero su rostro no abandonó el gesto de preocupación—. Puedes contármelo. Sea lo que sea, lo asumiré.

A Mike le habría gustado disponer de tiempo para decírselo todo más despacio, pero la urgencia empezaba a apoderarse de la situación. Aspiró hondo.

—Brian Tolworthy no se casó con otra. Murió inmediatamente después de regresar a Inglaterra.

Durante las horas que llevaba esperando el regreso de Mike, Sara había imaginado muchas cosas, pero no aquella.

—¿Brian está muerto? —susurró—. Pero si eran sus padres...

—No, ellos están vivos. Y les extrañó que nunca respondieras a sus intentos de ponerse en contacto contigo para contarte lo que le había sucedido a su hijo.

No se le ocurrió otra manera más suave de exponérselo.

—Pero es que yo no recibí nada, ni una llamada, ¡nada! Y llamé a Brian cien veces, pero él no me respondía.

Mike no dijo nada, y Sara suspiró.

—Hay algo más, ¿verdad?

—No creemos que su muerte fuera accidental.

—¿No fue un accidente? Fue un suicidio, ¿verdad? —La mirada de Mike le dio la respuesta a su pregunta—. ¿Estás hablando de asesinato?

—Sí —reconoció Mike en voz baja, mirándola fijamente.

Durante un momento, Sara se vio incapaz de hacer nada y permaneció allí en silencio, observándolo. Entonces, cuando finalmente cayó en la cuenta de lo que intentaba decirle, le faltó el aire.

—Crees que lo mataron por mí, ¿no? —susurró.

Mike no dijo nada y siguió mirándola, pero con su mirada le confirmó sus suposiciones.

—No lo entiendo. —Empezó a llorar. No sollozaba, no arrugaba el rostro, pero las lágrimas resbalaban por sus mejillas—. Sus pobres padres. Adoraban a Brian, y él iba a heredar...

Mike abandonó la silla y se sentó a su lado, en el sofá. La estrechó entre sus brazos. Como antes, sus lágrimas le mojaron la pechera de la camisa. Le entregó un pañuelo de papel.

Al cabo de unos instantes, ella se apartó un poco y se sonó.

—Siempre te lloro encima. ¿Cómo has sabido lo de Brian?

—Le pedí a Tess que investigara un poco, y llamó a su casa de Inglaterra. La madre de Brian respondió el teléfono.

—Oh... Brian... —se lamentó Sara—. Era tan dulce... Yo creí que...

—Que os casaríais y os iríais a vivir a Inglaterra.

—Sí, lo creía. —Se secó los ojos.

—Sara, tengo que contarte algo más.

A ella no le pasó por alto la seriedad de su expresión.

—¿Es lo que tiene que ver con Greg?

—Sí. Greg es hijo de Mitzi Vandlo.

Sara sintió que, por un momento, la cabeza le daba vueltas.

—¿Hijo de la delincuente? ¿La que busca tanta gente? —Elevaba el tono de voz—. ¿Y él... crees que Greg... que Greg mató a Brian para llegar hasta mí?

Mike le agarró la mano y se la apretó con fuerza.

—Sara, tienes que mantener la calma. No te desesperes.

—¿Mi segundo novio mató probablemente a mi primer novio, y tú quieres que conserve la calma?

—Sí —sostuvo Mike con firmeza.

Sara le soltó la mano, y se puso en pie.

—¡El muy cabrón! ¿Tienes la menor idea de cuánto he soportado por él? Flirteaba con todas las mujeres adineradas. Las tarjetas American Express Platinum casi le provocaban orgasmos.

Mike tuvo que morderse el labio para no sonreír, y el hoyuelo de la mejilla asomó, profundo.

—Una vez, apareció una señora con una de aquellas tarjetas American Express negras, y creí que iba a tener que pedir una ambulancia. —Miró a Mike, indignada—. ¿Y sabes por qué aguantaba toda aquella mierda?

—No tengo ni idea, sinceramente.

—Eso es porque a ti nunca nadie te ha echado a la basura.

—Bien, de hecho...

—Las mujeres que metías en la cárcel no cuentan. Pero a mí me abandonó sin más un hombre al que amaba de veras. Me reservé en el instituto. Los chicos venían y me sobaban, sus manos sudorosas se pegaban a mi piel, pero yo me guardaba para el «verdadero amor».

Mike la veía caminar de un lado a otro del salón. La indignación le iluminaba el rostro. Él la prefería así. La ira era más fácil de manejar que el dolor.

Pero de pronto se le pasó el enfado, y se desplomó sobre la butaca de Tess.

—Brian, Brian, Brian... —susurró—. ¿Por qué no creí más en ti?

Se cubrió el rostro con las manos, y aunque vio que agitaba los brazos y sollozaba, no acudió a su lado. Tenía más cosas que contarle, y temía el momento de hacerlo.

Sara alzó la vista y lo miró.

—Fue por esa película. Sí, esa en la que Meg Ryan hacía el ridículo.

Él no tenía ni idea, y así se lo dijo con la mirada.

—Cuando el prometido de Meg Ryan la dejaba plantada, ella se iba a buscarlo a Francia, y se ponía en evidencia. Tras recibir aquella carta odiosa de Brian, en la que me decía que iba a casarse con otra, me dije a mí misma que iba a demostrar más orgullo que ella. Que no pensaba ir en su busca. Que no permitiría que él y su familia vieran el daño que me había hecho. Ya tenía bastante con ser una fracasada patética aquí, en Edilean, como para, además, ponerme en evidencia en otro país...

Volvió a mirar a Mike.

—Ojalá hubiera ido. Ojalá...

—No te hagas eso —le dijo él—. Ni se te ocurra siquiera culparte a ti misma. Tú eres inocente en todo esto.

Ella se echó hacia atrás en la silla, y se agarró a los brazos con las dos manos.

—Tienes algo más que decirme, ¿verdad?

—Sí, pero...

—No puede ser peor de lo que ya me has contado.

—Depende de cómo lo mires.

Ella aguardó unos instantes, pero él seguía sin hablar.

—Mike...

—Sí, está bien. Ahora voy. Dame un poco de tiempo. —Aspiró hondo—. Mira, Sara, lo que a mí me gustaría es llevarte de incógnito a algún lugar, esconderte por tu seguridad. Pero no puedo. Tú formas el núcleo de lo que los Vandlo quieren, que no sé lo que es. Creemos que Stefan...

—¿Stefan es Greg?

—Sí. Creemos que se ha divorciado de su esposa para que su matrimonio contigo sea legal.

—¿Esposa? —repitió Sara—. ¿Y tiene hijos? —Levantó una mano para impedirle la respuesta—. No, no me digas nada. No quiero conocer el alcance de mi estupidez ciega.

—No eres estúpida. Los Vandlo llevan siglos engañando a la gente.

—Genial. O sea, que soy una tonta histórica.

Mike entrecerró los ojos, divertido.

—Supongo que pretendían deshacerse de mí tras la boda.

—Eso creemos, sí —admitió él. Ya era tarde para dulcificar la verdad—. Y Stefan heredaría todo lo tuyo, que él sabrá lo que es. Nosotros, desde luego, no tenemos ni idea.

A Sara se le iluminó la cara.

—¡Claro! Por eso se esforzaba por que todo el mundo en Edilean lo odiara. Había planificado usar aquel rechazo como excusa para llevarme a otro sitio y así poder... así poder matarme.

—Sí —admitió Mike en voz baja—. Eso es exactamente lo que creemos que pensaba hacer.

Sara permaneció en silencio un momento, y se llevó la mano al cuello.

—¿Y bien? ¿Por qué quería Merlin's Farm?

—Buena pregunta —concedió Mike—. Pero también podría ser, simplemente, que Vandlo se enfadara con Lang por algo, y que quisiera vengarse de él.

—Greg mató a los perros, ¿verdad?

—Seguramente. Sara, aún hay más. He pasado estas últimas horas planificando muchas cosas. He hablado con mi capitán, y también he dispuesto algunas cosas con tus padres.

—¿Mis padres? —Agitó la mano de nuevo—. No dejes que te interrumpa más. Cuéntame cuál es tu plan.

—Tengo que hacer lo que sea para conseguir que los Vandlo dejen de concentrar la atención en ti y la concentren en mí.

—¿Y eso qué significa? ¿Que piensas matarlos a tiros?

—Fue mi primera opción —admitió, mirándola fijamente—.

Pero tienen muchos parientes, o sea que si los mato a ellos, vendrán más Vandlo a por ti. Sara... —dijo lentamente, y se interrumpió.

—Vuelves a asustarme. ¿Qué cosa monstruosa quieres que haga?

—Cásate conmigo —respondió él a bocajarro.

—¿Qué?

—Si te casas conmigo, los Vandlo tendrán que matarme antes de poder acceder a ti.

—Oh... —balbució Sara—. Oh.

Mike sintió que su ego menguaba hasta la mitad. Pero ¿qué esperaba? ¿Que ella se acercara corriendo a él y le dijera que sí, que quería casarse con él? Se serenó.

—Quiero que te cases conmigo en secreto. Ahora. Esta noche. Mañana a primera hora debo regresar a Fort Lauderdale, y hasta que Vandlo vuelva no quiero que nadie sepa que nos hemos casado. Regresaré para la feria, y entonces pienso informar a todo el mundo de que ya no eres libre para casarte con otro.

Como ella no decía nada y seguía ahí sentada, observándolo, Mike siguió hablando.

—Sara, no te preocupes. No tendrás por qué seguir casada conmigo y, entretanto, podemos seguir viviendo separados, como ya hemos hecho. Podemos organizarnos como mejor te parezca, pero quiero formalizar una unión legal entre nosotros. Si Vandlo quiere sacarte algo, tendrá que eliminarme a mí antes.

—Yo... —Sara no sabía qué decir.

—Todo saldrá bien, te lo prometo. Sobre la ceremonia de boda en sí, ya lo hemos organizado todo con tus padres.

—¿Con mis padres? Creo que ya soy lo bastante mayor como para...

—No me refiero a eso. Tu madre es la alcaldesa, y hay gente que le debe favores. Esta noche ha llamado a alguien y ha conseguido una licencia que le permite casarnos un domingo por la noche. ¿Estás lista para que nos vayamos?

A Sara no se le ocurría qué decir. Era incapaz de asimilar

todo lo que se acumulaba en su mente. Brian, su dulce y querido Brian, muerto por ella. Y Greg... Lo cierto era que no le había sorprendido descubrir que era un delincuente. En los meses que habían pasado juntos, ella había mirado para otro lado para no ver las cosas ilegales que hacía.

En silencio, siguió a Mike hasta el coche. Anochecía en aquel domingo normal y corriente, y ella no terminaba de creerse que iba camino de su boda.

Cuando Mike se sentó al volante, a su lado, Sara lo miró. Lo conocía solo desde hacía apenas ocho días, aunque no lo parecía. Le vino a la mente el momento en que se ocultaron entre las ramas de aquel árbol. Pensó en que había preparado pasteles para él. Lo vio caminando frente a ella, en lo alto de un pabellón. Aquel hombre había caminado sobre unas vigas, como si fuera un equilibrista, y ella había tenido miedo y el corazón le había latido con fuerza. Pensó en su cita con Ariel. Cuando la vio en la iglesia, habría querido escupirle en aquel pelo rojo, brillante, como ella había hecho cuando eran niñas.

Mike arrancó.

—Sara, lo siento —dijo—. Sé que tú querías que tu boda se celebrara en presencia de todo el pueblo, y...

—No, yo no quería eso. Eso fue idea de Greg. Yo quería que fuera en Edilean Manor, en presencia de Luke y Rams, de Joce y Tess. Y de mis padres. No quería ni siquiera que asistieran mis hermanas. Era Greg el que quería una gran boda, y el que insistió en que invitáramos a todas las clientas de la tienda.

—Y una de ellas, seguramente, habría sido su madre —comentó Mike.

—Supongo...

Mike se sacó el teléfono móvil del bolsillo y se lo entregó.

—Llama a Luke, despiértalo y dile que vamos hacia su vieja mansión para casarnos allí.

Sara no pudo evitar una punzada de alegría.

—¿En serio?

Él sonrió.

—No puedo ofrecerte todo lo que quieres, y mereces, pero

sí puedo darte la boda que querías. Exceptuando al novio adecuado, claro.

Sara no rebatió aquel último comentario. Tenía muchas otras cosas en la cabeza.

—¿Se lo has dicho a Tess?

—Sí. —No había querido abrumar a Sara con más cosas todavía, pero lo cierto era que se había pasado veinte minutos al teléfono intentando calmar a su hermana, que estaba aterrorizada ante la idea de que pudieran asesinarlos a los dos.

—¿Y qué te ha dicho ella?

—Que si estuviera aquí, haría que Rams firmara un documento en el que se estipulara que si tú y yo nos divorciáramos, tú te quedarías con Merlin's Farm.

Sara esbozó una sonrisa. Y se acordó de sus intentos de protegerla de la avaricia de Greg. ¡Cómo la echaba de menos! Pero tenía tantas cosas en la cabeza, que casi no podía pensar en nada más. Además del horror de descubrir la verdad sobre Brian, y sobre el hombre con el que había estado a punto de casarse, empezaba a asimilar lo cerca que había estado de ser asesinada. Y ahora sí iba a contraer matrimonio al fin, pero no por amor, sino para salvar la vida. La propuesta que acababa de recibir de Mike incluía el secretismo, y excluía la convivencia. Y, además, él le había asegurado que no seguirían casados después. Jamás imaginó una declaración tan fría.

Cuando llegaron a la casa de sus padres, el doctor Shaw ya los estaba esperando fuera. Le pasó el brazo por los hombros a Sara, y la acompañó al interior.

Mike permaneció fuera, a oscuras.

—De acuerdo, Newland —dijo el padre de Sara en voz alta—. Ponte bien derecho, y sé fuerte. ¡Estás a punto de casarte!

Mike se estremeció. Esperó unos instantes, pero el escalofrío no se le iba. Lo cierto era que quería que la ceremonia se celebrara lo antes posible, para no dar tiempo a Sara a volver en sí. Si recuperaba el sentido común, le diría que se largara de allí.

19

Cuando entraron en casa, Sara sintió que la abandonaba la serenidad que la había acompañado hasta entonces. Sabía que, en teoría, debería de haberse sentido muy desgraciada. Acababa de saber que Brian había muerto, y que Greg quería asesinarla. Para complicarlo todo aún más, estaba a punto de casarse con un hombre al que conocía desde hacía apenas una semana, y todo parecía indicar que aquel matrimonio acabaría en divorcio.

Por todo ello, sabía que debería estar triste. Pero no lo estaba. Miró a Mike y se sintió reconfortada en su interior. Aquello no tenía ningún sentido, pero le parecía que estaba actuando bien y que estaba haciendo lo que tenía que hacer.

—¿Dónde está mamá? —le preguntó a su padre.

—Ya está en Edilean Manor. Después de la llamada de Mike, se ha puesto manos a la obra... y ya sabes lo que quiere decir eso cuando se trata de tu madre.

—No para de dar órdenes.

—Exacto. Me ha pedido que te diga que te pongas el vestido de Lissie, y que yo te lleve en coche a casa de Luke.

Sara y su padre se volvieron a mirar a Mike, que no entendió qué querían.

—Ah, sí, claro. Te espero allí. Sara...

Ella no habría podido soportar otra disculpa.

—¡Vete! Ponte tu traje y nos vemos en la casa. Y recuerda...

—¿Qué?

—Si te echas atrás, me veré obligada a casarme con Greg.

Mike le sonrió

—Sí, claro. Está bien. Adiós.

Parecía incapaz de pronunciar una frase larga. Se metió en el coche, y minutos después ya estaba en el exterior de Edilean Manor. Todas las luces de la casa estaban encendidas, y se oían voces en su interior.

Luke abrió la puerta principal de par en par, con una copa de champán en la mano.

—Se me ha llenado la casa de mujeres nerviosas. Bueno, en realidad solo hay dos, pero hacen tanto ruido que esto parece Nochevieja.

—¡Luke! —exclamó la madre de Sara—. ¡Te necesitamos!

—Te sugiero que vayas a cambiarte a casa de Tess. Yo iré a buscarte cuando llegue el momento. ¿Te parece bien que sea tu padrino? —Mike asintió, y Luke añadió entonces—: Es que si entras aquí van a ponerte a trabajar.

—¿Haciendo qué? —preguntó, pero Luke ya había cerrado la puerta.

Mike entró en el apartamento de su hermana, se duchó, se afeitó y empezó a vestirse.

En el bolsillo llevaba dos alianzas de platino que la madre de Sara le había entregado cuando él había ido a verlos para hablarles de aquel matrimonio. Llegó convencido de que se opondrían a aquel plan descabellado, pero no había sido así. Mike les contó que Greg era un delincuente, que quería algo de Sara que solo podía obtener si se casaba con ella. Para su sorpresa, ninguno de ellos había puesto en duda su versión de los hechos. Ellie le preguntó: «¿Qué podemos hacer para ayudar?» Entonces Mike les indicó que él pretendía casarse con Sara aquella misma noche, y apenas terminó de pronunciar aquellas palabras, Ellie ya se había puesto manos a la obra. En cuanto al doctor Shaw, durante un segundo asomaron unas lágrimas a sus ojos, y acto seguido se levantó de un salto y se puso a ayudar a su esposa con los preparativos.

—¿Son diseño de Kimberly? —le preguntó él cuando Ellie le entregó los anillos—. Mejor no pregunto.

Ellie sonrió.

—Encajas muy bien en Edilean —respondió ella mientras abandonaba el salón.

—Creo que lo has conseguido, muchacho... —intervino el doctor Shaw—. Una vez que te acepten, ya no dejarán que te vayas del pueblo.

Y acompañó sus palabras con una musiquita fantasmagórica.

—Te estoy oyendo —gritó Ellie desde el vestíbulo.

Ahora, en el apartamento de Tess, vistiéndose para su boda, Mike se sentía sorprendentemente bien. Mientras esperaba a que Luke viniera a buscarlo, volvió a llamar a Tess. El efecto de los tranquilizantes todavía no había remitido, a lo que había que sumar las hormonas del embarazo y el hecho de que acababa de contarle a Rams que iban a ser padres. El resultado era que parecía incapaz de dejar de llorar.

—Ojalá estuviera allí —repetía entre sollozos—. Siempre he querido ver cómo te casabas. Y Sara...

Rams se puso al teléfono y le pidió que dejara que Tess oyera al menos la ceremonia.

—Sí, claro —dijo Mike, y al alzar la vista vio que Luke estaba en la puerta. Había llegado el momento. Lo siguió hasta la zona noble de la vieja y gran mansión.

Le sorprendió ver la gran cantidad de flores que inundaban la entrada de la casa.

—Son para una boda que se celebrará mañana —le informó Luke, que seguía a su lado—. Suponemos que nadie sabrá si pasan unas horas aquí. —Se encontraban frente a la gran chimenea del salón, que habían convertido en una especie de altar sobre el que reposaban un arco hecho con rosas y unos helechos. También había en la repisa unos centros de rosas blancas adornados con cintas azules que colgaban de ellos y dibujaban un camino en la estancia.

—¿Nervioso? —le preguntó Luke.

Mike asintió.

—Más que el día que tuve que enfrentarme a dos tipos armados con unos rifles automáticos.

—Algún día tendrás que contarme más cosas sobre tu vida. ¿Cómo saliste de esa?

—Con puñales. Siempre llevo... —Dejó de hablar, porque había empezado a sonar una música por unos altavoces, y Luke se alejó deprisa por el pasillo. Instantes después, reapareció empujando la silla de ruedas de su embarazadísima esposa.

Allí había solo tres parejas, seis personas, pero la música, las flores, y la belleza de la casa hacían que aquello pareciera una ceremonia de verdad.

Cuando empezó a sonar la marcha nupcial y Sara apareció en el quicio de la puerta del brazo de su padre, Mike supo que nunca en su vida había visto a una mujer tan hermosa. Llevaba un vestido de raso cubierto de encaje, de aspecto antiguo, que le iba como un guante y que se ensanchaba ligeramente a la altura de las caderas para dar vuelo a la falda. Tenía el rostro cubierto por el velo tradicional, y Mike no pudo evitar sentirse complacido ante la idea de tener que retirárselo. Aquella boda casi parecía real.

Cuando llegó junto al pequeño altar, el doctor Shaw entregó a Mike la mano de Sara, y se la estrechó. A través del velo, vio que ella sonreía.

A su lado, Luke marcó el número de Tess y Rams, para que lo oyeran todo por teléfono.

Mike y Sara se volvieron hacia su madre, que estaba frente a ellos, con una túnica larga, blanca, y la Biblia en la mano. Cuando, un rato antes, le había contado que estaba facultada para celebrar bodas, no le sorprendió lo más mínimo.

Ellie tenía los ojos rojos y la nariz algo hinchada por haber llorado.

—Queridos asistentes —dijo, y tuvo que parar para sonarse—. Estamos aquí reunidos hoy...

Volvió a interrumpirse, porque se le caían las lágrimas.

—¡Papá! —susurró Sara a su padre, que seguía la ceremonia junto a Joce y su silla de ruedas.

Ahogando la risa, el doctor Shaw fue a ayudar a su mujer a seguir adelante con la boda.

Cuando Mike le puso el anillo en el dedo, Sara lo miró, confusa, y cuando le pasó el otro para que ella se lo pusiera a él, vio que su sonrisa era de gratitud.

Dado su historial, Mike temía que tendría dudas cuando llegara el momento de pronunciar los votos. Pero no fue así. Respondió a las preguntas y prometió lo que tenía que prometer sin detenerse ni una sola vez.

Sara, por su parte, lo dijo todo con tanta alegría en la voz que a él casi le pareció que era sincera.

—Y ahora yo os declaro... —empezó a decir Ellie, pero no pudo seguir porque se deshizo en un mar de lágrimas.

—Mamá, por favor...

El doctor Shaw los declaró marido y mujer, y Ellie movió la cabeza en señal de asentimiento.

—Puedes besar a la novia, hijo —añadió.

Sonriendo, Mike le retiró el velo y durante un segundo contempló aquel precioso rostro. Con suavidad, la levantó en brazos y la besó... y en ese momento se apagaron las luces.

Riéndose, parpadeando, se separaron y sonrieron a las cuatro cámaras que les apuntaban.

—Tarta —dijo el doctor Shaw—. Exijo tarta y champán.

En la sala había más flores, y en el centro, una tarta de bodas de tres pisos, con cobertura blanca y unas cien rosas en diferentes tonos rosados. Era una creación extraordinaria.

El doctor Shaw alzó su copa.

—Por la boda de Whitley y Cooper, en agradecimiento por las flores y la tarta que nos han regalado. —Bajó la voz—. Y que Dios nos ayude mañana cuando la novia se entere de que alguien se ha comido el pastel durante la noche.

Luke fue el primero en echarse a reír, y todos los demás le siguieron, aunque todos sabían que Ellie pasaría la noche en blanco para preparar otro. Jamás habría consentido que una novia bajo su tutela se quedara sin su tarta de bodas.

Los invitados insistieron en que Mike le diera una cucharada

227

de tarta a Sara, y en que Sara hiciera lo mismo con Mike, mientras les tomaban más fotos.

Treinta minutos después, Luke informó a Mike de que Joce se sentía exhausta.

—Y si queremos que esta boda se mantenga en secreto, deberíamos tenerlo todo recogido antes de que amanezca.

—Sí, claro —dijo Mike mirando a Sara, que en ese momento estaba bailando con su padre, con la cabeza apoyada en su hombro. No quería interrumpirlos.

Pero unos minutos después, la música cesó y Sara lo miró a él. Con un movimiento de cabeza, Mike le indicó que era hora de irse.

Llegaron a la puerta, y Ellie se echó a llorar de nuevo cuando besó a su hija y le puso algo en la mano.

—Mi madre creía que no iba a cazar nunca a un hombre —le susurró Sara a Mike mientras se despedían de todos, pero él sabía que las lágrimas de su madre eran de alivio, porque finalmente su niña no iba a casarse con Greg. Siempre pensó que, además de su mal humor, en aquel hombre había algo turbio.

Una vez en el jardín, fue agradable sentir el aire fresco de la noche. Mike se alegró de que los demás se quedaran en casa y los dejaran solos. Hizo ademán de dirigirse a casa de Tess, pero Sara se encaminó hacia la suya, y él la siguió.

—¿Y qué es eso que te ha dado tu madre?

Sara levantó un frasquito a la luz de la luna.

—Su perfume Noches escarlata. Le conté que a ti te había gustado.

—Pues lo ha malgastado con nosotros —dijo él al tiempo que abría la puerta del apartamento.

—¿Y qué significa eso? —Sara entró primero, y él cerró la puerta.

—Nada —dijo, bostezando—. Mañana tengo que irme lo más temprano posible. —Consultó la hora, y sonrió—. Ha sido un día muy largo.

Se inclinó, le besó la mejilla y se volvió hacia la habitación de invitados.

—¿Y me quedo sin noche de bodas? —preguntó Sara desde atrás. Mike se detuvo, pero no se volvió a mirarla—. ¿Qué me pasa, que no gusto a los hombres?

Ahora Mike sí se dio la vuelta.

—Gustas mucho a los hombres.

Sara levantó las manos, rindiéndose, y se metió en la cocina.

—¿Sabes cuánto tiempo hacía que Brian me conocía cuando me hizo el amor? Seis meses. Estuvimos saliendo cuatro años, pero no me pidió que me casara con él. Y entonces llega Greg y no hace otra cosa que hablarme de matrimonio, y de nuestro fabuloso futuro juntos. Hoy descubro que, de hecho, planeaba matarme... Y ahora resulta que acabo de casarme con un tío que está buenísimo, y que parece haberse acostado con la mitad del universo, y no me toca ni un pelo. —Observó a Mike, desafiante—. ¿Qué ha pasado con los hombres de verdad?

Indignada, se volvió para dirigirse a su dormitorio.

Mike la agarró del brazo antes de que diera un paso, y la miró a los ojos un instante.

Sara intentó liberarse, pero él la sujetaba con fuerza, y la atrajo hacia sí de un tirón, dejándola casi sin aliento.

Mike ya la había besado antes, pero habían sido besos castos y puros, destinados a tranquilizarla. Ahora no. Su boca se abrió sobre la suya, y asaltó su lengua con la lengua, con tal fuerza que Sara estuvo a punto de perder el sentido. Su mente volvió a inundarse de las imágenes de aquel cuerpo desnudo, y quiso tocarlo, recorrerlo de punta a punta con la boca.

Mike parecía pensar lo mismo mientras subía la mano hasta el hombro del vestido de novia.

—Si lo rompes, no te perdonaré nunca —susurró ella con los labios apoyados en su mejilla.

—Estás demasiado acostumbrada a relacionarte con niños —replicó Mike. Segundos después, el vestido caía al suelo. Sara no entendía cómo había podido desabrocharle todos aquellos botones de raso tan deprisa y con tanta destreza.

Al verla desvestida, Mike contuvo la respiración. La encargada de supervisar la ropa interior de Sara había sido Joce, y ahora quedaba al descubierto un corsé rosa palo, de seda y encaje, y un portaligas del mismo color que le llegaba a medio muslo. Los tacones de sus zapatos blancos tenían al menos diez centímetros.

—Sara —susurró, y por primera vez ella vio que su rostro carecía de aquella expresión de cautela. La miraba con deseo, con un deseo tan intenso que a Sara le fallaron las fuerzas.

Un segundo después, Mike barrió la mesa de la cocina con un movimiento de brazo, y todo lo que había en ella cayó al suelo. Entonces levantó a Sara y la sentó. Sus piernas largas, esbeltas, con las medias todavía puestas, quedaron colgando, mientras Mike se quitaba con urgencia el traje. Su piel iba quedando a la vista, y Sara abría mucho los ojos. Lo había visto desnudo de espaldas, pero frontalmente era incluso mejor. Tenía unos pectorales fuertes, y un vientre que parecía un mapa en tres dimensiones.

Alargó la mano, la posó en su piel tibia y notó sus duros contornos mientras él se quitaba los pantalones y le quitaba a ella las braguitas.

Un instante después Sara comprobó que Mike no solo tenía duro como una piedra el torso. La penetró con el ímpetu de todo el deseo reprimido que había sentido desde que la había conocido. Y Sara se aferró a él, pegó la boca a la suya, buscando, explorando... Las manos de ella recorrían su piel, palpaban toda aquella extraordinaria musculatura. Muy pocas veces había visto cuerpos como aquel, y nunca había tocado ninguno.

La voz grave de Mike se hizo más ronca, y le susurró lo bien que se sentía dentro de ella, lo mucho que la había deseado desde el principio. Aquella voz, aquellos labios, la excitaban, y él seguía penetrándola con embestidas profundas, largas, suaves, que gradualmente aumentaban en fuerza y en velocidad.

Sara echó los brazos hacia atrás, hasta tocar la pared con las manos, convertidas ya en garras, mientras Mike se movía cada vez más deprisa. Más deprisa y con más dureza.

—¿Te gusta, niña? —le preguntó él, acercándole mucho los labios a la oreja.

Sara solo podía gemir.

Cuando Mike le pasó las manos por las nalgas y la levantó, para poder entrar más profundamente en ella, Sara habría gritado de placer, pero no podía, porque él le cubría la boca con la suya.

Cuando ella llegó al clímax, fue como si una erupción de lava brotara del centro de su ser y se esparciera por sus venas. Se estremeció todo su cuerpo, y Mike se abrazó a ella, la rodeó con sus brazos, temblando también.

Aunque su vida hubiera corrido peligro en ese instante, Sara habría sido incapaz de dar un paso. Fue Mike quien la levantó, aún pegado a ella por sus partes más vitales, y ella le rodeó la cintura con las piernas. Se abrazó a él, sus pieles sudorosas muy pegadas, muy juntas. Sosteniéndola a peso, la llevó al dormitorio, y la depositó sobre la cama.

Cuando él se volvió, ella se incorporó un poco y se apoyó en un codo.

—No irás a dejarme sola, ¿verdad?

Él la miró y le dedicó una sonrisa.

—Estaba pensando en llenar tu bañera de agua caliente con mucha espuma y una cantidad generosa de Noches escarlata. ¿Te apetece?

—Sí, sí —susurró Sara, que se tendió en la cama, boca arriba, y al poco oyó el rumor del agua y empezó a pensar en que...
—Se sentó. Aquella era su noche de bodas, y lo último que deseaba hacer era pensar.

Entró en el baño y vio a Mike desnudo, de pie junto a la bañera. Su cuerpo era tan hermoso que permaneció inmóvil, contemplándolo. Muy despacio fue pasando la mirada por los pies, el vientre, el cuello, los labios... Cuando terminó de repasarlo de arriba abajo, vio que una gran evidencia demostraba que ya volvía a estar listo para ella.

—¿Qué aspecto tienes bajo toda esa ropa? —le preguntó él con una voz tan ronca que era más bien un gruñido.

—Un aspecto inmejorable —replicó ella, dedicándole una sonrisa.

—¿Ah, sí? Comprobémoslo.

Sara se acercó a él, que se sentó en el borde de la bañera y, despacio, con gran destreza, empezó a desvestirla. Le desabrochó los ligueros y, con la boca, empezó a bajarle las medias. Cuando alcanzó un pie, se lo levantó, hizo que se lo apoyara en el muslo y le dio un masaje. La mano ascendió por la pierna, y tras unas caricias en su centro, se desplazó hasta la otra y le quitó la media.

Ella quiso darse la vuelta para que él llegara mejor a los cierres traseros, pero él la puso a horcajadas en su regazo y la penetró. Sara quería mover las caderas, pero él la mantuvo inmóvil, y, pasándole las manos por la espalda, le quitó el corpiño y lo lanzó al suelo.

La besó sin dejar que moviera las caderas, mientras le acariciaba los lados de los pechos, y movía los pulgares hacia dentro para rozarle los pezones.

Cuando finalmente la soltó para que pudiera moverse arriba y abajo, ella ya estaba gimiendo. Metió un pie en la bañera, y sintió su agua tibia, mientras el otro seguía en el suelo. Una vez más, las manos poderosas de Mike la sujetaron por las nalgas para ayudarla en sus movimientos.

Cuando Sara estaba a punto de llegar de nuevo a la cima, él la levantó, sin interrumpir en ningún momento el contacto, y la tendió en la alfombrilla del baño.

Sus embestidas eran rápidas, potentes y profundas. Mike entraba hasta lo más profundo de su ser. En esa ocasión sintió que él alcanzaba el clímax con tanta fuerza como ella.

Instantes después, los dos ya estaban en la bañera, juntos. Mike apoyaba la espalda en un extremo, y Sara se reclinaba sobre él. No dejaba de mirarse la alianza, y se fijaba en las partes del cuerpo de Mike que le quedaban a la vista. Hacía apenas dos semanas, lo único que sabía de él era que se trataba del «hermano misterioso» de Tess. La primera vez que lo vio fue terrorífica, porque él había irrumpido en su vida por una trampilla abierta en el suelo de su dormitorio.

Y ahora estaba casada con aquel hombre. Allí no se había hablado de amor para nada, y de no haber sido por ella, no habría existido siquiera una noche de bodas.

Lo que quería ahora Sara era una luna de miel.

—¿Tienes ganas de volver a tu casa una semana?

Mike le estaba enjabonando los brazos. Ya había vertido perfume sobre sus cabellos recién lavados, y el aroma lo embriagaba.

—No —respondió él, ausente.

—Pero querrás ver a tus amigos.

—Sí, supongo. Colegas del gimnasio, y de la policía.

—¿Y qué hay de la gente con la que no trabajas? Amigos-amigos.

Mike se echó a reír.

—Mi vida no es como la tuya. Yo participo en misiones secretas que pueden durar años. He trabajado un par de veces en Los Ángeles, y una vez en Iowa y...

—¿Iowa? —Se volvió para mirarlo—. ¡Pero si en Iowa no hay delincuencia!

Mike volvió a reírse de su comentario gracioso.

—El mal está en todas partes, incluso en el plácido Edilean, Virginia.

Sara se relajó y volvió a apoyarse en él.

—Sin amigos, sin sitio donde vivir. No parece un verdadero hogar.

Mike le besó la oreja.

—Lo compenso con inviernos cálidos y palmeras que se mecen a la brisa suave.

—¿Y con salas de fiesta llenas de chicas cubanas?

Mike le acarició la nuca.

—Nunca me he fijado en ellas.

—Mike, estaba pensando que, tal vez...

—No.

—¿No a qué?

—No, no puedes venir conmigo a Fort Lauderdale.

—No te he preguntado si podía ir, pero ya que lo mencionas...

—Tengo que trabajar. Llegaré a la oficina a las siete y no me iré de allí hasta las diez de la noche. Tú no eres consciente de lo importante que es este caso. Los federales están...

—¿Les has pedido que le lleven unos perros al señor Lang?

—Sí. Seguramente me los traeré yo cuando vuelva. Son Airedales.

—O sea, que has encontrado a un criador.

—Estamos hablando de Florida. Claro que he encontrado a un criador.

—¿Te he dicho alguna vez que nunca he estado en Florida? Joce se crio en Boca Ratón, y me ha contado cosas maravillosas sobre el lugar.

—No, no puedes venir —insistió Mike—. Cuando vuelva, tengo que conseguir que en este pueblo todo el mundo se entere de que nos hemos casado. Luke me ha comentado que durante la feria se celebran varios juegos, y tengo que poder ganarlos. Así atraeremos la atención de mucha gente. Y entonces...

—¡Ja! —A Sara no le gustaba nada que la dejaran al margen—. Los Frazier ganan siempre los juegos. Uno de ellos consiste en tirar de un cable hasta derribar un poste de teléfono. Yo he visto al hermano mayor de Ariel, Colin, levantar a peso el morro de una camioneta.

—¿Ah, sí? ¿Y dónde se entrena?

—No lo sé. Los gimnasios nunca me han interesado.

Mike le levantó el brazo, delgado, pero sin músculos observables.

—Ya se nota.

—¿Insinúas que estoy...?

Mike la besó para hacerla callar, y le acarició un pecho.

Sara se reclinó sobre él.

—¿Y hay alguna competición de agilidad? —preguntó.

—¿Como saltar a la comba y esas cosas? —dijo ella, burlona.

—Eso sí lo sé hacer —dijo Mike.

—En eso también te ganaría Anna Aldredge, la hermana pequeña de Kim. Quedó tercera en los campeonatos nacionales.

—¿Y no necesita pareja?

—Tiene doce años y es tonta.

—A mí me van las chicas tontitas.

—Necesito bastante tiempo para hablarte de todas las competiciones y eventos, por lo que tal vez podría...

—No —zanjó Mike.

—¿Y si Greg se presenta mientras tú estás fuera?

—No es posible porque está encerrado bajo llave, y su compañero de celda es un agente del FBI. A Vandlo lo soltarán el próximo fin de semana, y estamos seguros de que vendrá corriendo a Edilean, en tu busca. Cuando llegue, todos en el pueblo sabrán quién soy yo, gracias a los juegos. Creo que deberíamos esperar a que Vandlo esté aquí para anunciar nuestro matrimonio. ¿Qué opinas de besar en público?

—¿A quién?

Mike le estaba acariciando la nuca.

—¿A quién quieres besar?

Ella se volvió y le rodeó el cuello con los brazos.

—Mike, estamos casados, pero apenas nos conocemos. Me gustaría visitar el lugar en el que has pasado la mayor parte de tu vida, y conocer a tus amigos.

—¿Y venir al gimnasio conmigo?

Ella había empezado a besarle los párpados y con sus pechos le rozaba el torso.

—Luke me ha contado que haces sentadillas con tantas pesas en la barra, que la barra se dobla. ¿Es cierto?

—Supongo que sí. Ni me lo había planteado. Empezaré enseñándote con muy poco peso, y...

Sara no quería discutir, pero no pensaba levantar pesas. Metió la mano en el agua, y la acercó a su entrepierna.

—¿Recuerdas cuando te dije que se me podían enseñar muchas cosas?

Mike no llegó a sonreír, pero de todos modos se le formó el hoyuelo en la mejilla.

—Yo estoy dispuesto a aprender todo lo que quieras enseñarme.

Sara lo besaba, mientras su mano le acariciaba entre los muslos.

—Haré lo que pueda.

Oyó que la bañera empezaba a vaciarse. Mike había quitado el tapón con el pie.

—Yo me levanto.

—Ya lo veo.

Le rodeó la cintura con un brazo, y, cuando se levantó, la arrastró hacia sí.

—Te pongas como te pongas, no ganarás el concurso de tiro de cable —dijo ella, pero Mike se limitó a mascullar algo mientras salía de la bañera.

La levantó en brazos y, mojados, goteando, entraron en el dormitorio.

—Soy tu alumno —dijo él, y Sara sonrió. Una hora después, Sara supo que la alumna había sido ella. Cuando empezaban a quedarse dormidos, abrazados, Mike le susurró—: Sara, ten presente que no he usado ningún método anticonceptivo. Todo ha sido muy inesperado, y no se me ha ocurrido.

Ella se acurrucó más cerca de él.

—No importa. Yo también me he olvidado, pero no estoy en los días peligrosos del mes.

Los dos mentían.

20

Cuando Sara despertó, al día siguiente, ya eran casi las once, y Mike no estaba. Supuso que habría esperado a que se quedara adormilada, y después se habría ido. Es decir, que estaría conduciendo sin haber dormido nada.

—Y yo lo dejo ir —dijo Sara en voz alta. Su primer día de matrimonio y ya le había fallado como esposa. Si le ocurría algo malo a Mike durante el viaje, sobre todo si se quedaba dormido al volante, sería culpa suya—. Debería de haberle dejado dormir ayer noche. Es lo que él quería. Lo que necesitaba.

Entrelazó las manos en la nuca, clavó los ojos en el techo y pensó en su noche de bodas. No estaba preparada para admitirlo ante Mike, pero él era, con gran diferencia, el mejor amante que había tenido. No es que tuviera mucha experiencia —Brian y ella habían llegado a comprarse un libro para aprender cosas—, pero Greg sí la tenía. Ahora Sara se daba cuenta de que, a pesar de las relaciones sexuales que ella y Greg —Stefan— habían mantenido, a estas les había faltado cariño, caricias, abrazos en baños calientes, conversaciones...

Miró a su alrededor. Como siempre, Mike había recogido su ropa, y no había ni rastro de su paso por la habitación. De no haber llevado la alianza en el dedo, habría creído que todo había sido un sueño.

Pero a medida que recordaba el verdadero motivo de aquella boda, su nerviosismo iba en aumento. Su querido, su dulce Brian, el ser humano menos agresivo de todos, había sido asesinado por algo que tenía que ver con ella.

—¿Qué es lo que quiere Greg? —preguntó, levantando más la voz, al tiempo que se levantaba de la cama y empezaba a vestirse—. ¿Qué quiere de mí Stefan Vandlo?

Estaba segura de que, si lo supiera, y si Greg entrara en ese momento por la puerta, ella se lo entregaría sin cobrarle nada.

Pero ¿y después qué? ¿Se largaría él con aquello, abandonaría el pueblo junto a su madre asesina? ¿Y Mike? ¿Regresaría entonces a Fort Lauderdale, a su trabajo? ¿Recibiría ella los papeles del divorcio pocas semanas después? Tal vez, cuando dejara el cuerpo, regresara a Edilean por su hermana, y por la granja que ahora era suya. Pero no regresaría por Sara.

Se recordó a sí misma que cuando Mike le había dicho que tenía que casarse con él, lo había hecho dando por sentado que, cuando el caso se cerrara, los dos se separarían.

—Casada y divorciada —susurró, y los ojos se le llenaron de lágrimas.

El teléfono móvil que tenía en la mesilla de noche emitió un zumbido.

Era un mensaje de texto de Joce.

No te vas a creer lo que Shamus ha dibujado en las cartas. Luke ha preparado tortitas. ¿Quieres venir?

Sara sacó del armario uno de sus vestidos más viejos —si Mike no estaba, no tenía que preocuparse por su aspecto—, se puso unas chancletas y se acercó a la casa de al lado.

—Se te ve contenta y triste —dijo Joce al verla—. ¿Cómo es posible?

—Muy fácil. Te casas un día: sonrisa. Te abandonan al siguiente: mohín. ¿Dónde están esas cartas?

Joce vaciló.

—Creo que deberías sentarte.

—¿Qué ha hecho Shamus ahora?

El año anterior, el joven había visto a una chica del instituto llorando, y cuando le preguntó qué le ocurría, ella le habló de un profesor que le había pedido besos a cambio de buenas notas. Aquella misma noche, Shamus y sus hermanos se habían colado en el colegio y habían dibujado un retrato del profesor, de cuatro metros de altura, en el que este aparecía desnudo y persiguiendo a unas niñas asustadas. Hubo un gran escándalo, pero al final despidieron al profesor, y Shamus acabó pintando un mural respetable en una de las paredes del gimnasio. Desde entonces era el héroe de todas las chicas del centro.

Sara se sentó en el borde de la cama, y Joce le entregó una baraja de cartas del tarot. Los reversos eran preciosos, y en ellos se representaba una de aquellas plantas de Luke que a él tanto le gustaban, sobre un fondo color crema.

Les dio la vuelta y, al ver la primera, ahogó un gritito. Era el Rey Gitano, pero tenía el rostro del padre de Shamus. Su madre era la Reina.

Sara miró a Joce.

—Sigue, sigue —le dijo ella—. Sigue mirando el resto.

Sara lo hizo, y no tardó en descubrir que todos los habitantes de Edilean cuyas familias pertenecían al pueblo desde hacía generaciones —además de algunos recién llegados— estaban representados en la baraja. Al llegar a Los Amantes, vio que eran Mike y ella.

También figuraba en las cartas todo lo que se decía siempre sobre los gitanos. Shamus había usado fotos que Joce se había descargado por internet para poner a todos atuendos de zíngaros. Allí había caravanas con cubierta de lona, mujeres voluptuosas con pendientes hechos con monedas de oro, y hombres que fumaban en pipas de barro y montaban a lomos de hermosos caballos.

El Ahorcado era Greg, colgado boca abajo y con un solo pendiente suspendido en el aire.

—Esto es... —miró a Joce—. No sé si es bueno o malo. Puede que a Mike le encante, o que lo arroje al fuego.

—Estas te las he reservado para el final.

Joce le entregó un fajo con catorce naipes. En las Cartas de Oros, Shamus había dibujado rostros de mujeres, todas de mediana edad, que eran las que acudían a la tienda de ropa. Como muchas veces el joven se pasaba las tardes en la plaza del pueblo dibujando, al parecer las había visto a todas. En cada carta había una rueda con radios que apuntaban hacia el rostro de una mujer. Su número dependía de cada carta. En el Nueve de Oros había representadas nueve mujeres.

En el centro de cada rueda aparecía el rostro de Greg. Shamus lo había distorsionado en todas para que mostrara aspecto de persona avara, iracunda y amenazadora. Aquellos rostros recorrían todo el espectro del mal.

—Parece que Shamus nos ha oído hablar —comentó Sara.

—¿Tú crees?

Sara negó con la cabeza.

—No, esto no me gusta.

Su madre aparecía en la Carta del Juicio, y su padre era el Ermitaño.

—¿Quién es esta mujer en la Carta del Diablo?

—La madre de Luke dice que era la abuela de Mike.

Sara levantó la cabeza.

—¿Tú sabes cuál es el gran misterio sobre esa mujer?

—Ni me hables de eso. Lo he intentado todo para enterarme de esa historia, pero nadie me cuenta nada. Y no voy a poder terminar mi libro sobre Edilean hasta que sepa qué ocurrió. Pero no se lo saco a nadie. Tal vez Mike me...

—¿Te refieres al mismo Mike que se ha pasado la noche haciéndome el amor, maravillosamente, y a petición mía, y que se ha ido esta mañana? Menuda recién casada estoy hecha.

Joce permaneció en silencio mientras recogía las cartas.

—Creo de veras que Mike tiene que ver estas cartas —dijo al fin, mirando muy fijamente a Sara.

—Podríamos escanearlas y enviárselas por correo electrónico.

—No es lo mismo que sostenerlas en las manos, ¿verdad? Y, además, ¿quién va a decirle quién es quién?

Sara estaba desconcertada.

—Podrías incluir notas en cada una de ellas.

Joce alzó mucho la voz.

—¿No crees que sería mejor que Mike las viera en persona?

Finalmente, Sara lo entendió. Se puso en pie, sin dejar de mirar a Joce.

Luke entró en la habitación.

—¿Has visto esas cartas? —le preguntó. Y al ver la expresión de las dos, añadió—: ¿Qué ocurre?

Joce y Sara seguían mirándose a los ojos. Joce fue la primera en hablar.

—Las llaves de mi coche están sobre la mesa de la entrada. Corre más y es más cómodo que el tuyo. Toma la autopista 95 en dirección sur. Yo te envío por mensaje de texto el resto de las instrucciones para llegar. Tendrás que pasar la noche de camino. No intentes lo que hace Mike, que conduce de un tirón.

Asintiendo, Sara corrió hacia la puerta. Tenía que hacer el equipaje.

—¡Sara! —gritó Luke—. ¡Mike me pidió que te cuidara! No puedes...

Ella se volvió a mirarlo, y a su mirada asomó todo lo que había vivido: Brian, Greg, Mike.

Luke la quería demasiado como para decirle que no.

—Ten cuidado —se limitó a aconsejarle, y Sara echó a correr de nuevo.

21

El capitán Erickson miró a Mike y lamentó haberle pedido que se encargara del caso Vandlo. En los once años que llevaban trabajando juntos, su subordinado siempre se había mantenido a distancia de las víctimas. Si era cierto que en ocasiones se involucraba más de lo debido, y que hubo ocasiones en las que algunas de las mujeres habrían debido ser procesadas y no lo fueron, en conjunto, Mike siempre había conseguido mantenerse al margen.

Ahora, en cambio, parecía que ese caso le estaba pasando factura. Casarse con una víctima, por más que no se tratara de algo inédito, sin duda excedía los requisitos de la misión.

El domingo por la noche, cuando Mike le llamó y le contó cuál era su plan, Erickson intentó disuadirlo.

—Ya sé que te dije que hicieras todo lo necesario para protegerla, pero seguro que hay otra manera de abordar el asunto.

—No se me ocurre ninguna —replicó Mike, que acto seguido le expuso lo ocurrido con Brian Tolworthy. E, inmediatamente después, Stefan Vandlo apareció en el pueblo y fue a por Sara.

—Pero... ¿Planeas casarte con la chica solo para mantenerla a salvo?

—Sí —confirmó Mike.

—¿Y después qué? ¿Qué harás cuando se resuelva el caso?

242

—El capitán habría querido preguntarle si aquel enlace había sido idea de Mike o de ella, pero no lo hizo.

Lo que sí hizo fue pedirle a Mike que regresara a Fort Lauderdale lo antes posible para abordar juntos los planes relativos a la feria. La idea era llenar el recinto de hombres y mujeres armados, todos ellos camuflados como lugareños. Soltarían a Stefan, y cuando llegara a Edilean todos sus movimientos serían vigilados.

El capitán consideraba suficiente aquella medida. Mike había hecho un buen trabajo obteniendo datos y organizando un momento y un lugar en el que tal vez pudieran ver juntos a los Vandlo. La joven, Sara Shaw, estaría protegida. Y, lo mejor de todo, por lo que Mike le había contado, esta no se arrojaría en brazos de Stefan, movida por un sentido equivocado de la lealtad.

La ocurrencia de usar las cartas del tarot como cebo era excelente, y así se lo hizo saber.

—Pues eso agradéceselo a tu autor favorito —le comentó él—. La idea es suya.

—Necesitamos que vengas de inmediato para que nos expongas los pormenores, y para que nos dibujes algunos mapas —dijo el capitán. En realidad, lo que pensaba era que al ser domingo por la noche Mike no tendría tiempo para casarse con aquella jovencita provinciana antes de partir. Tal vez pasar una semana en Fort Lauderdale le ayudara a comprender que el caso podía resolverse sin necesidad de adoptar una medida tan drástica como era contraer matrimonio con la víctima.

Pero Mike se había presentado esa mañana en el trabajo con un anillo en el dedo.

—Así que lo has hecho —le comentó el capitán.

—No se me ha ocurrido ninguna otra manera. Si Vandlo quiere algo que cree que se encuentra en propiedad de Sara no podrá obtenerlo casándose con ella.

—A menos que te mate —puntualizó Erickson.

Mike sonrió fugazmente.

—Esa es la idea, y pienso mostrarme muy visible durante la feria. Creo que voy a apuntarme a un concurso de salto a la comba para competir contra una campeona nacional de doce años de edad.

Las aptitudes físicas de Mike eran bien conocidas, y respetadas.

—Estoy seguro de que ganarás tú.

—Es posible. Pero se supone que la niña es muy buena.

El capitán forzó una sonrisa. Sabía que Mike estaba evitando el tema.

—Quiero saber algo más sobre la joven con la que acabas de casarte. ¿Cómo es?

—Es... —Mike vaciló. No pensaba pasar por la vergüenza de contarle lo mucho que disfrutaba en su compañía, lo mucho que le hacía reír, lo mucho que ya la echaba de menos. Se encogió de hombros—. Va a la iglesia los domingos, prepara tartas, se cose su propia ropa. Esas cosas. —Le vino a la mente la imagen de Sara trepando hasta la rama de aquel árbol, sobre su cabeza. Recordó sus lágrimas y sus sonrisas. Y después había llegado la noche de bodas. No, todos aquellos pensamientos iba a quedárselos para él—. Una chica de pueblo.

El capitán no era como Mike. Lo que sentía se le notaba en la cara.

—Cuando el caso se resuelva, podemos ayudarte a salir de esto. Nos aseguraremos de que tu pensión no corra peligro. Podrías...

Mike se puso en pie.

—¿Ya hemos terminado? Debo hablar con un montón de gente, y tengo muchas cosas que hacer.

—Sí, eso era todo —dijo el capitán—. Hay una reunión general a las dos. Nos vemos a esa hora.

Mike salió de la oficina y regresó a su escritorio.

El capitán dejó su puerta abierta, y durante todo el día fue oyendo a colegas, hombres y mujeres, que se acercaban a saludar a Mike, un policía popular al que apenas veían y con el que, cuando estaba ahí, todos querían charlar. Las sesiones de gimnasio de Mike eran legendarias, por lo que todo el que hubiera estado poniéndose en forma en los últimos seis meses quería mostrarle sus bíceps. Así que durante todo el día las conversaciones giraron en torno a cuádriceps, deltoides, glúteos y tríceps. Pero de hecho, en realidad, tras aquellas introducciones, lo que todos querían saber era si el rumor de que Mike se había casado con una víctima era cierto.

El capitán oía la misma pregunta una y otra vez.

—¿Drogas? —le preguntaban, interesados en saber si su nueva esposa las consumía—. ¿Tiene antecedentes?

Mike atendía educadamente a sus preguntas, pero no les proporcionaba auténticas respuestas. Como siempre, se guardaba sus pensamientos para sí.

Las mujeres coqueteaban mucho con él. Una de ellas le comentó que habría estado dispuesta a pagar a algún artista de la estafa para que la engañara, y de ese modo lograr que Mike la rescatara casándose con ella.

—¡Ayúdame, ayúdame! —exclamó una chica nueva, muy guapa, llevándose la mano a la frente—. ¡Sálvame con un anillo de boda!

Mike lo soportaba todo con buen talante, pero a medida que avanzaba el día el capitán notaba que sus sonrisas se espaciaban. Aun así, no creía que su seriedad creciente se debiera a aquellas bromas. Había algo más que le preocupaba, pero no sabía qué. Suponía que Mike iba dándose cuenta de que había cometido un error.

Sin duda había actuado con la mejor de sus intenciones, pero lo cierto era que tendría que enfrentarse a un divorcio. Si la chica decidía ponérselo difícil y aseguraba que él la había engañado para que se casara con ella, él se exponía a perder mucho dinero.

A las dos dio inicio la reunión en la gran sala de actos. Tan pronto como todos estuvieron sentados, un agente del Servicio Secreto tomó la palabra y empezó a exponer el plan para infiltrarse en la Feria de Edilean.

Mike estaba apoyado en el respaldo de la silla, y llevaba el anillo de recién casado en el dedo. A medida que pasaba el tiempo, el capitán tenía el ceño más fruncido. Tal vez fuera mejor que Mike no regresara más a Virginia, pensaba. Ya había hecho mucho casándose con aquella joven. Aun así, debía admitir que tenía razón al decir que dado que ella se había casado con otro, Vandlo no podría conseguir lo que quería. Ahora lo único que debían hacer era asignar a alguien que se mantuviera siempre a su lado y, cuando Vandlo intentara cualquier cosa, intervenir. De ese modo Mike no pondría en peligro su vida.

Cuando el agente del Servicio Secreto formuló una pregunta, el capitán estaba tan distraído que le pidió que se la repitiera. Era evidente que él era el único que se estaba preocupando por la integridad física de Mike.

Se abrió la puerta. Entró su secretaria y le entregó una nota. «¿Qué pasará ahora?», se preguntó mientras la abría.

La esposa de Mike Newland está abajo, y dice tener las cartas del tarot.

El capitán Erickson no daba crédito, y tuvo que releerla. Su primer impulso fue salir discretamente y bajar a verla él mismo. Tal vez la llevara a alguna sala vacía y hablara con ella, le explicara que Mike se había excedido en sus funciones casándose con ella. Pero seguía ahí, pensando en qué debía hacer, e iba dándose cuenta de que lo que le interesaba era comprobar cómo se sentía Mike en relación con aquella joven. Aquella mañana Mike se había mostrado malhumorado, incluso ausente. ¿Era porque sabía que se había metido él solito en una situación imposible?

El capitán se volvió hacia su secretaria, que aguardaba haciendo gala de su habitual impaciencia.

—Ve a buscarla y súbela hasta aquí.

—¿Aquí? ¿A la sala de actos?

—Sí —confirmó el capitán—. Aquí mismo.

Entonces decidió ir a sentarse en frente de Mike, para poder ver a través de las puertas de vidrio. Su secretaria tardó un poco en bajar y conducir a la joven por aquella madriguera de pasillos y puertas que era el Departamento de Policía de Fort Lauderdale.

Cuando el capitán vio a Sara Shaw acercarse a ellos enderezó la espalda al momento. Había visto una foto de ella, pero en persona parecía mucho más guapa. Era rubia, y llevaba el pelo cortado a la altura de los hombros. En una ciudad en la que las mujeres vestían siempre con tops de tirantes y vaqueros deshilachados, el recatado vestidito amarillo de Shaw era como un salto al pasado.

El detective sentado junto a él también la vio, y al igual que él dejó de escuchar y la miró fijamente. Le dio un codazo al colega que tenía al lado, y al poco ya todos observaban a Sara acercarse hacia ellos.

Cuando llegó a la puerta, la única persona que no se había percatado de su presencia era Mike, que parecía absorto en su propio mundo: con la mirada perdida en el vacío, hacía girar el anillo una y otra vez.

El agente del Servicio Secreto que estaba en posesión de la palabra le abrió la puerta.

—¿Puedo ayudarla? —preguntó, esbozando una amplia sonrisa.

Pero Sara solo tenía ojos para Mike. Dio unos pasos en su dirección, y permaneció ahí de pie, observándolo.

Mike tardó unos instantes en tomar nota del silencio que se había apoderado de la sala. Finalmente alzó la vista, y al hacerlo descubrió a Sara frente a él.

—Shamus y Luke las han terminado, y he venido a traértelas —dijo ella, refiriéndose a las cartas que sostenía en la mano.

Mike seguía sentado sin decir nada, mirándola fijamente.

—Creo que deberíamos... —empezó a decir el capitán, pero se detuvo al ver que Mike se ponía en pie con brusquedad, estrechaba a Sara en sus brazos y la hacía girar. Las cartas salieron volando y aterrizaron por toda la sala.

—¡Estás aquí! —repetía Mike sin soltarla. Nadie había visto nunca a Mike tan contento—. ¡Estás aquí de veras!

Empezó a besarla, y Sara lo apartó empujándole el pecho.

—Tal vez deberías presentarme.

Su rostro irradiaba felicidad.

Entre los presentes, los no habituales se habían agachado a recoger las cartas, pero los compañeros y compañeras de Mike se habían levantado y esperaban tras él, impacientes por conocer a su esposa.

—Sí, claro —dijo él, bajándola al suelo pero sin soltarle la mano—. Esta es Sara Sh... —La miró a los ojos—. Newland. Sara Newland, mi esposa.

Sus colegas seguían sin moverse y la observaban en silencio. A Sara le pareció que su asombro era mayúsculo, y sabía que debía romper el hielo.

—Fijaos que al decir «esposa» ha estado a punto de atragantarse —dijo—. Le llevará un tiempo hacerse a la idea de que ya no es un hombre libre.

Todos, incluido el capitán, se echaron a reír. Pero más importante que la risa fue darse cuenta de que el mal humor que Mike había mostrado durante todo el día se debía a que echaba de menos a aquella guapa jovencita. Tal vez la razón principal por la que había decidido casarse con ella fuera protegerla, pero allí había algo más.

—Hablando de maridos —intervino Mike—. Te dije que no podías venir aquí.

Sara miró al capitán.

—Le preocupa que me sienta sola en esta gran ciudad, en esta ciudad corrompida mientras él trabaja. ¿Existe alguna posibilidad de que se tome tres días libres para que podamos irnos de luna de miel?

—Sara, este no es el momento... —dijo Mike.

—Creo que podría organizarse —le cortó el capitán—. Ah, sí, Mike. Me había olvidado de decírtelo. —Le lanzó un par de llaves unidas por una argolla—. Mostré mi malestar a nuestros superiores por lo que le habían hecho a tu apartamento, y he conseguido que te proporcionen otro. En este momento hay un agente del FBI que pide mi cabeza, porque en teoría ese alojamiento iba a tocarle a él. —Se fijó en Sara—. Hazme saber si es de tu gusto o no.

—¿Y las cartas? —preguntó el agente secreto, que las sostenía en una mano.

—Mike nos lo contará todo mañana. Vosotros dos ya podéis

248

iros. Mike, muéstrale algo de nuestra hermosa ciudad —sentenció el capitán.

Sara sonrió.

—Tengo una amiga que se crio en Boca Ratón y me ha escrito una lista de lugares que ver. Mizner Park, el Town Center, y un sitio que se llama Las Olas. ¿Puede ser?

Mike refunfuñó algo, y todos se echaron a reír.

—¿Qué he dicho? —preguntó Sara fingiendo inocencia.

Mike seguía sin soltarla mientras la conducía por el pasillo en dirección a su departamento.

—Joce y tú sois dos actrices cómicas. ¡Mizner Park!

Los lugares que había mencionado Sara eran zonas caras de compras, pero Mike seguía sonriendo al llegar a su despacho, que estaba limpio y muy ordenado, sin ni un solo objeto personal en toda su superficie.

—Vas armado.

—Como casi siempre.

—En Edilean no. —Miró a su alrededor y vio que en el resto del espacio no había gente, solo una sucesión de escritorios y estantes atestados. Ahora que estaba ahí, se sentía nerviosa, porque no sabía cómo iba a reaccionar él. Le había parecido que se alegraba de verla, pero tal vez hubiera sido comedia.

—No te acobardes ahora —le dijo él—. Sé valiente y asume las consecuencias de tus actos.

—¿Qué quieres decir con eso?

Él la besó en la mejilla.

—Me has echado de menos, ¿verdad?

—No, en absoluto. Pero pensé que te vendría bien ver las cartas enseguida, y he... —Él la besó en la boca—. Tal vez sí te he echado de menos un poquito, pero no mucho.

—¿Y cómo has venido? Con esa cafetera que conduces no puedes haber hecho el viaje.

—En el Mini Cooper de Joce.

—O sea, que has conspirado con ella para desobedecerme.

—Completamente. ¿Quieres escribirle una carta de agradecimiento?

—Eso te lo responderé después de esta noche. —Volvió a besarla, esta vez con más pasión.

—¡Eh, Newland! —gritó un hombre desde la puerta—. Esas cosas se hacen en la calle.

—Lo que te pasa es que estás celoso, Ferguson —soltó Mike, que cerró con llave el cajón de su escritorio, pasó el brazo con firmeza por la cintura de Sara y la condujo al vestíbulo.

—¿Y dónde está tu nuevo apartamento? —le preguntó Sara.

—No tengo ni idea —respondió él entregándole las llaves.

Ella leyó la dirección escrita en la chapa del llavero.

—Aquí pone Ala Street.

Estaban bajando por la escalera.

—No la había oído en la vida. Seguramente me habrán metido en algún cuchitril de un callejón cualquiera. ¿Estás segura de que has leído bien?

—Aquí pone 416 Ala Street. Todo en mayúsculas.

Le devolvió las llaves.

Mike leyó la chapa y se echó a reír.

—Lo de en medio no es una letra, es un número. El apartamento está en la A1A.

—¿Y eso dónde queda?

—Delante del mar, niña. Playas privadas. ¿Vamos a verlo?

—Me encantaría.

Sara siguió a Mike en el coche de Joce. Atravesaron el centro de Fort Lauderdale y llegaron a una calle llamada Sunrise. Dejaron atrás tiendas de aspecto fabuloso, y restaurantes, y finalmente llegaron a una colina que, según vio, era en realidad un puente que en ocasiones se abría para que pasaran los barcos. Al otro lado del puente, justo delante, ya veía el mar. Cuando estuvieron más cerca, Mike giró a la izquierda, y ella lo siguió por una calle estrecha. A la derecha, del lado del mar, había casas grandes ocultas tras altos muros y árboles inmensos. De las tapias se descolgaban flores de colores vivos. Al otro lado de la calle se sucedían edificios de aspecto corriente, moteles y apartamentos. Sara supuso que Mike se detendría al llegar a alguno de ellos.

Pero no lo hizo. Algunas calles más allá se metió por un caminito al que se accedía a través de una verja. Se detuvo frente a un interfono, pulsó un botón y la verja se abrió. Sara lo siguió y aparcó el coche junto al suyo. A la izquierda había otros dos.

—¡Guau! —exclamó ella mirando a su alrededor. La casa era grande y tenía dos plantas. Parecía sacada del viejo Hollywood.

—Es una réplica de Mizner —dijo él, como si eso lo explicara todo, y la condujo a la entrada principal.

El porche era alargado y profundo, y estaba embaldosado.

—¿Conoces esta casa?

—Bastante bien —respondió él mientras introducía la llave en uno de los dos portones—. Había sido de un tipo que se dedicaba a lavar dinero negro. Lo condenaron a cadena perpetua revisable a los veinte años, pero como el tipo ya tiene ochenta y uno, no creo que llegue a salir de la cárcel.

Entraron en un vestíbulo espectacular. Había un sobre con su nombre escrito en él en una mesita, junto a la puerta. Mientras Mike leía lo que contenía, Sara se dedicó a mirar a su alrededor.

Había un espacio inmenso, con cocina grande al fondo, a la izquierda, y un salón con varias piezas tapizadas en blanco. Frente a ella, una pared entera de la casa era, en realidad, un par de puertas de cristal que daban a un jardín paradisíaco. Abrió una de ellas y salió. A la izquierda, casi oculta tras árboles y arbustos que ella solo había visto en invernaderos, se adivinaba una piscina y una zona de barbacoa. Más allá, unos peldaños descendían hacia lo que Sara supuso que sería una playa privada.

Mike salió también y se acercó a ella, sin llegar a tocarla.

—¿Qué decía esa carta?

—Nada, son instrucciones sobre el funcionamiento de las cosas. La planta superior se ha dividido en dos apartamentos. En uno vive un policía que patrulla en moto y su esposa, que está embarazada. En el otro, uno de los falsificadores más habilidosos de todos los tiempos. Está en libertad condicional, pero lo mantenemos bajo vigilancia. ¿Has visto el resto de la casa?

Sara lo siguió al interior. Pasaron junto a la cocina, con sus encimeras de granito. Después venían dos dormitorios, uno de ellos bastante espacioso.

—Esta era la oficina de Benny, el Blanqueador —comentó Mike.

—¿Y tú cómo sabes todo esto?

—Yo fui uno de los que lo detuvo. Para ser tan mayor, la verdad es que opuso bastante resistencia.

Sara se acercó a la cama. Tenía colchón, pero no estaba hecha, y no había almohadas. Pasó la mano por el gran cabecero de caoba, dándole la espalda a Mike, y se preguntó si volvería a ver esa casa después del viaje. Hasta donde sabía, cuando se resolviera el caso, Mike le daría un beso de despedida (en la mejilla). Y dos semanas después ella recibiría los papeles del divorcio.

Se volvió hacia él, con intención de preguntarle sobre su futuro juntos, pero al mirarle a los ojos, todo lo que tenía en la cabeza se le esfumó.

Dio un paso hacia él, e inmediatamente Mike se abalanzó sobre ella, la agarró de la cintura, y juntos cayeron sobre la cama. Riéndose, Sara no tuvo ni tiempo de respirar, pues él empezó a besarla. Ella se abrazaba más a él, intentaba acercarse más. Solo habían estado separados un día y medio, pero ella lo echaba horriblemente de menos.

Cuando Mike le levantó la falda y le pasó la mano por el muslo desnudo, Sara sintió que su pasión se encendía. A los pocos segundos la ropa de los dos estaba amontonada en el suelo, y ella se sujetaba al cabecero con las dos manos. Las embestidas de Mike eran profundas y frenéticas.

Llegaron juntos al clímax y, como la primera vez, Mike le cubrió la boca con la suya para amortiguar sus gemidos.

Cuando dejaron de estremecerse, él la atrajo hacia sí en la cama, y ella apoyó la cabeza en su pecho desnudo.

Sara estaba allí, acurrucada a su lado, acariciándole su pecho perfecto, recorriendo con los dedos los contornos de los músculos.

Mike le cogió la mano y le besó las puntas de los dedos.

—¿Así que este apartamento iba a ser para un agente del FBI? —preguntó ella.

—Sí. —Mike sonreía de oreja a oreja.

—¿Y eso significa que el alquiler es asequible?

—Esta casa fue confiscada, y ahora pertenece al gobierno de Estados Unidos, y se supone que yo hago el papel de carcelero del viejo Henry, el falsificador. Como debo asegurarme de que no cree más billetes falsos de cien dólares, el alquiler que pago es mínimo. Además, a modo de disculpa por haber quemado todas mis cosas me han entregado un cheque por importe de quince mil dólares. ¿Quieres ayudarme a comprar lo básico?

—¡Genial! —respondió ella—. Sábanas, fundas de almohada, comida... ¿Hay batería de cocina, vajilla y esas cosas?

—Iré a ver —dijo Mike dirigiéndose a la cocina.

A Sara le fue concedido el inmenso placer de verlo salir del dormitorio completamente desnudo y el de verlo entrar segundos después. Aquella visión frontal hizo que volviera a tenderse en la cama.

—Los armarios y los cajones están vacíos —dijo él dirigiéndose al baño—. Y si no dejas de observarme así, las tiendas ya estarán cerradas cuando salgamos de aquí.

—¿De veras?

Él asomó la cabeza por la puerta.

—El que entre último en la ducha prepara la cena.

Sara abandonó la cama al instante, se coló bajo sus brazos y se metió en la ducha.

—¡Tramposa! —exclamó él, entrando en la ducha tras ella y cerrando la mampara.

—Es por influencia de la casa. Deben quedar restos de espíritus malignos acechando por aquí.

Mike encendió el agua. Le pasó el brazo por la cintura mientras esperaba a que se calentara.

—Yo no lo creo —dijo él—. Yo creo que la sangre que derramé aquí ya lo conjuró todo. —Ella lo miró sin comprender, y Mike se señaló la cicatriz del hombro—. Me hirieron aquí, mientras resolvíamos el caso.

Sara le besó la marca.

—Pobre niño. Lo siento mucho.

Mike la movió un poco bajo el agua.

—De hecho, la herida que me hice aquí es esta —dijo, señalándose un punto más bajo del costado, y Sara se agachó para besárselo—. Creo que... —susurró él.

—A ver si lo adivino... Te hirieron todavía más abajo —dijo Sara, arrodillándose.

—¿Alguna herida aquí? —preguntó.

Mike no respondió nada.

Tardaron casi una hora más en salir de casa, y Mike la llevó directamente a Best Buy.

—Creía que te hacían falta cosas esenciales.

—La música es necesaria para la vida —se defendió él, tan serio que Sara se echó a reír.

Adquirieron lo que según Mike eran las cosas más importantes de una casa. Sara no intervino en la compra del equipo de música, pero sí escogieron juntos un televisor inmenso de pantalla plana.

Cuando Mike estaba pagando por todo, a Sara estuvo a punto de escapársele una pregunta: ¿lo disfrutarían juntos? Pero finalmente no dijo nada.

Al llegar al departamento de cedés, cada uno se fue por su lado.

A ella le gustaba la música moderna, que Mike definía como «basura sin alma». Mike, por su parte, se fue al estante de discos de Andrea Bocelli. Para asombro de Sara, él resultó ser un enamorado de la ópera. Aun así, ambos coincidieron frente a los discos de Eric Clapton: echaron mano a uno de ellos al unísono, y se echaron a reír.

—Un clásico —dijo Mike, y ella se mostró de acuerdo.

Para llegar a su siguiente establecimiento, Mike cambió un par de veces de autovía para esquivar un peaje, y finalmente acabaron en un centro comercial divino en el que había una sucursal inmensa de Barnes and Noble. Como si de un hierro atraído por el campo magnético de un imán se tratara, Sara se dirigió a la librería, pero Mike la sujetó del brazo y la condujo hacia Sur la Table.

Sara conocía sus catálogos, pero nunca había estado en ninguna de sus tiendas. Se quedó unos instantes contemplando todos aquellos anaqueles llenos de preciosos artículos de menaje. Mike le levantó las dos manos, le colocó una cesta en una de ellas y le dijo:

—Piensa en tartas y pasteles.

Ella salió al fin de su trance y se dirigió hacia el fondo del establecimiento, donde llenó la cesta tres veces. Una dependienta solícita la ayudó a llevarlo todo hasta las cajas.

Lo metieron todo en el maletero del coche de Mike y se fueron a cenar a un restaurante llamado Brío.

—Todavía me debes una cena casera —dijo Sara—; me he metido en la ducha antes que tú.

—Por una ducha como esa te prepararía mil cenas —replicó él, acercándole el tenedor, en el que había pinchado un pedazo de lubina marinada en zumo de lima.

Después de la cena pasaron por un Bed Bath and Beyond.

—No quiero nada de color rosa, ni con flores —sentenció Mike apenas franquearon el umbral.

—Ni cuadros marrones, ni estampados de coches de carreras o de hombres dándose patadas.

—De acuerdo —aceptó Mike.

Y se pusieron en marcha.

Se tendieron sobre una cama de sábanas blanquísimas, y se divirtieron probando almohadas. Pero tras las risas llegaron los besos, y estuvieron a punto de caerse de la cama. De no haber sido por un niñito curioso que los miraba desde una esquina, tal vez no se hubieran interrumpido.

Entre carcajadas, empujaron los dos carritos repletos hasta la caja. Tuvieron que llenar el asiento trasero del coche hasta los topes para meter toda la ropa de cama, porque el maletero ya estaba lleno.

—Ya no hay sitio para comida —comentó Sara—. Y no hay nada de desayuno.

—No importa —dijo él—. Nunca como nada antes de hacer ejercicio.

—Si me dices adónde puedo ir, la compraré yo mientras estás en el gimnasio, y desayunaremos a tu vuelta.

Mike la miró de un modo desconcertante, y le dijo que irían juntos a la tienda.

Sara se volvió y ocultó su sonrisa. Al parecer, le gustaba comprar con ella.

Cuando regresaron al apartamento, cargaron con todas las compras. Mike instaló el equipo de música —el televisor se lo traían a casa—, y Sara metió las sábanas en la lavadora. Juntos abrieron los paquetes con los artículos de cocina mientras escuchaban canciones de Eric Clapton y bailaban un poco. A Sara le gustó comprobar lo buen bailarín que era.

—¿También aprendiste infiltrándote de incógnito para alguna de tus misiones?

Él la atrajo hacia sí y la puso en posición de vals. Llevándola, inició una serie de movimientos elegantes por toda la habitación.

—Con la esposa de un capo de la droga. Nos apuntamos a unas clases. —La echó hacia atrás y añadió—: Yo la ayudé con sus prácticas. —Levantó a Sara y dio unos pasos de tango al son de los compases de *Cocaine*—. La convencí para que testificara en contra de su esposo.

—¿Y todo porque la ayudaste con las clases de baile?

Sin dejar de bailar, Mike la llevó hacia el otro extremo de la habitación.

—Y porque la llevé a descubrir, sin querer, a su marido en brazos de las dos niñeras de sus hijos.

Sara se echó a reír. Él levantó un brazo y le dio una vuelta.

Cuando la canción terminó, Mike apagó el equipo de música.

—Tengo que levantarme temprano. ¿Qué tal si nos vamos a la cama? —le preguntó, mirándola de una manera que a ella le flaquearon las piernas.

—Ah, las sábanas —logró decir—. En la secadora.

De haber existido la modalidad olímpica de velocidad en hacer camas, sin duda habrían ganado. Primero el colchoncillo, después la sábana bajera. A Mike no le pareció bien la manera de Sara de doblar la sábana encimera en las esquinas, y la corrigió.

—¿Hay algo más que hayas aprendido en tus misiones como infiltrado?

—No. Niñera mía.

Ella le lanzó una almohada. Él la esquivó, la pilló al vuelo y echó a Sara sobre la cama.

Mike empezó a besarle el cuello, y ella dijo:

—Es una lástima mojar unas sábanas recién estrenadas.

Mike la levantó entonces y la tendió en el suelo, sobre una alfombra dorada y azul.

—No me preguntes por qué —le dijo con su voz grave—, pero resulta que sé que esta alfombra cuesta ochenta mil dólares.

—¿En serio?

—El importador necesitaba que le hicieran un favor —le explicó sin dejar de besarla—. Y ese fue el regalo que le hizo al Blanqueador.

—¿Veinte años de condena?

—No, toda la vida.

Ella se echó hacia atrás para mirarlo, y él se encogió de hombros. Sara supo que el hombre estaba muerto. No quiso preguntar quién lo había matado por temor a que Mike confesara que había sido él.

—Es muy bonita.

—Sí, bastante agradable —dijo él, montándose sobre ella—. Y muy práctica.

Después, cuando estaban tendidos, juntos, Mike se echó a reír.

—¿Qué ocurre? —le preguntó ella poniéndose un camisón.

—Acabo de acordarme de que le dije al capitán que no sabía cómo complacer a una «buena chica». No tenía ni idea de que todas queréis lo mismo.

—Y yo le dije a mi madre que eras gay.

Entre sonrisas, se quedaron dormidos, abrazados, muy juntos.

A la mañana siguiente, Sara seguía profundamente dormida cuando Mike apartó las sábanas. Ni se movió.

—Tienes que levantarte —le ordenó.

Ella lo oyó vagamente, pero seguía sin moverse.

—Sara, querida, tú te vienes al gimnasio conmigo.

Ella enterró la cabeza bajo las cuatro almohadas que habían comprado.

—¡Arriba!

Ella no se movió.

Mike le pasó las manos por debajo de la cintura y la sacó de la cama. Al ver que no hacía el menor esfuerzo por despertarse, se la colgó al hombro, como si de una toalla húmeda se tratara, y la cargó hasta el baño, donde la depositó junto a la bañera.

Mike le mostró una bolsa de plástico.

—Todo esto es para ti. Póntelo. Tienes diez minutos.

—Yo no quiero...

Mike salió del baño.

—Odio el deporte —masculló al tiempo que recogía la bolsa, que estaba llena de ropa deportiva, y en la que había también unas zapatillas. Todo era de su talla.

Sara torció el gesto. Al parecer, el día anterior, mientras los dos disfrutaban de su tiempo en común, él había planeado en secreto, maliciosamente, que ella lo acompañara al gimnasio.

Salió del baño con el pelo recogido en una coleta, y llevaba unas horribles mallas negras y un top azul sobre un horrendo sujetador deportivo.

Mike parpadeó un par de veces, ensalzando su tipo con la mirada, y ella aprovechó la ocasión para pillarlo.

—O sea, que lo que dices es que tengo que acompañarte al gimnasio porque no te gusta mi aspecto.

—Ahora estás estupenda, pero dentro de cuatro años llegarás a los treinta años, y a esa edad las cosas empiezan a descolgarse. Plantéatelo como una forma de prevención. —Le entregó una botella de agua y le pasó el brazo por los hombros—. Hace-

mos una cosa: si no lo soportas, mañana te quedas en casa con-
virtiéndote en una bolita de sebo. Pero hoy nos vamos al gimnasio. ¿Y quién sabe? Tal vez te guste.

Sara quiso replicar, pero él abrió la puerta y ella constató que
todavía era de noche. Ella hizo un intento de regresar al dormitorio, pero Mike la interceptó. Riéndose, la metió en el coche.

Pero a Sara no le hacía ninguna gracia.

—¿Y cuándo conspiraste para comprarme todo esto?

—Ayer, mientras tú estabas como loca con todos aquellos
moldes para tartas, llamé a una amiga mía. Ella lo compró todo
y lo dejó en la puerta de entrada. De hecho, se va a reunir con
nosotros en el gimnasio.

—¿Amiga? ¿Piensas presentar a tu esposa a una de sus exa-
mantes?

—Si quieres pelearte conmigo por lo que sea, adelante, pero
no pienses que así te librarás del gimnasio. Ella es monitora de
yoga.

—¿De yoga? ¿Y por qué crees tú que habría de interesarme
el yoga?

—Pues porque sé que eres capaz de acercar las rodillas a las
orejas, y de colocar tus tobillos en mis orejas a la vez. Y eso cuando estamos de pie. No sé por qué, pero me ha parecido que el
yoga y tú hacéis buena pareja.

Sara tuvo que mirar por la ventanilla para que él no la viera
sonreír.

—Así me gusta. Se llama Megan y, para tu información, nunca me he acostado con ella.

—Pues yo preferiría acostarme con ella que practicar deporte con ella —masculló Sara, enfadada.

—¿Ah, sí? —se interesó Mike arqueando una ceja.

—No te hagas ilusiones.

Él se echó a reír, y poco después aparcaron en un estacionamiento lleno de coches.

—¿Pero quién diablos va al gimnasio a estas horas de la madrugada?

—Nosotros —respondió Mike, y Sara gruñó algo.

Una vez dentro, ella siguió a Mike y descubrió que conocía a casi todo el mundo. Los hombres, con unos brazos del tamaño de ruedas de camión, le estrechaban la mano y se inclinaban sobre él en un gesto que, según supuso, debía de ser un saludo masculino del sur de Florida. Las mujeres, con unas nalgas tan duras que habrían repelido disparos de bala, le besaban en la mejilla y se mantenían cerca, demasiado cerca de él.

Mike la presentaba como su esposa a todos los hombres, pero, en opinión de Sara, reaccionaba con un exceso de lentitud ante las mujeres, por lo que acababa presentándose ella sola.

Cuando apareció una mujer joven y guapa, Sara se mostró reacia a dejarlos a solas. Pero Mike la envió con la monitora de Sara, y juntas se fueron hacia una gran sala con suelos de madera.

—Veamos qué sabes hacer —le dijo Megan.

Una hora después, Sara fue liberada, y Mike, recién duchado y vestido, la esperaba ya junto a la puerta.

—¿Y bien? —le preguntó a Megan.

—Tal como me comentaste.

—Muchas gracias —dijo Mike, estampándole un beso en la mejilla. Abrió la puerta y le cedió el paso a Sara. Juntos salieron a la calle. Apenas amanecía.

—¿De qué iba todo eso? —preguntó Sara cuando se metieron en el coche

—Era el informe de Megan, que se ha mostrado de acuerdo con mi valoración sobre ti. Careces de músculos dignos de tal nombre, pero eres muy flexible. Megan cree que si trabajas duro, en uno o dos años podrías alcanzar un nivel que te permitiría convertirte en estudiante seria de yoga. Y, viniendo de Megan, eso es todo un elogio.

—¿Ah, sí? —dijo ella, complacida. No era que le interesara seguir su consejo, pero siempre era agradable oír un comentario positivo.

—Aun así, te hace falta desarrollar un poco más los músculos. De eso me encargaré yo.

—¿Eso significa que voy a tener que ponerme encima de ti más a menudo? Dicen que es bueno para las piernas.

—No empieces a tentarme. Tengo que irme a trabajar.

—¿Y qué se supone que voy a hacer yo todo el día?

—Puedes... —se interrumpió, porque en ese momento sonó su teléfono. Mike comprobó quién era antes de responder—. Llego en... Ah... muy bien. No tengo ni idea. —Miró a Sara—. ¿Sabes escribir a máquina?

—Sí.

Mike permaneció en silencio unos instantes, escuchando, y volvió a dirigirse a Sara.

—¿Y sabes copiar al dictado?

—Luke me dictó todo su primer libro.

Mike parecía impresionado.

—Le mecanografía los libros a Luke Adams —informó a su interlocutor.

—Yo no he dicho... —empezó a decir Sara, que enseguida se dio cuenta de que le tomaba el pelo.

Mike dijo algo más y colgó.

—Era el capitán. Dice que necesita anotar todo lo que he hecho y averiguado en Edilean, y que como a mí se me da fatal escribir en el teclado, me ha sugerido que te lo dicte a ti. Por cierto, ¿dónde está el misterio de esas cartas del tarot?

Sara habría querido saltar de alegría: ¡Iban a pasar el día juntos! Si su cuerpo no hubiera estado hacía un momento contorsionado en diversas posiciones, tal vez lo habría hecho.

Estaban llegando a casa, y Sara esperó a bajar del coche antes de responder.

—Shamus ha retratado en ellas a la gente de Edilean.

—¿Que ha hecho qué?

—Ha dibujado a todo el mundo en esas cartas.

—Supongo que cuando dices «todo el mundo» te refieres a la gente de las familias fundadoras, no a los recién llegados como yo.

—No seas redicho, pues también aparecéis retratados Tess y tú, y Shamus ha incluido a numerosas clientas de la tienda de ropa.

Mike abrió mucho los ojos.

—¿Estás diciendo que el retrato de Mitzi Vandlo podría estar en esas cartas?

—No se me había ocurrido, pero posiblemente sí. He traído otra baraja; la tengo en la maleta. Revísala, si quieres, mientras me ducho, a menos que quieras ducharte conmigo, claro —dijo, mirándolo con picardía y parpadeando con fuerza.

—Quiero ver las cartas ahora. Deberías haberme dicho lo que contenían ayer mismo.

Sara suspiró, melodramáticamente.

—¿Y quedarme sin mi luna de miel de doce horas? ¿Cómo iba a ser tan egoísta?

Mike no sonrió, pero le apareció el hoyuelo en la mejilla.

—Dúchate, y después nos vamos a comprar bagels.

—¿Con o sin semillas de lino?

—¡Vete ya!

Sara estaba duchándose cuando Mike entró en el baño con la baraja en la mano.

—Vas a tener que decirme quiénes son casi todos.

Separó una carta y se la mostró, pero ella no la distinguía a través del cristal empañado. Mike se acercó más a la ducha, y Sara se pegó a la mampara.

—Ese es el señor Frazier, el padre de Shamus. La señora Frazier —añadió al ver la carta siguiente.

—Ya sé que estos tres bueyes son los hermanos de Shamus y Ariel.

—Tu querida Ariel. ¿Crees que a ella le gustará este apartamento?

Sara tenía los ojos cerrados, porque estaba lavándose el pelo. Cuando se volvió, Mike, desnudo, se había colado en la ducha y estaba a su lado.

—¿Necesitas ayuda? —le preguntó, hundiendo las manos en los cabellos llenos de espuma y masajeándole la cabeza.

—Siempre —respondió ella.

22

Mientras desayunaban sus bagels con zumo de naranja, Mike empezó a tener dudas sobre la conveniencia de dejar que Sara oyera todo lo que había averiguado en Edilean. Entre otras cosas, porque todas las muestras de ADN que habían solicitado habían dado negativas en los análisis, por lo que seguían lejos de identificar a Mitzi. Y era posible que, al saberlo, Sara se asustara.

—¿Por qué estás tan callado? —le preguntó ella.

—Soy una persona callada.

—Eso cuando no me obligas a hacer algo que no quiero. Entonces sí hablas.

—El gimnasio te ha gustado, y el yoga se te da bien —replicó Mike.

—¡Te equivocas! Con todas esas chicas babeando por ti... ¿Cómo iba a gustarme eso?

—Te he visto con Megan, y se veía que te lo estabas pasando bien. Además, adoptabas a la perfección todas las posturas.

Sara dio un sorbo al zumo y lo miró.

—No has respondido a mi pregunta. A ti te preocupa algo. Estoy empezando a ver que, cuando no quieres contestar, te sales por la tangente.

—¿La tangente? ¿Yo? A lo mejor podrías explicarme tú el significado de esa palabra. Yo, a diferencia de ti y de Tess, no fui a la universidad, así que perdóname si tengo algún problema para estar a vuestra altura.

—La universidad no modifica la inteligencia de la gente. —Lo miró entornando los ojos—. Tú le estás dando vueltas en la cabeza a algo, y yo quiero saber qué es.

—¿Sin salirnos más por la tangente? —dijo él, demostrando que conocía bien la palabra.

—Nunca más.

Mike dejó su bagel sobre el plato.

—He averiguado algunas cosas durante mi estancia en Edilean que creo que no deberías saber.

—¿Y por qué no habría de saberlas? ¿Porque saberlas me pondría en peligro, o porque podrían herir mis sentimientos?

—Lo segundo.

—Lo superaré.

—¿Estás segura?

—¿Todavía no sabes que soy más fuerte de lo que parezco?

Mike se acercó las manos a los riñones.

—Esta mañana, en la ducha, creía que me ibas a destrozar.

Sara no sonrió.

—Quiero que hagas ver que soy una de esas mujeres que trabajan en tu oficina y me cuentes lo que has averiguado. Yo lo pasaré todo al ordenador, y te prometo que no tendré taquicardia.

—¿Ni siquiera si te beso la nuca?

—Eso es otra cosa completamente distinta. ¿Puedes tratarme como si fuera una persona normal y corriente, sin más?

—No —se apresuró a responder él.

—¡Qué bien! —replicó Sara con la misma rapidez.

Pararon en una tienda de material de oficina a comprar una impresora, y Mike aprovechó para preguntarle por qué ya no mecanografiaba las novelas de Luke.

—Mi madre. Yo tenía solo quince años cuando él escribió su primera novela, y me pasé todo aquel verano con un ordenador en el regazo. Cuando la terminó, Luke tenía media docena de ideas para otros libros. Yo iba a ayudarle, pero mi madre le regaló una copia del Mavis Beacon, un programa para aprender mecanografía, y le pidió que me dejara vivir.

—¿Crees que algún día serás exactamente igual que tu madre?

—Rezo todas las noches para no serlo.

Una vez de nuevo en el apartamento, Sara encendió el ordenador portátil de Mike, que la conminó a no entrar en sus archivos personales antes de empezar a dictarle.

Expuso que había entrado en contacto con la «víctima» y que había empezado a residir con ella. Alzó la vista para ver cómo se tomaba ella aquella confesión implícita, y vio que su rostro se mantenía imperturbable. Parecía concentrada en anotar lo que él decía.

Hasta que empezó a hablar de Merlin's Farm, ella no lo interrumpió.

—Creo que deberías mencionar el vínculo de tu abuela con la granja.

—Eso no tiene nada que ver con el caso. Bien, como iba diciendo...

—Creo que sí existe cierta relación. Tu abuela quería poseer ese lugar, y Greg... Stefan, también.

—Mi abuela se fue de Edilean en 1941. Lo que ocurre allí ahora no tiene nada que ver con aquella época.

—Estoy segura de que tú sabes mejor que yo de qué va todo esto —dijo ella, aunque en un tono que dejaba claro que se equivocaba. Volvió a colocar las manos sobre el teclado.

Mike se volvió. Lo cierto era que coincidía con ella. Aunque no entendía de qué modo los dos hechos podían estar relacionados, decidió investigarlo. Pero no pensaba preocupar a Sara con aquello. Siguió con el relato de los hechos, y ella no volvió a interrumpirlo hasta que llegó a su conversación con Ariel.

—¿Ariel sabía que Greg estaba fornicando con otras mujeres y no me dijo nada?

—Creía que habías dicho que ibas a mantenerte emocionalmente distanciada de esto.

—No estoy enfadada con Greg. Él es como esa serpiente

que no cambia de carácter por bien que lo trates. Pero Ariel... Debe de creer que me he portado muy mal con ella para dejar que me case con un hombre a sabiendas de lo malo que es.

—Si te lo hubiera dicho, ¿la habrías creído?

—Ni una palabra.

Mike la miró, asombrado.

—Tal vez ella ya lo sabía, y por eso precisamente no te dijo nada. ¿Y tú? Si hubieras sabido que ella iba a casarse con un mujeriego, ¿se lo habrías advertido?

—Sí, claro —respondió ella, esbozando una sonrisa de oreja a oreja—. Habría salido corriendo para decírselo enseguida, y habría corrido tanto que los pies no habrían tocado el suelo.

Mike la miró, meneando la cabeza.

—¡Y Colin! —exclamó Sara—. No puedo creer que no me advirtiera sobre Greg. Colin y yo siempre hemos sido amigos. Cuando volvamos a casa, voy a ir a hablar con los Frazier.

—Seguro que se asustan —soltó Mike sin inmutarse—. ¿Estás lista para seguir? Cuanto antes enviemos este documento a la comisaría, antes quedaremos libres. ¿O acaso quieres volver a Edilean y contarles a todos que no llegaste a ir a la playa?

Sara posó de nuevo las manos en el teclado.

—Sigue adelante, oh líder valeroso, y dime quién más me ha traicionado.

Sonriendo, Mike prosiguió. Relató lo que había averiguado, pero también perfiló el plan de la semana siguiente. Por primera vez, Sara tuvo conocimiento de lo que tanto la policía como los agentes federales esperaban que ocurriera.

Hacia mediodía concluyeron la redacción del documento, y Mike se puso a dibujar un plano del recinto ferial. Cuando llevaba un rato, Sara lo relevó.

—Las paradas, los campos de juego y las atracciones ocupan siempre los mismos sitios, así que sé dónde va todo.

—Salvo el tenderete de la Pitonisa Joce.

—Luke quiere instalarla junto a la que usa él para vender sus plantas, y que es contigua a mi puesto de besos.

—¿Tu qué?

Sara sonrió, traviesa.

—Solo quería saber si me prestabas atención.

A la una, los mapas y los informes ya estaban terminados. Los imprimieron en la nueva impresora, que Sara había instalado mientras Mike se ocupaba del televisor, que acababan de recibir, y lo metieron todo en un sobre grande.

Mike se volvió a mirar a Sara. Un segundo después ya se habían desnudado y estaban haciendo el amor sobre el gran sofá blanco.

Después, ella, aún en sus brazos, dijo:

—Es raro, pero no pienso ni siquiera en el sexo, y de repente te miro y ya no puedo pensar en nada más.

Él le besó la frente.

—Mi princesa virgen. ¿Te apetece darte un baño?

—Me encantaría. Me he traído un biquini azul.

—Seguro que a Henry el Falsificador le encantará. No te extrañe encontrarte dibujada en un billete de mil dólares.

—¿Cuándo voy a conocer a los vecinos?

Mike se estaba dirigiendo hacia el baño, y no se volvió.

—Debemos irnos mañana por la tarde.

—No has respondido a mi pregunta —dijo ella en voz muy baja mientras recogía su ropa. Mike no le había dado a entender siquiera que algún día podría regresar a Fort Lauderdale, que algún día volvería a ver ese precioso apartamento.

Él se volvió al llegar a la puerta del baño.

—Ducharse solo es malgastar el agua.

—Pues yo siempre he sido muy ecológica —replicó Sara, y se metió corriendo en el baño para ducharse con él.

—Ha sido un día maravilloso —susurró Sara, acurrucada junto a Mike, en la cama. Eran casi las diez de la noche, y debían levantarse temprano, pero ella no tenía sueño.

—Sí, ha sido genial —dijo él.

Sara notaba que Mike estaba tierno.

—He disfrutado mucho de nuestra luna de miel.

—Yo también. No estoy seguro, pero creo que el capitán me hizo volver para impedirme que me casara contigo.

Ella volvió la cabeza para mirarlo.

—Me parece bien. Intentaba protegerte, pero, en cambio, cuando vio que yo no era tu... víctima habitual, te dio tiempo libre para que lo pasaras conmigo. Es un buen hombre.

—Tú haces que aflore lo bueno de la gente.

—Eso que acabas de decir es muy bonito.

Permanecieron unos instantes en silencio, mientras él le acariciaba la espalda suavemente con las yemas de los dedos. Ella aspiró hondo, armándose de valor. Lo que quería preguntarle podía ofenderle.

—¿Cómo eran tus padres?

—Amables, amorosos, divertidos —respondió él sin dudar ni un momento.

Sara se apretujó más contra él y apoyó la cabeza en su hombro.

—¿Te acuerdas de ellos?

—Perfectamente. Pero Tess no, así que siempre que estamos juntos le cuento cosas sobre ellos.

—Me encantaría oír cualquier cosa que quieras contarme sobre tus padres.

Mike tardó un poco en responder.

—Mi madre era muy guapa.

—Como Tess.

—Sí, pero de otra manera. Tess es morena, como nuestro padre, mientras que mi madre era rubia, con los ojos azul oscuro. Como tú. —Le besó la cabeza.

—¿Y qué le gustaba hacer?

—Decía que era la mujer menos moderna del mundo, porque no tenía ambiciones. Fue dos años a la universidad, y entonces conoció a mi padre y... —Se encogió de hombros.

—Matrimonio e hijos. A mí me suena bien.

—Os habríais llevado bien las dos. Os parecéis mucho. Ella nos preparaba bocadillos y dibujaba sonrisas en el pan. Cuando yo llegaba del colegio, ella siempre tenía algo hecho en casa para comer.

—¿Y qué hacía tu padre?

—Se pasaba cuarenta horas a la semana dirigiendo una gran imprenta, pero en la vida real había solo dos cosas que le importaban: su familia y el deporte.

—A ti eso debía de encantarte —comentó Sara.

—Absolutamente. Mi primer recuerdo es el de ir sentado en una sillita detrás de la bicicleta de mi padre... subiendo una montaña.

—Suena peligroso. ¿Tú no...? —Cambió de pregunta—. ¿Y a tu madre le gustaba el deporte?

Mike ahogó una risita.

—Lo odiaba. A ella lo que le gustaba era quedarse en casa viendo películas antiguas.

—¡Pues sí! Definitivamente, nos habríamos hecho amigas. Me encantaría haberla conocido. —Mike no dijo nada, y ella supuso que debía de estar pensando en lo que ocurrió después. En la muerte tan prematura de sus padres, en su malhumorada abuela, que se hizo cargo de su custodia y la de Tess.

—Nunca lo entendí —susurró él finalmente, dejando de acariciarle la espalda—. Mi madre adoraba a su madre, y los abuelos prácticamente la idolatraban a ella. Mi abuela era tan buena con ella... Hablaban por teléfono todos los días.

—¿Y cómo se portaba tu abuela con Tess y contigo cuando tus padres estaban vivos?

—Para mi abuela solo existía mi madre. No prestaba la menor atención a Tess, ni a mí ni a su marido. No veía más allá de su hija.

—El accidente...

—Casi se volvió loca —le explicó Mike—. Aquel día horrible, en el que todo cambió, mamá le había pedido a la abuela que nos cuidara, algo que no hacía casi nunca, para que ella y mi padre pudieran ir a comprarnos los regalos de Navidad.

—Dios mío...

—Sí, exacto. Las calles estaban heladas y el coche patinó, chocó contra un muelle y fue a empotrarse en un muro. Murieron en el acto. La abuela estuvo a punto de perder la razón, y nos echaba la culpa a Tess y a mí del accidente. Decía que, si no hubiéramos nacido. Su hija todavía estaría viva.

Mientras Mike le contaba todo aquello, Sara intuía que nunca se lo había contado a nadie. Carraspeaba constantemente. Con dulzura, él le apartó la mano y le besó la nuca.

—Cuéntame qué pasó.

Mike aspiró hondo.

—Un par de semanas después del funeral, le pedí a mi abuela tres dólares para algo del colegio. Ella estaba barriendo el suelo de la cocina. No me respondió, pero nunca olvidaré su expresión de odio. Bajó la mirada, la clavó en la escoba y un instante después me golpeó el cuello con el mango.

Sara ahogó un gemido, horrorizada al pensar que alguien fuera capaz de hacerle eso a un niño, pero no dijo nada, y dejó que siguiera hablando.

Mike le contó entonces que cuando su abuela le golpeó en el cuello, su abuelo no estaba en casa, por lo que nadie lo llevó al médico. A la vuelta de su abuelo, una semana después, el daño en su voz ya era irreversible. Nunca la recuperó del todo.

Después de aquel episodio, Prudence empezó a descargar su ira y su hostilidad en Mike. Y él no tardó en aprender que debía velar por que así fuera. Cada vez que miraba a Tess, que solo tenía cinco años, y a él le parecía que podía desahogarse con ella, Mike llamaba la atención para que lo agrediera a él.

En el colegio, Mike solo se buscaba problemas. El profesor de gimnasia intentó que se aficionara a algún deporte, pero Mike sentía demasiada ira como para convertirse en jugador de equipo. Lo que hacía era pelearse y buscarse enemigos en todas partes.

Cuando terminó los estudios y se trasladó a la Costa Este, un día entró en un gimnasio especializado en boxeo, y allí fue donde conoció a Frank Thiessen, que tenía veintitrés años y estaba pensando en hacerse policía. Entrenaban juntos, y se hicieron tan buenos amigos que Frank esperó a que Mike cumpliera los diecinueve para que pudieran alistarse juntos. Ya en el cuerpo, formaban un buen equipo. Los dos eran atléticos, los dos habían vivido infancias desgraciadas, pero al fin habían encontrado la manera de canalizar su agresividad. En su tiempo libre, entrenaban duro, y participaban en competiciones que casi siempre ganaban.

Cuando empezaron a participar en misiones de incógnito tuvieron que separarse, y Frank se trasladó a California.

—Me gustaría conocerlo —dijo Sara, haciendo un gran esfuerzo por no exteriorizar el horror que le causaba lo que Mike acababa de contarle. Ahora sentía vergüenza por haberse quejado de su familia.

—¡Eh! —exclamó Mike, llamándola—. Lo acepto todo menos la lástima.

—Me alegro, porque de mí no vas a conseguirla. Además, siempre has tenido a Tess, que te adora. ¿Por qué no habías venido nunca a Edilean a visitarla?

—Vaya, vaya, esto se está convirtiendo en un interrogatorio. Y he descubierto que solo hay una manera de detenerlo.

Dándose la vuelta, empezó a besarla en el cuello.

Sara no estaba segura de qué había ocurrido, pero parecía evidente que acababan de dar un gran paso al frente. Sabía que debía sentirse triste, o directamente deprimida, por lo que acababa de contarle Mike, pero en cambio experimentaba una sensación casi agradable, porque había confiado en ella. Ahora ya no le extrañaba que Tess se mostrara tan reservada a la hora de hablar de su vida.

—¿Y piensas seguir pensando o vas a ayudarme con esto?

Ella no se rio.

—Mike... Siento mucho todo lo que te ha pasado.

—Gracias —dijo él con voz sincera.

No hicieron el amor. Mike la estrechó en sus brazos, y la estrechó con mucha fuerza. Ella nunca se había sentido tan unida a él.

—Será mejor que durmamos un poco. Por la mañana toca gimnasio.

Sara trató de protestar, pero no pudo. La verdad era que él tenía razón, que había disfrutado bastante del ejercicio. Lo que más le había gustado había sido estar en un sitio donde él era tan conocido. En Edilean ella conocía a todo el mundo, pero allí era su marido el que conocía a la gente.

Sonrió al pensar en que, en efecto, era su marido, y lentamente se sumergió en el sueño.

A la mañana siguiente Mike tuvo que despertar de nuevo a Sara, pero en esa ocasión ya no tuvo que pedirle que se vistiera.

—¿Quieres probar hacer algo de músculo hoy?

—¿Para qué? ¿Para tener unos brazos como los tuyos?

Mike flexionó un bíceps.

—No creo que tengas que preocuparte por eso.

—¡Qué vanidoso eres!

—Tengo que serlo en algo. Con esta cara, sin pelo y con esta voz, he tenido que trabajarme el resto.

Sara no se rio, aunque estaba segura de que lo había dicho en broma.

—Pues a mí me parece que eres guapo de cara.

—No fue eso lo que dijiste la primera vez que me viste, pero gracias. ¿Estás lista?

—¿Megan nos está esperando?

—No. Hoy eres toda mía. —Se acercó a ella, acechante, y ella fingió que se asustaba y dio un gritito. Mike sonrió.

—Si no salimos de casa ahora mismo, me arrastrarás hasta esa cama, y yo ya estoy cansado de lo que me has hecho durante estos últimos dos días.

—Pobrecito —dijo Sara mientras se dirigía a la puerta—. ¿Y si conduzco yo?

—¿Caben dos personas en ese coche de juguete con el que viniste?

—No, quería decir si llevo yo tu coche.

—No se puede negar que tienes sentido del humor —replicó él abriendo la puerta del copiloto para que entrara.

Discutieron durante todo el camino al gimnasio, pero Sara no consiguió que cambiara de opinión en lo más mínimo: su coche solo lo conducía él.

Una vez en el gimnasio, Mike pasó treinta minutos con ella,

mostrándole la manera correcta de realizar algunos levantamientos rutinarios. A ella le parecía todo muy aburrido, pero le encantaba sentir sus manos en los codos y en los hombros.

Después, Sara fue a nadar, y con los antebrazos apoyados en el borde de la piscina, y pataleando ociosamente bajo el agua, lo vio ejecutar su intensa rutina de cuarenta y seis minutos. El sudor cubría todo su cuerpo, y sus músculos hinchados resplandecían. Cuando terminó de ejercitarse, a ella no le habría costado nada arrancarle la ropa allí mismo.

Mike la miró sin decir nada, pero cuando estaban en el coche comentó:

—¿Crees que podrás esperar a que lleguemos a casa?

—¿Y tú?

Segundos después aparcó el coche en el estacionamiento de una tienda que todavía estaba cerrada, abrió la puerta y salió.

—¿Qué diablos...?

Sara vio que abría la puerta de atrás, se montaba en el asiento trasero y empezaba a desabotonarse la camisa.

Sin pensarlo dos veces se coló por entre los asientos delanteros, y le acarició el cuello mientras lo besaba. En ese momento se alegró de que los cristales del coche fueran tintados y de que nadie los viera. Mike no llegó a quitarse la camisa.

Pasaron la mañana conduciendo por Fort Lauderdale, mientras Mike le mostraba los puntos de interés, sobre todo los magníficos yates y las calles con embarcaderos y amarres que hacían que la ciudad se conociera como la «Venecia de América». Sara apenas escuchaba, porque sabía que esa misma tarde emprenderían el viaje de regreso a Edilean. Temía que llegara ese momento. Ella iría en el coche de Joce, y Mike en el suyo, por lo que ni siquiera irían juntos.

Y, lo que era peor, cuando regresaran, todo el horror empezaría. Soltarían a Greg, que al fin descubriría que su prometida se había casado con el hermano de Tess. A Sara le habría encantado poder decirle que lo sabía todo sobre su madre, su mujer... que sabía que quería casarse con ella porque... Eso nadie lo había averiguado aún.

Pero le habían advertido de que no podía contarle nada hasta que encontraran a la madre de Greg. La policía esperaba que este se enfadara tanto al saber que Sara se había casado con otro que empezara a cometer errores. Como su madre era el cerebro de la familia, todos confiaban en que la rabia de Stefan/Greg, dirigida contra Sara, le hiciera salir disparado en busca de Mitzi; ellos, entonces, irían tras él.

Por todo ello, Mike había planeado competir en los juegos y llamar la atención.

—Tú quieres convertirte en objetivo, ¿verdad? —le dijo Sara cuando él se lo contó—. Interponerte entre Greg y lo que anda buscando.

—Es que irá contra ti o contra mí, niña, y creo que yo estoy más acostumbrado que tú a ser objetivo.

Sara no pudo contradecirle, porque había visto las cicatrices en su cuerpo, y suficientes películas y programas de televisión como para reconocer una herida de bala.

A medida que ese último día iba pasando, ella se ponía más nerviosa. Estaba preocupada por Mike. Convirtiéndose en su esposo, Mike se había pintado una diana bien llamativa en la frente.

—No te había dicho que el coche de Joce lo conducirá un agente hasta Edilean —le comentó Mike.

—O sea, que yo iré contigo.

—Por supuesto. ¿Pensabas que ibas a tener que volver tú sola?

—No —replicó ella—. Creía que yo conduciría tu coche fantástico y que tú irías detrás, metido en el maletero.

—No sería la primera vez. Creo que deberíamos salir a la una. Así llegaremos sobre la medianoche. Podremos dormir unas horas, y estaremos listos para la feria de mañana.

—La feria no empieza hasta mediodía.

Mike sonrió.

—No te estarás echando atrás, ¿verdad?

Ella lo miró, y Mike vio el miedo reflejado en sus ojos.

—Mike, esto es serio. Si en el exterior, en un lugar público, durante esos juegos, alguien puede ocultarse en alguna parte y disparar contra ti.

—Gajes del... —Sara le dedicó una mirada que le impidió terminar la frase. Él se sentó en el sofá, junto a ella, y la estrechó entre sus brazos—. He hecho cosas parecidas cien veces, y hasta ahora no he perdido.

—Basta con que pierdas una vez, y creo que ya va siendo hora de que pares —sentenció ella con voz firme—. Tienes treinta y seis años, estás a punto de retirarte, ahora eres propietario, y creo que deberías dejar de jugarte la vida todos los días.

—Es más probable que me mate el intento de satisfacer los deseos de mi esposa.

Ella lo miró, indignada.

—Está bien —dijo él—. Te prometo que cuando termine este caso, me plantearé solicitar un trabajo de despacho. ¿Te quedas más tranquila?

—Quiero que te mantengas lejos de esa feria. Tienes que encerrarte en una habitación con tres guardias armados tan corpulentos que a su lado los Frazier se vean pequeños. Y deberías...

Mike la besó.

—¿Y si bajamos a la playa a pasear un poco? Tal vez veamos a las tortugas que van a desovar...

Sara se limitó a mirarlo fijamente, y él volvió a besarla.

—Pondré el máximo cuidado, te lo prometo. Vamos, nos vendrá bien salir. ¿Quieres que te cargue a peso hasta la playa?

—No, no quier...

Pero Mike la levantó y se la cargó al hombro, y ella no pudo evitar reírse. Durante un momento, se olvidó de sus temores.

A la una y media ya estaban en el coche de Mike, en la autopista I-95, en dirección norte, superando el límite de velocidad.

—¿Y piensas estar de mal humor todo el viaje?

—No estoy de mal humor, estoy preocupada.

—Este es mi trabajo. Tú eres la víctima, no sé si lo recuerdas. Vosotros, la gente, os metéis en líos de manera inocente, y nosotros os rescatamos.

—Eso si seguís vivos.

—Me recuerdas a Tess.

—Una mujer inteligente.

—¿Y si ponemos algo de música? —preguntó él—. ¿Te animarás un poco?

—¿Qué hago? ¿Escojo algo adecuado para tu funeral?

Mike le apretó la mano.

—Te conviene distraerte un poco. Háblame de lo que hacías en el instituto. ¿Sacabas buenas notas? ¿Qué estudiaste en la universidad? Fuiste a William and Mary, ¿no?

—Estoy segura de que sabes todas las asignaturas que cursé, y qué notas saqué en ellas. ¿Por qué no me cuentas tú qué hizo que tu abuela se fuera de Edilean, y por qué odiaba tanto a los McDowell? —Lo preguntó medio en broma, y en ningún momento pensó que él le respondería. Ese era el «Gran Secreto» entre los viejos del pueblo.

—Según ella, Alexander McDowell la violó.

Sara lo miró, asombrada.

—¿El marido de tía Lissie? ¿Violarla?

—Esa es la historia que contó la abuela. Y sí, estamos hablando de ese Alex McDowell.

—Si lo hubieran acusado de algo, yo lo sabría. Aunque, claro, a los viejos les encanta guardar secretos.

—¿Viejos? —preguntó Mike—. Por tu manera de hablar de la jubilación, y de mí, creo que yo pertenezco ya a ese grupo.

—Las cuatro veces que hemos hecho el amor esta mañana he pensado: sí, definitivamente Mike es un viejo.

Él sonrió.

—¿Ah, sí?

—He oído quejarse a gente sobre la antipatía de tío Álex, pero nunca que ejerciera violencia sexual contra las mujeres.

—En realidad no creo que existiera. Cuando Tess se instaló en el pueblo y conoció a gente, empezó a formular preguntas.

Sara esperó a que dijera algo más, pero Mike permanecía en silencio. No era fácil enterarse de que durante todo ese tiempo Tess había conocido toda la historia.

—Cuéntamelo todo desde el principio —le pidió.

Mike vaciló un momento.

—Mi abuela nos contó que una tarde de 1941 ella iba en bicicleta por el viejo camino de Merlin's Farm. Alguien le arrojó algo a las ruedas, y se cayó. Se dio con la cabeza en una piedra, y perdió el conocimiento. Cuando despertó, Alex McDowell la estaba violando. Volvió a desvanecerse, y cuando recobró el sentido se acercó hasta la granja, y Brewster Lang llamó a la policía.

—¿Y ella identificó a tío Alex como el violador?

—Sí, pero Edi Harcourt juró que Alex estaba en su casa esa noche, por lo que retiraron los cargos contra él.

—Tuvo que ser duro para tu abuela. Denunciar una violación y que no se hiciera nada al respecto debió de ser horrible. ¿Crees que Edi mintió?

—Probablemente, aunque no es que mi abuela fuera una persona muy honesta.

—¿Estás diciendo que no la violaron?

—No lo sé. Lo que creo es que deseaba que el malhechor fuera Alex McDowell.

—¿Le gustaba?

—Cuando Tess y yo éramos pequeños nos contaron que Alex la adoraba, que le enviaba flores y le escribía poemas. Tendría sentido que, cuando ella lo rechazó, él se hubiera enfadado tanto que hubiera actuado con violencia contra ella. Pero cuando Tess llegó al pueblo, le contaron lo contrario. La abuela perseguía a Alex. Allí donde iba el pobre hombre, allí iba ella. Le decía a la gente que él quedaba con ella, cuando lo cierto era que lo que intentaba era alejarse de ella. Mi abuela nos contó que a pesar de que por aquel entonces él era muy pobre, ella le veía potencial.

—Y el tiempo le dio la razón. El tío Alex ganó millones —comentó Sara—. Así que cuando la... cuando tuvo relaciones sexuales aquella noche, ¿ella deseaba estar con Alex?

Eso es lo que Tess y yo creemos. Pero sea cual sea la verdad, todos los años nos veíamos obligados a respetar un mortífero período de luto que giraba alrededor del 14 de noviembre.

—¿El 14 de noviembre? —preguntó ella, sorprendida.

—¿Te dice algo esa fecha?

—Dios mío. No me acordé de comentarte una cosa.

—Sara, si Vandlo...

—No, él no. ¿Hubo... Es posible que la persona que la asaltó llevara falda escocesa?

Mike volvió la cabeza tan bruscamente que el coche se desplazó hacia un lado.

—¡Sí! ¡Así fue como lo identificó ella! Dijo que solo los McDowell llevaban ese tartán de cuadros azules y grises. Pero ¿cómo sabes tú eso?

—Lo hizo Brewster Lang.

—¿Qué?

—Él fue el que estuvo con tu abuela.

—Cuéntame lo que sepas —le pidió, apretando la mandíbula.

—Pero no te atrevas a enfadarte conmigo. Si tú me hubieras explicado esta historia hace una semana, yo habría hablado del señor Lang.

—Sara... —le advirtió él.

—Cuando Luke y Ramsey eran adolescentes, una noche se colaron en Merlin's Farm. Dijeron que lo habían hecho porque habían visto fuego, pero yo sé que muchas veces entraban a escondidas.

—¿Y qué vieron? —preguntó Mike.

—El señor Lang llevaba una falda vieja y una camisa blanca que le iba grande, y él y sus perros bailaban alrededor de una hoguera inmensa. Luke y Rams contaron que todo tenía una apariencia salvaje y primitiva. Era 14 de noviembre.

—¿Estás segura?

—Sí. Es el cumpleaños de mi padre.

—¿Y Lang no los vio?

—No, pero al día siguiente debió de encontrar la hierba pisada, porque a partir de entonces recibía aún peor a los intrusos.

—Tal vez fuera una coincidencia —observó Mike—. Había pasado mucho tiempo desde 1941 y...

—Lo hace todos los años, ese mismo día.

Mike la miró.

—Al año siguiente, el día del cumpleaños de mi padre, Luke y Rams regresaron y vieron de nuevo la luz de una hoguera. Intentaron acercarse más, pero los perros guardianes vigilaban la zona. Mike —dijo Sara bajando la voz—. Tú no crees que el señor Lang sea capaz de celebrar que violó a una mujer, ¿verdad? No puede ser tan... tan horrible.

—¿Quieres que te sea sincero? No estoy seguro de que la atacaran. Su descripción de los hechos cambiaba constantemente, y que Lang llevara una falda con el tartán de los McDowell me lleva a dudar más aún. Y él estaba en las inmediaciones, y la abuela siempre nos decía que era su amigo. Tal vez...

—¿Qué?

—Tal vez Lang y ella se acostaron juntos esa noche y ella vio en ello la ocasión de culpar a tu tío Alex.

—Vaya... Eso no habría sido muy políticamente correcto, ¿no crees? —Sara se quedó en silencio un rato—. Y ahora el señor Lang lo celebra todos los años, esa misma noche.

Mike se encogió de hombros.

—La gente hace todo tipo de cosas raras en la intimidad de sus hogares. E incluso si hubiera ocurrido tal como mi abuela lo contaba, dudo que Lang lo considerara una violación. Recuerda que mi abuela estaba semiconsciente, y la falda escocesa la llevó a creer que el asaltante era el hombre al que amaba. Dudo que hubiera protestado mucho.

—Si lo aceptó de buena gana, es posible que el señor Lang no se hubiera percatado de que ella lo había tomado por otro hombre.

Mike permaneció en silencio unos instantes, mientras pensaba en todo el odio y la ira que emanaba de su abuela... y que ella había dirigido contra las personas equivocadas.

—¿Sabes qué intentó mi abuela que hiciera la policía? Que Alex McDowell se casara con ella. Llegó a contar al pastor y a otros miembros de la iglesia lo que había ocurrido, y quiso que ellos lo forzaran al matrimonio.

—Pobre tío Alex. No me extraña que tuviera tan mal carácter. Nadie entendía que mi dulce tía Lissie se casara con él.

—Lo organizó la señorita Edi —dijo Mike—. Por eso la abuela la odiaba tanto. La familia de Lissie estaba a punto de casarla con un joven aspirante a político, pero entonces intervino la señorita Edi y les organizó una fuga.

—No imagino a nadie peor dotado que mi tía Lissie para aguantar una campaña electoral.

—Ella era como tú —dijo Mike—. Tú no soportarías tratar con desconocidos.

—Eso no es del todo cierto. A mí me gusta conocer a gente. A mí... —Vio que Mike la miraba—. Está bien, prefiero la familia. De modo que la señorita Edi impidió que Alex fuera a la cárcel y le dio como esposa a la bella Lissie. Supongo que por eso él se mostró tan agradecido con Edi cuando ella se jubiló.

—Sí, yo también lo supongo. Tess tardó años en desenterrar toda la información. Pero, por lo que he oído, Alex y Lissie formaban una buena pareja. Alex era un hombre pobre de buena familia, mientras que la familia de Lissie era de nuevos ricos, gente humilde de campo.

—Eso explica muchas cosas —comentó Sara—. Siempre me he preguntado por esa diferencia, porque la tía Lissie se preocupaba siempre mucho por mantener el decoro, y en cambio mi tío Alex llegaba a eructar en la mesa.

—Derecho de reyes —observó Mike.

Sara seguía pensando en todo lo que él le había contado.

—Tu abuela estaba llena de odio porque creía que tío Alex la había violado y no había recibido ningún castigo.

—La abuela odiaba a la gente de Edilean porque nadie la ayudó en su intento de obligar a Alex a casarse con ella.

—¿Y tú crees que la gente sabía que la señorita Edi mintió al proporcionar una coartada a Alex? —le preguntó ella.

—Tú te criaste ahí. ¿Qué opinas?

—Que lo sabían —respondió Sara—. Pero también debían de saber que Alex no sería capaz de forzar a ninguna mujer. Y la señorita Edi, sin duda, creía en él. —Le asombraba la cantidad de secretos que guardaban los habitantes de Edilean.

—Sí —dijo Mike—. Pero la fuga que ella preparó indignó a mucha gente. La familia de Lissie la desheredó, pero al final les salió el tiro por la culata. Cuando Alex se hizo rico, acabó ayudando a los padres de Lissie, que ya eran viejos. —Mike miró a Sara—. Y hasta hoy nadie sabía quién había violado a la abuela. —Le dio una palmada en el hombro a Sara—. Buen trabajo de detective.

—Soy tan buena que estoy pensando que deberías dejar que me ocupara yo de Greg mientras tú te pasas toda esta semana en una cabaña de Montana.

Mike soltó una risita.

—Tú sabes muy bien que todo esto, por interesante que sea, no tiene nada que ver con el caso Vandlo.

—Me pregunto si esa fue la única vez en su vida que el señor Vandlo tuvo relaciones sexuales. Jamás he oído ni un rumor de que hubiera tenido novia. —Se volvió a mirar a Mike—. Si hubieran usado protección... —Abrió mucho los ojos—. ¿El señor Lang es tu abuelo?

—¡No! Mi madre nació cinco años después de aquella noche. —Mike negó con la cabeza—. La abuela nos contaba que, tras el ataque, había llegado tambaleándose hasta la granja. Lang llamó a la policía, le preparó un té y le dio unas galletas.

Sara clavó la vista en la carretera que se extendía ante ellos, y pensó en lo que Mike le había contado. Cuando regresaran, tendría que contarle a Joce, para que pudiera incluirlo en su biografía de su abuela, Edilean Harcourt, miss Edi.

—¿Tienes hambre? —le preguntó Mike—. Creo que deberíamos parar un poco, comer algo, y después tú y yo deberíamos hablar de tu vida.

Sara masculló algo.

—Ahora entiendo por qué querías que viajáramos juntos.

—Sara, tus comentarios me hieren profundamente —soltó él, con tanto sentimiento que por un momento le creyó. Le dio un golpe en el hombro.

—¡Au! Esta mañana te he musculado demasiado.

—Pues yo creo que tú tienes que contarme aún más cosas sobre tu vida.

—A mí nadie está intentando quitarme nada casándose conmigo, algo que ni yo sé que me pertenece.

Sara sonrió.

—Eso es tan retorcido que casi tiene sentido.

—Pues empieza a hablar.

—Comamos antes.

—¿Qué clase de comida te apetece, y dónde quieres que te la sirvan? —preguntó con expresión de viejo verde, y Sara se echó a reír.

Después, cuando ya eran más de las siete y Mike estaba conduciendo, Sara envió un mensaje de texto a Joce para informarle de que llegarían tarde. No quería que el ruido los sobresaltara.

Joce le respondió con otro que Sara tuvo que leer dos veces para entender. Miró a Mike abriendo mucho los ojos.

—¿Qué ocurre?

—No me habías dicho que tu abuela tenía una hermana menor.

—Ahora me entero.

—¿Nunca te habló de ella?

—No, nunca me habló de... ¿Qué sería de mí? ¿Una tía-abuela? ¿O es abuela-tía?

Sara llamó a Joce y le formuló varias preguntas. Estuvo un buen rato escuchándola, y de vez en cuando miraba a Mike y meneaba la cabeza.

—No te lo vas a creer —le dijo cuando colgó—. Joce ha averiguado que después de que tu abuela se fuera de Edilean su hermana menor se quedó y se casó en el pueblo.

—Me da miedo preguntar con quién. Tú y yo no seremos primos hermanos, ¿no?

—Nooo —dijo Sara—. Se casó... con un Frazier.

—¿Me estás diciendo que esos gigantes son parientes míos?

—Primos segundos.

Mike resopló.

—Ahora sí estoy emparentado con Edilean.

—Ahora eres uno de nosotros. —Sara parecía radiante de felicidad—. Tu tía-abuela tuvo un hijo que acabó siendo el padre de Ariel. Pero inmediatamente después de dar a luz se largó a Los Ángeles para intentar ser estrella de cine. Su marido se divorció de ella y volvió a casarse seis meses después. Su segunda esposa es la mujer a la que los Frazier consideran su abuela.

—¿Y qué fue de mi tía-abuela?

—Joce me dice que murió en Los Ángeles, pero que no sabe dónde ni cuándo.

A Mike le estaba costando asimilar toda aquella información, pero sabía que Sara observaba todos sus movimientos. Pensó que era probable que Tess supiera todo aquello pero que hubiera optado por no contárselo. Sin duda, habría pensado que la idea de tener familiares en Edilean ahuyentaría a Mike para siempre.

—Supongo que eso significa que Ariel y yo no podemos casarnos.

—Tú ya estás casado —observó Sara sin el menor atisbo de humor en su voz.

—Tienes razón —dijo él, sonriendo—. ¿Y estás segura de que tú y yo no estamos emparentados? ¿Primos séptimos, o algo así?

Joce asegura que no. Luke y yo estamos vagamente emparentados con los Frazier por vía paterna. Tú estás vinculado a ellos por parte de madre.

—Claro, claro. Por cierto, ahora que me acuerdo, coge mi chaqueta, que está en el asiento de atrás, y busca en el bolsillo.

Sara lo hizo y palpó la chaqueta en busca de algo. Notó que en el bolsillo había algo cuadrado, y se detuvo. Toda mujer sabía qué era aquello. Despacio, sacó la cajita, dejó la chaqueta en su sitio y se quedó sentada, sosteniéndolo en una mano. Se resistía a abrir aquel estuche de terciopelo azul.

—¿No quieres ver qué hay dentro?

Sara negó con la cabeza. Un anillo de compromiso haría que su matrimonio pareciera casi real. Pero ella sabía que todo era una ilusión. Su matrimonio era fingido, y nunca habían hablado del futuro. Una vez que dieran caza a los Vandlo —o incluso si huían y no lograban detenerlos—, Mike regresaría a Fort Lauderdale, a su bonito apartamento. Dentro de unos años, cuando dejara el cuerpo de policía, tal ver regresara a Edilean, pero por ahora...

—¡Eh! —la llamó Mike con dulzura—. Estás bien. Creía que el anillo te pondría contenta. Con un brillante en el dedo, Vandlo estará más seguro de que tú y yo nos hemos casado.

—Sí, claro —comentó ella con voz apagada—. Es lógico.

—¿Quieres contarme entonces cuál es el problema?

—Nada. Todo tiene perfecto sentido. —Abrió la caja y ahogó un grito. No era simplemente un anillo comprado en una joyería. Era uno de los diseños de Kim. Una pieza única. No había otro en el mundo como aquel.

—¿No te gusta?

—Es... ¿Cuándo...?

—El domingo, cuando estaba en casa de tus padres planeando la boda, le pregunté a tu madre sobre Kim y su joyería. Kim había dicho algunas cosas bonitas sobre ti, y me pareció que erais amigas.

—Lo somos —corroboró Sara en voz baja, mientras sostenía el anillo a la luz tenue del atardecer. Mike pulsó un botón, y se encendió una luz de lectura. La joya era exquisita, con un gran brillante blando en el centro, flanqueado por otros dos de menor tamaño y forma de pera. Su distribución, muy original, hacía que los pequeños parecieran girar sobre el grande.

—Tu madre me mostró la página web de Kim, y lo escogí de ella. Pero había que hacértelo a tu medida. Ha llegado a la oficina esta mañana. Si no te gusta, puedo devolverlo.

—¡No! —dijo Sara, gritando casi—. Quiero decir que sí, que me gusta mucho, muchísimo. Las creaciones de Kim son maravillosas, preciosas. Son... —Lo sostenía con fuerza en la mano.

Al ver que no podía apartar los ojos de él, Mike se sintió complacido. Miró por el retrovisor.

—¿Crees que debería cambiarme el apellido por el de Frazier?

—Creo que no puedes seguir con tus tonterías sobre Edilean. Ariel dice que los Frazier descienden de la realeza inglesa.

—Pues sabrás que yo siempre pensé que tal vez era de sangre azul.

Sara no dijo nada, y Mike la miró. Seguía concentrada en la alianza.

—¿No te parece que a partir de ahora deberías dedicarme reverencias?

—No, pero estaba pensando que tal vez pudiera besarte algunas de tus partes regias.

Mike sonrió.

—¡Me encanta cómo te funciona la mente!

23

—Yo no quiero ir —dijo Mike como si fuera un niño malhumorado—. Ve tú y le das los perros. Nos veremos en Nate's Field. Por cierto, ¿Joce ha averiguado por qué se llama así? ¿Tenéis algún antepasado que se llame Nathaniel?

Sara tenía los brazos en jarras, y lo miraba con odio. Habían llegado aquella noche, bastantes horas más tarde de lo que Mike había previsto, porque ella no le permitió que condujera tan rápido como él quería. Sin necesidad de consultárselo, se habían dirigido al apartamento de Sara, no al de Tess. Pero cuando Mike intentó abrir la puerta, no pudo.

—¿Quién diablos la habrá cerrado? —masculló

Sara le enseñó a empujarla un poco hacia delante y tirar hacia arriba para abrirla.

—Hace falta un plano para entrar en tu casa —dijo, metiendo las maletas en el recibidor.

Estaban tan cansados que se quitaron la ropa y se desplomaron sobre la cama. A las cinco de la madrugada despertaron, y al verse desnudos, no tardaron ni dos segundos en empezar a hacer el amor.

A las seis, Mike se fue al gimnasio, pero dejó que Sara siguiera durmiendo. Regresó a las ocho, y ella había preparado tortitas y cortado fruta. El ladrido de los perros la había despertado, y al mirar por la ventana había visto dos cachorros preciosos

286

atados a un árbol. Al momento supo que eran los que debían regalar al señor Lang.

Intentó volver a dormirse, aunque solo la idea de tener que ver al señor Lang, cara a cara, no a escondidas, la ponía casi enferma.

Lo único que le servía para vencer sus temores era pensar que Mike la acompañaría. Mike no tenía miedo a nada. Era un hombre que se adentraba en tormentas de balas sin temor, y estaría a su lado para protegerla.

Pero al oír que debían dirigirse a Merlin's Farm para entregar aquellos perros al señor Lang, Mike había dicho que no contara con él.

—¿Y eso por qué? —preguntó ella.

—No puedo ir, estoy ocupado. Debo ocuparme de varias cosas relacionadas con el caso. Ve tú sola.

—Sí, es cierto que debes ocuparte del caso. No sé si te acuerdas, pero tu misión es protegerme. Hace unos días, mi seguridad era tan importante que aceptaste un sacrificio final y te casaste conmigo.

—Bueno, al final eso no me ha salido tan mal —replicó él arqueando las cejas.

—¿No tan mal? —repitió ella en voz baja—. Te he estado sirviendo de todas las maneras posibles desde que te di el «sí, quiero». ¿Cómo si no te crees que tienes la ropa limpia? ¿Quién repasa la cuchilla de la maquinilla esa que usas para mantener el pelo corto? ¿Quién te ha deshecho el equipaje?

—Tal vez deberíamos contratar a...

—Tú te vienes conmigo —sentenció ella—. Soy yo la que tiene miedo de ese odioso viejo, y se supone que eres tú el que debe de protegerme.

Mike mantenía la cabeza baja y su mirada estaba fija en las tortitas.

—De las balas sí, pero de...

Ella estaba sentada frente a él.

—Aquí pasa algo que no me cuentas. Las otras veces que habíamos hablado de ir a verlo tú no tenías miedo.

—Esto... eeh... mmm... abuelo —balbució.

Ella lo miró fijamente durante unos instantes y cogió su Black-Berry.

—Pues voy a llamar a Tess y se lo voy a preguntar.

Mike alzó la vista y suspiró.

—Tess no sabrá nada, porque todo esto es por tu culpa.

Ella dejó de marcar números.

—¿Qué es por mi culpa?

—No te he contado que la abuela se escribía con Lang. No muy a menudo, pero una o dos veces al año.

—¿Y?

—Le encantaba que la gente se compadeciera de ella, y le contó que había tenido un hijo producto de la violación.

—Pero no lo tuvo, ¿no?

—No. Aunque ahora que sé que tenía una hermana de la que nunca nos habló, empiezo a pensar que tal vez sí. Le pediré a alguien que lo investigue. —Levantó el teléfono, pero Sara le clavó la mirada, y volvió a dejarlo sobre la mesa.

Ella no tenía ni idea de lo que intentaba decirle sin palabras, pero poco a poco empezó a comprender. Se trataba de una información más que Mike le había ocultado.

—Si el señor Lang estuvo con tu abuela, entonces creerá que tú eres su nieto.

Mike volvió a concentrarse en las tortitas.

—Es divertido, ¿no? —dijo ella.

—Tal vez para ti, pero no para mí.

—Dios mío. —Sara no pudo reprimir la risa—. Cuando llegaste a este pueblo, tu único familiar era tu hermana, y ahora mírate. Eres propietario de unas tierras, tienes esposa y primos. ¿Por qué no incorporar a un abuelo?

—La verdad es que no le veo la gracia.

Finalmente, Sara se salió con la suya. Mike sugirió que le pidieran a Luke que entregara a los perros, pero Sara le señaló que él, con su formación y su experiencia, era el más indicado para formular las preguntas pertinentes.

—¿Preguntas sobre qué?

—Sobre por qué Greg y él están en guerra —respondió Sara—. ¿Ya lo has olvidado?

—Yo no he olvidado nada, a pesar de mi avanzada edad, que no dejas de recordarme.

Sara pasó por alto el comentario.

—Está bien, iré yo sola. —Mike la miró, haciendo esfuerzos por contener la sonrisa—. Pero he probado a meter la gran jaula plegable de los perros en mi coche, y no cabe. Tampoco cabe en el de Joce. Así que iré con la puerta del maletero abierta. No pasa nada, ¿verdad?

Parpadeó, inocente.

—La furgoneta de Luke —dijo él, claudicando, con las mandíbulas apretadas.

—En la tienda.

Mientras recogía las llaves de su coche, Mike añadió:

—Todavía me acuerdo de cuando estaba al mando de todo.

Cuando, un rato después, llegaron a Merlin Farm y vieron que la vieja camioneta de Lang estaba aparcada allí, Sara tuvo que hacer acopio de toda su valentía. Aun así, cuando Mike apagó el motor, estuvo a punto de decirle que no se veía capaz de hacerlo.

Mike no le dejó opción.

—Te espero aquí —dijo.

—No, de ninguna manera.

Desde el asiento trasero, los cachorros lloriqueaban, pero Mike se volvió y los miró de tal manera que se sentaron al momento en su jaula.

Oyeron un portazo, y el señor Lang salió blandiendo una escopeta, pero al ver el coche de Mike, la bajó al momento. Su rostro, redondo, compuso una expresión que podía tomarse por una sonrisa.

—¿Vas a llamarlo «abuelito?» —se burló Sara.

—Espera a que te pille en el gimnasio —susurró él entre dientes mientras bajaba del coche.

—Tú eres el nieto de Prudie —masculló el señor Lang con su voz ronca.

—Así es —respondió Mike en voz baja mientras abría el maletero. Levantó con cuidado la gran jaula: no quería ni un rasguño en sus asientos de piel.

Sara se había bajado del coche, y se había instalado tras él. La expresión en el rostro del viejo al ver a los perros hizo que casi se lo perdonara todo. Intentó olvidar el miedo que le había inspirado desde que era niña, las represalias que había infligido en las personas que, según él, lo habían provocado.

Mike abrió la jaula, levantó los cierres y dejó que los perros salieran al exterior. Eran jóvenes, estaban llenos de energía, y querían correr.

—Estos son *Barón* y *Baronesa* —anunció Mike—, y no están emparentados entre sí, por lo que las crías saldrán sanas. Están vacunados, y llevan unos microchips al cuello que certifican que son suyos.

El señor Lang se arrodilló con cierta dificultad y abrazó a los perros.

—Gracias —dijo.

Sara lo miraba, comprensiva. En el pueblo, todo el mundo hacía lo posible por mantenerse alejado de aquel viejo vengativo, y ella nunca se había parado a pensar en lo solo que debía de sentirse.

—¿Qué ocurrió con sus otros perros? —le preguntó sin pensar. Apenas lo hubo dicho pensó que Mike le dedicaría una de sus miradas para indicarle que no metiera más la pata, pero él ni se volvió a mirarla. Seguía sujetando las correas de los perros, y tenía la vista fija en Brewster Lang.

Este alzó la vista para mirar a Sara, y la felicidad que irradiaba su rostro se tornó en sonrisa despectiva.

Mike se interpuso entre ella y el viejo.

—Es mi esposa, y usted la tratará con respeto. Es la señora Newland —dijo Mike en voz baja.

—¿Esposa? ¿Te has casado con una...?

—Sé lo que hizo, o sea que delante de mí puede dejar de fingir odio por los McDowell.

Sara asomó la cabeza por detrás de Mike para ver su reacción. Su rostro pasó de la confusión a la sorpresa, de la sorpresa al miedo y, finalmente, del miedo al regocijo.

—¿Lo sabes? —Hablaba en voz tan baja que Sara apenas lo oía—. ¿Sabes que tu abuela y yo estuvimos... enamorados? ¿Y que tú eres...?

Parecía como si Mike estuviera en lo cierto y el señor Lang recordara lo que había ocurrido aquella noche como parte de una historia de amor.

Mike lo interrumpió.

—Hay cosas que es mejor no decir en voz alta. Soy policía, y el deber me obliga a denunciar lo que oigo.

Sara sabía que el plazo máximo para denunciar una violación era de unos siete años, pero, a juzgar por el temor que asomó al rostro del señor Lang, este parecía no estar enterado. Ahora que lo pensaba, no había visto ningún televisor en la casa, y dudaba de que tuviera acceso a internet. Aquel hombre no debía de mantener mucho contacto con el mundo exterior.

El señor Lang se puso en pie y asintió. Los perros seguían a sus pies, y ya parecían saber quién de ellos era su dueño.

—Tengo algunas preguntas que hacerle —dijo Mike al tiempo que le entregaba las correas y levantaba la escopeta, que reposaba sobre la gravilla.

El señor Lang aceptó las correas, se las enrolló a las manos e hizo ademán de meterse de nuevo en casa. En su papel de jefe de la manada, él iba delante, no los perros.

Cuando llegaron a la casa, el señor Lang abrió la puerta para ceder el paso a Mike, pero él no se movió de su sitio y lo miró fijamente. A regañadientes, el viejo se echó a un lado y dejó que Sara entrara primero. Después lo hizo Mike. Lang se quedó fuera para ocuparse de los perros.

Sara y Mike entraron en el salón y se sentaron en un sofá viejo.

—No me has dicho sobre qué no puedo hablar —susurró ella.

—Di lo que quieras. Este hombre preferiría morir a revelar

291

cualquier información. Ni siquiera irá por ahí contando a la gente que estamos casados.

A los pocos instantes, el señor Lang entró en el salón con una bandeja en la que traía unas tazas con platitos a juego, además de una tetera y unas galletas. Al ver el juego de té, la sorpresa de Sara fue mayúscula, pues había visto una porcelana exactamente igual en un museo. El viejo vertió la infusión en una taza que debía de tener más de cien años de antigüedad, frágil como el ala de una mariposa, y se la alargó a Mike.

Él apuntó a Sara con la cabeza, y Lang, torciendo el gesto —un avance respecto de la sonrisa despectiva de hacía un momento—, se la ofreció a ella.

Ella dio un sorbo.

—¿Jazmín?

El señor Lang se encogió de hombros. Solo tenía ojos para Mike, y sus ojos grandes parecían a punto de derretirse.

—Mi esposa le ha preguntado algo.

—Sí, es jazmín. Lo cultivo yo mismo.

—A mi madre le encantaría venderlo. Nunca había probado uno mejor.

—Si pudiera, me vendería a mí —murmuró él—. Su madre lo convierte todo en dinero.

Mike quiso decir algo, pero Sara, discretamente, le dio un codazo.

—De hecho, es cierto. Supongo, señor Lang, que esa es la razón de que usted y yo seamos dos de las personas más pobres de este pueblo.

Él miró a Sara con ojos inexpresivos.

—Usted hará dinero con esa tienda que tiene.

—No si Greg acaba obteniendo lo que se merece —comentó Sara, cogiendo una galleta. Y también se fijó en que tenía listas oscuras.

—Si esas galletas están llenas de marihuana —intervino Mike—, le...

—¡Son de lavanda! —dijo Sara—. Saben a lavanda. Y huelen. Si mi madre supiera que las prepara...

—Vendría a buscar las recetas —soltó Lang, mirándola muy fijamente.

—No se preocupe, no se lo diré. ¿Sabía que ahora Mike es el propietario de Merlin's Place?

Mike observaba el salón con ojos de carpintero. Lo primero que había que hacer era inspeccionarlo todo por si había hongos o termitas, aunque tal vez Ramsey ya lo hubiera hecho. Las piezas de madera que hubieran de reemplazarse tendrían que proceder de alguna empresa de recuperación de elementos arquitectónicos. ¿Y dónde pondrían un televisor en aquella sala? La chimenea no estaba centrada, y a su lado había un armario empotrado. ¿Podrían instalar el cableado de la antena y el equipo de música?

—¿Qué? —preguntó al notar que Sara lo miraba.

—Le estaba diciendo al señor Lang que ahora el propietario de la granja eres tú.

El rostro del viejo era de asombro.

—¿Vivirás aquí? ¿Conmigo?

Parecía estar en el cielo.

—No, me faltan algunos años para retirarme, por lo que de momento seguiré viviendo en el sur de Florida. Cuénteme todo lo que sepa sobre Greg Anders, sin saltarse nada.

—Es muy mala persona. —Lang miró a Sara antes de volver a concentrarse en Mike—. A Anders le gustan las mujeres.

—Eso ya lo sabemos. —El tono de voz de Mike era seco y brusco, y Sara supuso que debía dirigirse así a todos los delincuentes. Pero al señor Lang parecía no importarle. Lo miraba con admiración, y Sara estaba segura de que el viejo creía que se encontraba ante su nieto.

—Cuéntenos lo que no sabemos. ¿Por qué todas esas trampas?

El señor Lang parpadeó, asombrado.

—¿Sabes que hay trampas?

Mike emitió una especie de gruñido.

—Dos de sus dardos estuvieron a punto de alcanzarme, y el arnés del caballo que ató en el pajar casi cayó sobre mi mujer.

El señor Lang abrió su boca redonda.

—Eres como yo. Vas a sitios y nadie sabe que has estado en ellos.

—Yo no soy como usted. Lo que yo quiero saber es por qué Greg Anders quiere poseer Merlin's Farm.

Los ojos del viejo se iluminaron durante una fracción de segundo, pero a Mike no le pasó por alto. Aquel hombre ocultaba algo.

—¿Qué vio mientras espiaba?

Lang se echó hacia Mike, sobre la mesa y la bandeja con el té, y susurró, como si de ese modo Sara no fuera a oírlo.

—Cuando está con las mujeres, les roba, pero ellas no lo saben.

—¿Y cómo lo consigue?

—Les revisa los bolsos y los coches. —Lang suspiró—. Ninguna de ella vive en Edilean, o sea que no sé qué hace en sus casas.

—Pero una mujer se daría cuenta si le faltara algo de un bolso, y nadie nos comentó nada en la tienda —intervino Sara.

—Vandlo quería información, no bienes materiales —puntualizó Mike volviendo la cabeza—. ¿Lo descubrió alguna vez espiándolo?

Lang frunció el ceño.

—Ya no soy tan bueno como antes. No me muevo tan deprisa.

—De modo que lo espiaba, lo vio rebuscando en las pertenencias de esas mujeres, y él lo pilló. ¿Y qué ocurrió entonces?

Lang apretó más los labios.

—Vino y dijo que mataría a mis perros si decía algo. Le dije que yo nunca contaba nada a nadie.

—Eso es verdad —corroboró Sara—. Tiene usted una capacidad extraordinaria para guardar secretos.

Lang la miró sin saber bien si aquello era un cumplido o un comentario sarcástico.

Sara le sonrió.

—¿Le quedan más galletas?

Lang la miró fijamente largo rato, intentando adivinar sus intenciones.

—Tengo algunas con mastuerzos.

—No me gusta que... —se anticipó Mike, pero Sara le plantó la mano en el brazo.

—¿Mastuerzos? ¿En flor o en semilla?

—En flor, por supuesto. —No parecía impresionado con los conocimientos de jardinería de Sara—. Preparo las vainas en vinagre.

—¿No tendrá ninguna por ahí ya preparada?

El señor Lang se levantó y se metió en la cocina.

—Ya has conseguido librarte de él —susurró Mike—. ¿Qué es lo que quieres decirme?

—¿Has visto bien ese servicio de té? Es del siglo XVIII, por lo menos. Y esas recetas son muy antiguas. Cuando nos colamos en la casa, yo lo inspeccioné todo, pero no vi esas tazas. ¿Y tú?

Sonriendo, Mike le plantó un beso en la mejilla.

—Eres una buena detective. Tal vez sí acabe saliendo algo de aquí. Informaré a Vandlo de que soy el nuevo propietario de la granja. También en este caso tendrá que acudir a mí si quiere que sea suya —dijo, y cogió a Sara de la mano para tranquilizarla.

—¡Mike! —exclamó ella, desesperada. Yo no lo decía por eso. Te lo comentaba porque creo que los dos juntos, tú y yo, podríamos inspeccionar y...

—Silencio, ya vuelve.

Lang se sentó. Sostenía una caja roja de metal. Sara la reconoció de haberla visto en alguna revista. Se trataba de una lata de caramelos de la década de 1920, y estaba en perfecto estado. Una pieza sin duda valiosa para cualquier coleccionista. En su interior se apilaban las galletas, en las que las flores de mastuerzo de agua habían sido incorporadas cuando aún estaban calientes.

Sara probó una, pero Mike no.

Ella dio un bocado.

—Deliciosa. Si las vende en la carpa de Luke durante la feria, yo me encargaré de que obtenga el ciento por ciento de la venta.

—¿Sin alquiler, sin comisiones?

—Nada —insistió Sara—. De hecho, si desea usar la cocina nueva de la mujer de Luke para hornearlas, Joce le ayudará.

—¿No crees que deberías preguntárselo antes? —observó Mike.

Sara se encogió de hombros.

—Está tan aburrida que trabajaría con el diablo. Lo siento, es una frase hecha señor Lang, no se ofenda.

El viejo y Mike la observaban con idéntica expresión consternada.

—Esto, bien... Volviendo al tema de Greg —dijo ella, apoyando la espalda en el viejo sofá, con una galleta en cada mano. Tenía un motivo añadido para enviar al señor Lang a la casa de Joce. Si el hombre iba a recorrer la feria era preferible que mantuviera algún vínculo con Joce. Mike le había insistido en que Joce no corría peligro, a pesar de que fuera ella la encargada de usar las cartas del tarot como cebo, pero Sara no estaba tan segura. Además, el señor Lang tenía más experiencia espiando que todos aquellos sofisticados agentes federales juntos.

Dio otro bocado a la galleta.

—¡Eh! ¡Un momento! ¿Ha usado stevia?

—La cultivo yo mismo.

Sara asintió.

—Los sueños eróticos de mi madre se han hecho realidad. Está bien. Ya no digo nada más.

Mike puso los ojos en blanco y miró a Lang.

—¿Ha visto alguna vez a Anders con una mujer de mediana edad, unos cincuenta y pocos años? Una mujer de nariz prominente.

Lang sonrió como un niño travieso.

—Una vez la vi con dos a la vez. Una vieja y una joven. Juntas.

Observó a Sara, pero ella no apartaba la vista de su galleta.

—Míreme a mí —le ordenó Mike—. No a mi mujer. ¿Me está diciendo que Anders mató a sus perros para que usted no contara lo que sabe?

Como el señor Lang no decía nada, Sara decidió intervenir.

—No es mi intención inmiscuirme, pero yo diría que lo de los perros fue el castigo que le impuso Greg por contárselo al sheriff, ¿verdad?

Lang bajó la mirada.

Mike se echó hacia atrás, su rostro todo un ejemplo de desesperación.

—¿Me estás contando que en este pueblo de mala muerte hay un sheriff? ¿Y que usted le habló de los robos de Anders?

Lang se encogió de hombros, pero no levantó la vista.

Mike se volvió hacia Sara.

—¿Por qué nadie me ha informado de la existencia de un cuerpo policial en este pueblecito? Yo daba por sentado que pertenecía a la jurisdicción de Williamsburg.

—Es que más o menos es así, pero además cuenta con un sheriff del condado —le aclaró Sara—. Y también disponemos de una especie de... guardianes, por así decir. Como no cobran por su dedicación, los forasteros no los consideran policías de verdad.

Mike aguardó unos instantes, pero ni Lang ni Sara añadieron nada.

—¿Y alguien podría decirme quién se encarga de esa «especie» de guardianes?

Sara esbozó una sonrisa.

—Adivínalo.

—Sara, no tengo ni... —Suspiró—. ¡Mis primos, los Frazier!

—Qué listo eres.

Mike se pasó la mano por la cara y miró a Lang.

—Usted le contó al sheriff honorario que Anders se acostaba con la mitad de las mujeres de este país, sobre todo con las casadas, y que él se dedica a robarles información. ¿También las chantajeaba?

Lang volvió a encogerse de hombros.

—No lo sé. Robar no está bien.

—Tampoco lo está espiar a la gente. —Mike no pudo evitar la réplica, pero se obligó a sosegarse—. Supongo que el sheriff habló con Anders, y después sus perros fueron...

—Envenenados —dijo Lang.

—Pero ahí no acabó la cosa —prosiguió Mike—. Porque posteriormente usted colocó trampas por todo el terreno. Si las hubiera puesto antes, no habrían envenenado a sus perros.

El señor Lang asintió, antes de añadir, en voz baja:

—Creo que lo hizo a propósito.

—¿Qué quiere decir?

—Creo que Anders quería que lo viera, quería que yo fuera a informar a algún Frazier. Lo que él quería era matar a mis perros.

El viejo hablaba con un nudo en la garganta.

—Ello implicaría que el verdadero objetivo era usted —observó Mike—. Es bien conocida su costumbre de dar la bienvenida con una escopeta en la mano a quienes le visitan. Entonces ¿es que hay algo de lo que tiene por aquí que a Anders le interesa?

Lang volvió a parpadear de manera apenas perceptible.

—¿Qué oculta? —le preguntó Mike enseguida.

—¿Alguna cubertería de la Guerra de Secesión? —intervino Sara, rompiendo el silencio—. ¿Más piezas de porcelana como estas?

—No —dijo Lang—. Además, no son mías. Son de... —Miró a Mike con amor en los ojos—. Del nieto de Prudie.

—Lo cual te convierte aún más en objetivo —dijo Sara en voz baja, temerosa, dirigiéndose a Mike—. Si lo que Greg quiere está aquí, entonces, cuando descubra que ahora eres el propietario de este lugar, te... te...

—¡Bien! —zanjó Mike. Se metió la mano en el bolsillo de la camisa, sacó una foto y se la entregó a Lang. Era el retrato de Mitzi Vandlo, el que le había tomado cuando era adolescente pero sometido a un proceso de envejecimiento virtual—. ¿Ha visto alguna vez a esta mujer?

Lang apenas la miró.

—No.

—Fíjese mejor.

A regañadientes, Lang miró la foto, la estudió durante unos segundos y se la devolvió.

—No.

—¿Está seguro?

—Me acuerdo bien de los rostros. No la he visto en mi vida.

Mike la guardó.

—Este fin de semana es la feria. Quiero que se pasee por ahí, que observe a la gente. Y que me cuente todo lo que vea.

—En este pueblo la gente es muy sucia —sentenció Lang—. Se acuestan unos con otros.

—Las cosas que hace usted en privado son igualmente malas —contraatacó Mike, al tiempo que consultaba la hora—. Quiero que desmonte todas las trampas que tiene instaladas aquí. No deje ni una sola. Y queme la «marijuana».

—Creo que sería mejor que la enterrara —comentó Sara—. Si no, Colin vendrá a bailar alrededor de la hoguera, desnudo, como en la película *El jardín de la alegría*.

Mike la miró como si estuviera loca, pero en el rostro del señor Lang se dibujó algo que parecía casi una sonrisa.

Sara no dijo nada, pero se dio cuenta de que aquel hombre había visto aquella película poco conocida. Tal vez no tuviera televisor, pero en alguna parte debía de tener un reproductor de DVD. Se preguntaba si habría visto *Mad Men*. Tal vez le encantara *Dexter*.

—Tenemos que irnos —dijo Mike poniéndose en pie y mirando a Lang—. No se olvide de contármelo todo. —Agarró a Sara por la cintura y la guio hacia la puerta. Lang los acompañó, pero se detuvo junto a los perros.

Sara supuso que era mejor hacer ver que no veía que Mike le entregaba varios billetes de cien dólares, doblados —cinco o seis, al señor Lang, mientras insistía en que se deshiciera de las trampas.

Mike le abrió la puerta del coche a Sara y acto seguido se fue a buscar algo al maletero, que contenía seis bolsas grandes de comida para perro.

—Se las daré —le gritó a Lang—. Pero no hasta que elimine todas esas trampas.

Sara vio que el viejo asentía, y Mike arrancó.

—Tú no estabas nada asustado por tener que venir a visitarlo, ¿verdad? —le preguntó.

—¿Y por qué habría de estarlo?

Ella lo miró fijamente, hasta que él, de perfil, sonrió.

—Sara, querida mía, he visto cómo te cuidas de los demás y por eso dejo que me cuides a mí.

Ella permaneció unos instantes sin saber qué decir. Cuando Mike le había dicho que no quería ir a visitar a Lang, le había resultado absolutamente convincente... pero estaba mintiendo. De pronto entendió que llevara tantos años trabajando de incógnito en misiones secretas.

—¿Y has averiguado lo que quería saber?

—No, en absoluto, pero me ha ayudado a plantearme ciertas cosas. Desde que Vandlo era niño, lo educaron para interpretar los rostros de las personas. Así que le bastó con ver la cara que ponías cada vez que alguien mencionaba esa decrépita granja, tus ojos soñadores, para empezar a decirte que te la iba a comprar. No sé, Sara, empiezo a pensar que tal vez sí es cierto que Vandlo solo quería poseer Merlin's Farm para complacerte.

—No —discrepó ella en voz baja—. Eso habría significado que me quería, cosa que no es cierta.

—Pues qué hombre tan tonto... —Mike la cogió de la mano.

Sara se dio cuenta de que ahora sí le estaba mintiendo, intentando que dejara de pensar en el señor Lang. En realidad sí había averiguado cosas en la granja, pero no quería compartirlas con ella.

—¿Qué tal si nos compramos unos bocadillos para llevar, nos vamos a casa, nos desnudamos y nos los comemos antes de irnos a la feria?

—No se me ocurre un plan mejor —dijo Sara, sonriendo.

Pero camino de casa sonó el teléfono de Mike, respondió con algún monosílabo a su interlocutor y colgó.

—Acaban de soltar a Stefan Vandlo.

24

Compraron los bocadillos, regresaron a Edilean Manor y Mike preparó una jarra de té verde; no tomaba bebidas con gas. Pero tenían la cabeza en otra cosa, y lo de desnudarse quedó para una mejor ocasión. Sara no podía pensar en otra cosa. Ya estaba. Era cuestión de tiempo. La acción podía empezar en cualquier momento. Durante los días siguientes, Mike y ella dispondrían de poco tiempo para estar solos. Él le había contado que al menos doce agentes acudirían a Edilean durante la feria. Irían de incógnito, por lo que todo par o grupo de hombres y mujeres en actitud de conquista podía pertenecer, en realidad, a los cuerpos y fuerzas de seguridad.

La noticia los había devuelto a la realidad y había dado al traste con su plan para el almuerzo. Los dos habían escogido el mismo bocadillo: carne magra y muchas verduras. Sara no había probado siquiera su ensalada de atún, que nadaba en mayonesa.

—Creo que deberíamos repasar algunas cosas —le comentó Mike, sentado frente a ella, a la mesa.

Le insistió en que, durante la feria, debían comportarse como una pareja normal. Cogerse siempre de la mano, tontear, reírse mucho. La idea era causar asombro en la gente del pueblo y provocar que se hablara de ellos. De ese modo prepararían el terreno para cuando Stefan Vandlo llegara y Sara le contara —y le contara al pueblo entero— que Mike y ella se habían casado.

Al ver que lo que le decía asustaba a Sara, intentó entretenerla con una historia sacada de los informes que había estado leyendo. Allí se decía que cuando el marido de Mitzi descubrió que lo habían engañado para que se casara con una mujer tan fea, no había podido consumar el matrimonio. Aun así, su joven esposa se había quedado embarazada, y el orgullo del viejo le impidió divulgar que él no había tocado siquiera a la muchacha. Cuando nació el niño y se dijo que se parecía a un joven que era un famoso carterista, nadie dijo nada, pero seis días después del nacimiento del bebé, encontraron muerto al chico. Pasaron años hasta que, cuando el marido declaró su intención de dejar toda su herencia al hijo cruel y tonto que había tenido con su primera mujer, al marido de Mitzi también lo encontraron muerto al fondo de una escalera, con la cabeza como un colador.

Al terminar de contárselo, Mike volvió a hablarle de usar los juegos de la feria para atraer la atención de Stefan, lo que llevó a pensar a Sara en lo que ocurriría cuando todo terminara.

«Cuando se lleven a Greg y a su madre detenidos y esposados, Mike se irá con ellos y no volveré a verlo,» pensó.

Hacía lo posible por calmarse. En eso él no la había engañado. Desde el principio le había dicho que se casaba con ella por el bien del caso. Le había dicho incluso que cuando el asunto se resolviera, podrían divorciarse. Y desde la boda no le había dicho en ningún momento que la amara. Ni había...

—Sara...

—Lo siento, tenía la cabeza en otro sitio.

—¿Quieres más té?

Ella levantó el vaso vacío, y él se lo llenó.

«Es la última vez», no dejaba de repetir para sus adentros. En cuestión de unos días, sería como si nunca se hubieran conocido. Su relación apasionada terminaría, y regresarían a lo de antes. Se imaginó a sí misma sola, en su pequeño apartamento, con cien vestidos en el regazo. Tal vez se apuntara a algunos cursos de reciclaje para buscar trabajo como conservacionista en Williamsburg.

Miró a Mike, que seguía en su sitio. Al llegar a casa se había quitado la camisa blanca, los zapatos y los calcetines. Ahora solo llevaba los pantalones negros, impecables, y aquel cinturón de hebilla dorada, pequeña. Ella misma se los había planchado aquella mañana, y el cinturón se lo había escogido ella en Fort Lauderdale. Tenía las patillas muy negras, y ella sabía que no se había afeitado antes de ir a ver al señor Lang, porque había estado muy ocupado haciéndole el amor. Sara, por su parte, se había quitado el vestido y llevaba su picardías preferido, el azul.

Habría querido acercarse a él y acariciarlo, pero no lo hizo. En ese momento Mike le hablaba de las cámaras que habían instalado en el tenderete de la pitonisa, pero ella notaba que le preocupaba algo. Esperaba que tuviera que ver con el caso, y no con lo que ella se temía: que estuviera pensando en cómo decirle que ella era solo una víctima más a la que él había tenido que salvar.

—¿Podrás recordarlo todo? —le preguntó Mike.

Ella no lo escuchaba, pero aquellas eran cosas que ya había oído antes.

—No contarle a nadie que nos hemos casado. Eso se lo tengo que soltar a Greg cuando lo vea.

—¿Y qué más?

—Asegurarme de que estemos al aire libre cuando se lo diga. Y, para que el impacto sea mayor, decirle que justo antes de nuestra boda, me escapé con otro hombre.

Mike arqueó una ceja, sarcástico.

—Según me han contado, su mujer se ha hecho un *lifting* y se ve muy guapa.

—Me alegro —dijo ella, al tiempo que se levantaba y empezaba a recoger la mesa.

—Tu madre acaba de enviarme un mensaje de texto en el que me dice que vaya a su casa mañana temprano a vestirme.

Sara había llegado al fregadero de la cocina y le daba la espalda.

—Con tu falda escocesa. Casi todos los hombres de Edilean las llevarán, incluso mi padre, que no soporta ir mudado. Luke...

Pero empezó a llorar y no pudo terminar la frase. Al momento, Mike estaba junto a ella y la abrazó. Ella enterró el rostro en la piel tibia de su hombro. Las lágrimas seguían brotando.

Mike la cargó en brazos y la llevó hasta el dormitorio. La tendió en la cama, junto a él, y la rodeó con sus brazos.

—No sé qué me pasa —balbució ella.

Él le alargó un pañuelo de papel y le acarició el pelo.

—Es normal que estés asustada. Yo preferiría que no tuvieras que pasar por esto, pero debemos sorprender a Vandlo, y eso solo lo puedes lograr tú. Desde el momento en que le des a entender que su plan se verá interrumpido, nosotros le seguiremos tan de cerca que...

—No es eso —lo interrumpió ella, pasándole la mano por el pecho desnudo, los dedos por el vello oscuro. ¿Volverían a estar juntos, así? ¿Quién la obligaría a ir al gimnasio? ¿Quién la abrazaría cuando se echara a llorar? ¿Y quién la haría reír?

—¿Entonces qué es? —preguntó Mike—. Cuéntame.

Pero ella no podía contarle nada. Su orgullo y su temor a un rechazo más le impedían explicarle lo que le preocupaba.

Permanecieron en silencio, tumbados. Sara sabía que debían levantarse y prepararse para ir a la feria. Mike tendría que ponerse la falda escocesa, y ella sabía que aquello provocaría muchas risas. Y ella tenía varios vestidos largos, antiguos, de aspecto medieval, que se ponía, y seguro que Luke le habría guardado alguna de sus diademas de flores silvestres para que se la pusiera en el pelo. Estaba impaciente por que empezara la feria, pero en ese momento no podía soportar la idea de separarse de Mike.

Él le levantó la mano izquierda y le miró los anillos.

Sara se volvió de espalda y apretó mucho el cuerpo contra el suyo. Notaba la tela de sus pantalones rozándose contra sus piernas desnudas. Y volvió a pensar que era «la última vez».

—Te quedan muy bien —susurró Mike.

—Son los anillos más bonitos del mundo.

—Fui con tanta prisa al escoger el de brillantes, que no sabía si había hecho bien.

—¿No te ayudó mi madre?

—No. Ella se quedó de pie junto al ordenador y me observaba como un pájaro de presa. Diría que no hay nadie en el mundo que me ponga más nervioso que tu madre.

—A mí tampoco.

—Cuando le comentó que quería este anillo, me besó en la mejilla. Diría que vi lágrimas en sus ojos.

—Eso es porque sabía que me iba a gustar. Kim tiene algunos anillos modernos que a mí no me dicen nada.

—También los vi, pero no te imaginaba con ninguno de ellos. ¿Y te caben bien los dos? ¿Tendrás problemas para quitártelos?

Ella dobló los dedos y escondió la mano tras la espalda.

—No pienso quitármelos. Nunca.

Mike se volvió para mirarla.

—Tienes que quitártelos. La gente de Edilean los ve antes de que llegue Stefan, habrá comentarios. Mitzi lo oirá, y es posible que llame a su hijo para advertírselo. Por más que lo intentemos, no logramos pinchar esos teléfonos de usar y tirar a los que recurren.

—Pues supongo que tendrás que inventarte alguna manera de ocultarme los anillos, porque ya te he dicho que no pienso quitármelos.

Lo dijo en su tono más determinante, dándole a entender que, por más que insistiera, no iba a salirse con la suya.

Pero Mike no protestó, y se quedó allí, a su lado, sin moverse, pasándole el brazo por los hombros.

—Yo... esto... quería hablar contigo de una cosa —balbuceó al fin.

«Ahí viene», pensó Sara, agarrotándose.

—Tan pronto como el caso se resuelva, es decir, tan pronto como los Vandlo sean detenidos y se vayan de aquí, yo tendré que regresar a Fort Lauderdale. Tengo otros tres casos pendientes, y debo ocuparme de ellos. Los Vandlo, de hecho, no son un caso mío. Me pidieron que me encargara de él porque tengo una semana aquí y... Se detuvo.

—¿Y qué? —preguntó ella en un susurro.

—La verdad es que me enfadé mucho cuando incendiaron

mi apartamento, pero al final las cosas no han salido tan mal, ¿verdad? El sitio que me ha encontrado el capitán es agradable, ¿no?

—Es muy bonito, sí.

—Aunque un poco grande —comentó él.

—Bastante grande.

Mike hizo una larga pausa, y ella casi se queda sin aliento.

—Sara —dijo al fin—. Ya sé que tu vida está aquí, en este pueblo, y que todos tus amigos y familiares viven aquí, pero...

—Los tuyos también.

—¿Mis qué?

—Todos tus familiares están aquí. Y parece que Mike y tú os lleváis muy bien. Además, creo que Ramsey te gustará.

—Sí —admitió él—. Pero no me refería a eso. Yo puedo vivir en cualquier parte. Pero tú solo has vivido aquí, en este pueblo pequeño. Podría costarte mucho tener que irte.

Lentamente ella empezaba a comprender qué intentaba decirle.

—¿Crees que sería muy difícil para mí alejarme de mi madre, que considera que es su deber decirme cómo he de vivir? ¿Crees que me sería muy difícil alejarme de unos parientes entrometidos que chasquean la lengua cuando me ven porque creen que el hombre con el que llevaba cuatro años saliendo me dejó y se fue? ¿Crees que me sería difícil alejarme de la lástima que les inspiro porque me ha engatusado un hombre al que nadie soporta? ¿Es eso lo que me preguntas?

Notó que Mike esbozaba una sonrisa.

—De hecho, sí, eso es exactamente lo que te pregunto. Sé que no nos conocemos muy bien, pero casi no hemos discutido nunca, y parece que coincidimos en casi todo.

—Salvo en la comida, y en el derecho a pasar tres horas viendo la tele en el sofá sin hacer ni un solo ejercicio. Y en...

Mike se echó a reír, y ella posó la mano en su vientre plano, duro. Al momento notó los pliegues de sus músculos.

Mike se colocó de lado, apoyando la cabeza en una mano.

—Pero en lo fundamental sí coincidimos.

—¿Como por ejemplo en que tú crees que yo debo hacer exactamente lo que tú me ordenas las veinticuatro horas del día? —preguntó Sara haciéndose la inocente.

—Me refería a cosas importantes, como la música.

—A ti te gusta la ópera, y a mí... —Pero no pudo seguir hablando, porque Mike la besó, y ella le rodeó el cuello con los brazos.

Mike la apartó un instante para observarla.

—¿Quieres volver conmigo a Fort Lauderdale y ver si conseguimos que este matrimonio funcione?

—Sí. Quiero.

Él volvió a besarla, la besó como no la había besado nunca. Desde que se conocieron, entre ellos había existido siempre una gran pasión. Habían hecho el amor sobre toda superficie imaginable y en todas las posiciones que la elasticidad de Sara y la musculatura de Mike les permitían.

Pero ese beso era distinto. Había algo en él más allá de la pasión. Un anhelo, una necesidad de mucho más de lo que se habían dado hasta ahora. A pesar de que Sara vivía rodeada de personas que la conocían, y de las frecuentes conquistas de Mike, los dos estaban esencialmente solos. Y se aferraban el uno al otro.

Mike fue el que puso fin a aquel beso tierno. Su cuerpo estaba casi montado sobre el de ella, y le retiraba el pelo de la cara con las manos mientras la observaba fijamente, como si intentara memorizar sus rasgos.

Sara contuvo el aliento. ¿Iba a pronunciar aquellas dos palabritas que ella tanto deseaba oír?

—¿Sabes, Sara? Yo...

—¿Sí? —Susurró ella expectante y conteniendo aún la respiración.

—No me gusta nada esa vajilla que escogiste.

—¿Qué?

Mike se apartó un poco de ella y se tendió boca arriba.

—Sí, los platos esos de flores, no los soporto.

Sara se abrazó a él.

—Esos platos son Villeroy & Boch, y son maravillosos —dijo, besándole el cuello.

Mike se desabotonó los pantalones.

—A mí no me importa de qué marca sean. No me gustan.

—Pues será mejor que te acostumbres a ellos, porque voy a incluir la vajilla en la lista de bodas y todos en Edilean nos la regalarán por piezas. Él la alejó un momento.

—¿Nos van a hacer regalos de boda?

—Sí, claro, por supuesto. En este pueblo todos...

—¿En este pueblo? ¿Y cuántos regalos sumarán entre todos? ¿Cuatro?

Le bajó los tirantes del picardías hasta los brazos.

—Muy gracioso. ¿Has olvidado que los Frazier son parientes tuyos? Le pediré a la señora Frazier que organice una fiesta en nuestro honor en su casa. Invitarán al gobernador. —Mike le estaba besando un pecho—. Y, además, los dos estamos emparentados con los McDowell, que son ricos. Conseguiré que Fraziers y McDowells compitan por ver quién nos regala más cosas.

Mike dejó de besarla y la miró.

—No tenía ni idea de que fueras tan interesada.

Ella soltó una risita maléfica.

—Quiero que paguen todos los que decían «pobre Sara».

—Eres mala, muy mala —dijo él, sonriendo.

—Pues todavía no has visto nada, muñeco —replicó ella, recorriéndole el cuerpo con los labios.

Mike no dijo nada más.

Una hora después, Mike dijo que ella lo había entretenido tanto que no había podido terminar su trabajo. Y su madre le había dejado cuatro mensajes de texto preguntándole dónde estaba, recordándole que debía ir a su casa a vestirse.

—Tal vez debería presentarme así —dijo cuando se dirigía a la ducha. Estaba desnudo.

—Si te crees que asustarías a mi madre, estás muy equivocado. El que acabaría sonrojándose serías tú.

—Hablando de partes del cuerpo rojas, supongo que no voy a tener que llevar...

—No vas a poder librarte de llevar falda escocesa, o sea que ni siquiera lo intentes. Nos vemos en la feria dentro de un ratito. Me voy a ver a Joce.

—¿Seguro que no quieres ducharte conmigo?

—Tú lo que quieres es retrasar lo inevitable.

Ella necesitaba tiempo para vestirse con calma, para pensar en su futuro, en su nueva vida.

—Y tú te mueres de ganas de contarle a tu amiga que has conseguido atraparme y atarme con una cadena, ¿verdad?

—Eres libre de volver a la vida que tenías. Ah, no, espera... ¿Pero tú tenías vida?

Mike sonrió.

—Vete, vete. Nos vemos en la feria. Me reconocerás porque llevaré falda e iré medio desnudo.

Sara salió riéndose del apartamento.

Joce puso los ojos como platos cuando vio a su amiga.

—¡Sara! ¿Qué te ha ocurrido? Parece que te hubieras quemado el cuello.

Ella se lo tocó con la mano.

—No es nada.

—¿Cómo que nada? ¿Ya le has enseñado esa erupción a tu padre?

—¿Estás loca?

—Ah... —Joce dijo lentamente, comprendiendo al fin—. Es rozadura de barba, ¿no? —Sara no dijo nada—. ¿Y llega muy abajo?

Ella arqueó una ceja, y Joce se echó a reír.

—Tienes que contárselo a Tess.

Sara la miró, incrédula.

—¿Contarle a la hermana de Mike que me lo paso muy bien en la cama con su hermano? No creo. Pero...

—¿Pero qué?

—Mike me ha pedido que me vaya a vivir con él a Fort Lauderdale. A ver si nuestro matrimonio funciona.

Alargó la mano para mostrarle el anillo.

—Se lo voy a contar a Tess —dijo Joce mientras admiraba el anillo de compromiso, de tres brillantes—. Se alegrará tanto por ti como yo. —Levantó el teléfono—. Tendremos que contárselo de manera divertida, para que se ría un poco. Rams le ha contado a Luke que tiene las hormonas alteradas, y que llora mucho.

—¿Tess llora?

—Sí. Espera tú a quedarte emb...

—Está bien, sí, es demasiado pronto para eso, pero debemos contarle lo tuyo y lo de Mike.

Sara redactó un mensaje y se lo pasó a Joce para que lo leyera.

—Perfecto.

Y pulsó «enviar».

En Venecia, el móvil de Tess vibró, y ella lo levantó antes de que Rams se levantara de un salto para interceptarlo.

—Si es ese hermano tuyo y vuelve a hacerte llorar, lo...

—Es Sara.

Tess leyó el texto y no pudo contener las lágrimas.

—Lo mato —anunció Rams mientras le arrebataba el aparato.

—Lloro de alegría. Son buenas noticias —sollozó Tess—. Son las hormonas.

—Sí, ya lo sé. Las tienes seiscientas veces más altas de lo normal —dijo Rams mientras pulsaba varios botones para recuperar el mensaje de Sara—. Maldita sea... Voy a tener que advertir a mi primita que no envíe porno por las ondas.

Tess se sonó.

—Eres un mojigato. Devuélvemelo.

Rams compuso una mueca y se alargó el teléfono.

—Voy a llamar a Joce para que me dé los detalles. ¡Ah! Me encantaría que pudiéramos volver a casa.

Volvió a leer el mensaje de Sara.

Tu hermano me ha dejado todo el cuerpo marcado con su barba. No ha dejado un centímetro libre. Me ha pedido que me vaya con él a Fort Lauderdale. Sara

Sara pasó más de una hora con Joce, ayudándola a memorizar las frases que debía pronunciar en su papel de pitonisa. Luke había pedido un ejemplar de un libro de quiromancia publicado en 1891 en el que se exponían distintas maneras de echar las cartas a lo largo de los siglos, y que habían usado personas sin poderes parapsicológicos especiales.

—Está bien. Repasémoslo una vez más —dijo Sara, a pesar de que, como acababa de comprobar, Joce se lo sabía todo de memoria.

—A una mujer soltera tengo que decirle: «Sueles estar sola, pero a la vez, disfrutas de tu soledad.» A una mujer casada le digo: «Muchas veces sientes que tu marido no te comprende.» —Joce bajó la mirada una vez más—. Si es un viejo, le digo: «En una ocasión te castigaron por una buena obra que le hiciste a alguien.» —Miró a Sara—. ¿Crees que es algo tan universal como para que todos los hombres mayores lo consideren cierto?

—No lo sé. Dímelo tú cuando hayas echado las cartas cien veces.

Joce regresó a las cartas.

—Mike me ha pedido que a todas las mujeres de más de treinta y cinco años les diga esto: «Algo que llevas mucho tiempo planeando está a punto de hacerse realidad.» Y Luke vio en la tele que si dices: «Tú eres una persona de cara a la sociedad y otra en privado», todo el mundo te da la razón.

—En mi caso, es cierto. ¿Y en el tuyo?

—También, claro. ¿No crees que tendrías que ir a ponerte guapa? Se está haciendo tarde. ¿Estará ahí... Greg?

—No lo sé. Sé que lo han soltado, pero Mike no quiere decirme dónde está, por lo que no sé cuánto tiempo tardará en llegar. Según me ha dicho, quiere que cuando Greg se presente mi sorpresa sea auténtica.

—Sorpresa es que te digan que vas a tener dos hijos en vez

311

de uno. Ver a un hombre que quiere matarte es algo así como quedarse sin frenos en una carretera de montaña. Yo no lo llamaría «sorpresa». —Hizo una pausa—. Sara...

—Ya lo sé. No puedo pensar en nada de todo eso, o me asustaré. Mike estará allí, y va a hablar con los Frazier, y... —Miró fijamente a Joce—. Todo irá bien. ¿Quieres que volvamos a repasar las cartas?

—No, creo que ya me lo sé todo. Algunas de las cosas que se le dice a la gente me ponen enferma. —Levantó una carta—. En el libro ponía que las mujeres mayores que no están casadas son las que con mayor probabilidad acuden a las echadoras de cartas, porque intentan desesperadamente encontrar a un buen hombre. También pone que la mujer suele estar sola y amargada, y que la pista que indica que está dispuesta a pagar por obtener ayuda es que recurre al sarcasmo.

—No les habrá costado mucho llegar a esa conclusión —sentenció Sara, y se echó a reír.

Se despidió con la mano y salió de la habitación. Al llegar a la puerta trasera, alzó la vista y vio la vieja camioneta del señor Lang que se acercaba con el remolque lleno de productos.

—Por cierto, Joce —la avisó a gritos—. Le dije al señor Lang que podía usar tu cocina, y que tú le ayudarías a cortar cosas.

—¿Qué? ¿Cómo? —exclamó Joce.

Pero Sara ya se había esfumado.

25

Cuando Mike se montó en su coche tenía toda la intención de acudir a casa de Ellie a vestirse, pero no dejaba de pensar en su visita a la casa de Lang. Horas antes, mientras el viejo y Sara charlaban sobre galletas, él se había dedicado a recorrer la sala con la mirada, intentando imaginar si aquello podía convertirse en una vivienda agradable. Pero había algo que no encajaba. No es que hubiera visto nada malo, ni raro, ni fuera de lugar, pero había notado algo que no cuadraba. Era evidente que Lang mentía sobre casi todo lo que decía, pero ese parecía ser su modus operandi. Al parecer, aquel hombre no sabía decir la verdad o, en cualquier caso, toda la verdad. No era de extrañar que creyera que ellos dos eran familia, pensó Mike. Tenían mucho en común.

Ahora podía decir que, aunque no sabía bien qué era lo que había visto allí, su recuerdo seguía persiguiéndolo. De modo que decidió regresar a la granja a echar otro vistazo.

Mientras aparcaba junto a la vieja casona le vino a la mente la idea de que si en ese momento él podía estar ahí, realizando esa visita improvisada, era gracias a Sara. Suya había sido la idea de comprarle aquellos otros perros a Lang, y ahora aquellos cachorros ya lo conocían. De haber adoptado el viejo sus propios animales, Mike no habría podido pasear por la finca tan tranquilamente. Además, Sara había conseguido que Lang se ausentara toda la tarde. Pobre Joce.

A Mike apenas le hicieron falta veinte minutos en el interior de la casa para dar con lo que buscaba. La luz, pensó. ¿Quién habría imaginado que los cables eléctricos y las bombillas podían llevar a la detención de delincuentes?

Al averiguar lo que tanta gente llevaba tanto tiempo buscando, su alegría fue tal que quiso llamar a Sara para contárselo, pero no podía. Era mejor que no supiera qué estaba pasando. Lo que sí hizo fue llamar a Luke. A juzgar por el ruido de fondo, ya se encontraba en la feria.

—¿Estás ocupado?

—En este pueblo, todo el mundo me pide tantas cosas que estoy a punto de sacar una pistola —respondió Luke, desesperado—. La respuesta es no. No estoy nada ocupado.

—Pues necesito tu ayuda para resolver el caso —dijo Mike.

—¿Has encontrado a Mitzi, o has descubierto qué es lo que quieren?

—Ya sé lo que van buscando. ¿Puedes venir a buscarme a Merlin's Farm con tu furgoneta lo antes posible?

—¿Diez minutos es mucho?

—Sí, ven antes. —Oyó que Luke empezaba a correr, con el teléfono pegado a la oreja—. Si llamo a la madre de Sara, ¿me ayudará, o me reñirá por no ir a ponerme no sé qué falda escocesa que se supone que debo llevar?

—Ella hará lo que sea para proteger a su hija. ¿Quieres que la llame yo?

—No. —Mike oyó que Luke ponía en marcha la furgoneta—. Ahora que tengo suegra, creo que debo aprender a tratarla.

—Buena suerte, entonces —dijo Luke antes de apagar el móvil.

Seis minutos después, tras llamar a Ellie e informarle de que no podría pasarse por su casa enseguida, y de advertirle que no le dijera nada a Sara, Mike vio que Luke entraba derrapando en el camino de la granja. Los perros empezaron a ladrar, enloquecidos, pero Mike les ordenó que se sentaran y se quedaran quietos, y le obedecieron.

—Déjame que te muestre lo que he encontrado —dijo Mike,

conduciéndolo hasta la casa, hasta el tesoro enterrado en el armario secreto.

Minutos después llamó a Tess para saber más cosas sobre los derechos de propiedad de Sara sobre las pinturas que había encontrado. Ella le pasó el teléfono a Rams para que fuera él quien se lo aclarara.

Según los términos del testamento de tía Lissie, todos los cuadros eran propiedad de Sara. «Dejo todas las pinturas de CAY a mi querida nieta», rezaban sus últimas voluntades. En la época en que fueron redactadas, solo había una acuarela, aquella tan rara de los patos rojos. Pero había sido el padre de Ramsey, Benjamin, el que había añadido la palabra «todas» al transcribirlas. Según dijo, quería curarse en salud por si aparecían más.

—Dado que ahora tú eres el propietario de la casa —informó Rams a Mike—, tal vez pudieras demandar a Sara y reclamar su propiedad. —Mike ni siquiera se molestó en responder nada, y Ramsey se echó a reír, conciliador—. Sé que no me lo has preguntado, pero legalmente el resto de los objetos de ese armario son tuyos.

—Lo entregaré todo a los descendientes de los propietarios —se apresuró a aclarar Mike.

—Muy bien —dijo Rams en voz baja—. Cuando podamos volver a casa, dínoslo, por favor. Tess y yo echamos de menos a todo el mundo. Y, por cierto, me han dicho que Sara y tú vais a seguir juntos. Enhorabuena.

Una vez más, Mike volvió a experimentar aquella vieja sensación: no le gustaba que los demás se enteraran de sus cosas. Y más alguien al que no conocía siquiera.

—Gracias —respondió, no sin cierto esfuerzo.

—Y supongo que no te hará falta ayuda económica para restaurar Merlin's Farm.

Aunque Rams lo dijo en broma, Mike frunció el ceño. No habría aceptado ninguna ayuda, pero se daba cuenta de que acababa de casarse con una rica heredera. Y una mujer rica podía aspirar a mucho más que a un policía que no había ido siquiera a la universidad.

—No, no voy a necesitar ayuda —dijo, y colgó.

Dos horas después, Luke y él abandonaban la granja con la plataforma de carga de la furgoneta y el maletero del coche llenos hasta arriba. Se dirigieron a la nave de almacenaje en la que Mike había alquilado un contenedor. No tardaron en llevar hasta el fondo sus escasas pertenencias, de hecho, la encargada de alquilar aquel espacio había sido Tess, y había optado por uno de los grandes con la esperanza de que él lo llenara de cosas. Los hombres empezaron a descargar los vehículos. Al terminar, los dos estaban sucios y sudorosos.

—Por favor, no le digas nada a Sara —insistió Mike—. Ella cree que estoy en casa de su madre. Debo hacer varias llamadas para intentar hacer encajar todas las piezas de este rompecabezas.

—¿Y qué hay de Vandlo? —preguntó Luke.

—No llegará hasta mañana. Cada sesenta minutos me informan de su paradero, pero cuando aparezca por aquí no encontrará lo que viene a buscar.

—Salvo a Sara. Temo que se enfade mucho al ver que sus planes han quedado destruidos.

—Eso es obvio, pero estoy haciendo todo lo posible para que descargue su ira contra mí.

—¿Y si no lo hace? —preguntó Luke.

—Sara no lo sabe, pero mañana, una vez que haya entrado en contacto con Vandlo y le informe de que se ha casado con otro, la meterán en una furgoneta y se la llevarán de aquí. Si Vandlo quiere vengarse, solo me tendrá a mí. —Luke lo miraba poco convencido—. Tienes que confiar en mí. Me dedico a esto desde hace tiempo y puedo asegurarte, además, que Sara significa mucho para mí.

—Eso lo sabe todo el pueblo. Se dice que cuando la miras...

—No me quites el poco orgullo que me queda —le interrumpió Mike, cerrando la puerta del contenedor y pasando la llave—. Vámonos de aquí.

—Creo que deberías pasarte por la feria lo antes posible. La noche de la inauguración acuden unas quinientas personas, y no me gusta que Sara se quede sin protección.

—No va a quedarse sin protección —lo tranquilizó Mike.

Cuando Luke se fue, Mike arrancó también, pero se detuvo a un kilómetro de la nave de almacenaje, aparcó bajo un árbol y empezó a pulsar las teclas de su teléfono móvil.

Siempre había creído que existía una relación entre su abuela, Merlin's Farm y los Vandlo, pero hasta ese momento no había sabido en qué consistía. Al encontrar lo que Mitzi estaba buscando, Mike acababa de descubrir de qué modo había podido establecerse su alianza.

Llamó a la residencia geriátrica de Ohio en la que su abuela había pasado los últimos años de vida hasta que murió y pidió que le pasaran con la jefa de enfermería. Lo hicieron al momento. Tras identificarse y ponerla al corriente de parte de la investigación enseguida le pusieron a la persona que estaba buscando. La nariz larga convertía a Mitzi en una persona fácilmente identificable. Tal como sospechaba Mike, aquella mujer trabajaba allí y respondía al nombre falso de Hazel Smith. La jefa de enfermería parecía tener muchas ganas de explayarse sobre ella.

—No me gusta hablar mal de nadie, pero Hazel era una mujer muy desagradable —dijo la enfermera—. Cuando se fue, los empleados empezaron a compartir anécdotas, y fue entonces cuando descubrimos qué hacía. A una persona le decía una cosa y a otra persona, otra. Mientras estuvo aquí se impuso el desorden. El problema era que nadie sabía quién lo causaba. Aparentemente, Hazel parecía ser la persona más cariñosa que había pasado por la residencia, y a mí me engañó como a todos los demás. En una ocasión llegó y me dijo que había visto a mi mejor enfermera robarle a un paciente que acababa de morir. Me lo contó llorando, y hoy me avergüenza admitir que la creí del todo. Por su culpa despedí a una cuidadora extraordinaria.

—Si le sirve de consuelo —intervino Mike—, la mujer a la que usted conoce como Hazel Smith ha conseguido que la crea mucha gente. ¿Podría contarme todo lo que recuerde sobre la semana anterior al fallecimiento de mi abuela?

—Supongo que se refiere a la noche en la que Prudence se puso histérica.

—Sí. —El corazón le latía con fuerza—. Explíqueme todo lo que sepa sobre eso. —No podía presionarla demasiado, tenía que lograr que la mujer confiara en él, por lo que debía dejar que se expresara a su ritmo.

—Bien, en primer lugar, Prudence no era... siento decirlo, señor Newland, pero no era una persona que cayera bien.

—¿Quiere decir que era de las que, cuando entran en un sitio, consiguen que ese sitio se vacíe al momento?

—Sí, me temo que sí. Nos contaba muchas veces la historia de su violación. Tal vez la haya oído usted también...

—Cada semana que tenía la desgracia de encontrarme cerca de ella no me quedaba otro remedio que oírla. Y, cada vez que la contaba, la violencia y el horror del relato aumentaban. Al final, creo que me decía que Alex McDowell le había partido las piernas con un martillo.

—Sí, a nosotros también nos lo hacía —comentó la enfermera—. Pero no sé si sabe que disponemos de un psicólogo residente. A su abuela le encantaba visitarse con él y, no debería decirle esto, pero cuando el terapeuta vio que su abuela modificaba su historia todas las semanas, realizó una pequeña investigación en la hemeroteca en busca de referencias al suceso en la prensa de la época. Y entre otras cosas descubrió que la violación no había tenido lugar cuando ella aseguraba. Había sido de noche, no de día, y ella regresaba de una fiesta en la que había estado bebiendo. ¿Lo sabía?

—No —respondió Mike en voz baja—. No lo sabía.

Se regañó a sí mismo por no haber contemplado siquiera la posibilidad de consultar la documentación antigua, aunque, por otra parte, estaba tan cansado de oír hablar de la violación de su abuela que llegó un momento en que no quería saber nada más.

—El psicólogo creía que era posible que Prudence estuviera bastante más que achispada cuando sucedió todo aquello, y que era posible también que hubiera consentido la relación con aquel joven. Posteriormente, al saber que el hombre que, según ella, la había atacado, se negó a casarse con ella, e incluso negó haberla tocado siquiera... Bien, en opinión del especialista, tal vez su abuela había llegado a modificar tanto lo ocurrido como para pensar que, en realidad, el señor McDowell era inocente.

Mike sabía que las palabras de la enfermera sonaban a ciertas, y le habría gustado saber más, pero ese no era el momento.

—Pero aquella noche, cuando se puso histérica, ¿dijo algo distinto?

—Sí. Aquella noche, casi todos los residentes se encontraban en el salón viendo la televisión, como siempre, cuando Prudence empezó a gritar. Nunca conseguimos que su abuela entendiera que había veces en que las necesidades de las demás personas eran tan importantes como las suyas.

Mike resopló.

—Sí, eso era algo que nadie pudo enseñarle. ¿Y qué gritaba mi abuela?

—Que ella ya había visto las pinturas que aparecían en la tele.

Mike supo que se refería a los cuadros que Luke y él acababan de trasladar hasta la nave de almacenaje.

—¿Qué programa estaban viendo?

—*Tesoros perdidos.* ¿Lo conoce?

Por la vida que llevaba, Mike no disponía casi de tiempo para ver la tele, pero le pareció pedante decirlo.

—Me temo que no —se limitó a responder—. ¿De qué trata?

—De cosas valiosas que han desaparecido. A nuestros residentes les encanta, y lo ven todos los jueves por la tarde. En aquel episodio concreto mostraron algunas pinturas antiguas de plantas tropicales de Florida y dijeron que eran muy valiosas, valiosísimas. Me cuesta recordar los detalles, porque poco después de que las imágenes aparecieran en el programa, Prudence dio un respingo y se puso a chillar a pleno pulmón.

—Y, que usted recuerde, ¿qué era lo que gritaba mi abuela?

—Algo de un chico. Bruce... Langley, o algo así.

—Brewster Lang —apuntó Mike

—¡Sí! ¡Eso! Siento decírselo, pero habíamos tenido problemas con su abuela, porque se dedicaba a rebuscar entre las pertenencias de la gente. Y le encantaba espiar a los demás. Debíamos tener cuidado y cerrar con llave todas las puertas.

—Sí, sé bien que lo hacía.

—Lo supongo, sí —dijo la enfermera en tono comprensivo—. En fin, que Prudence dijo que justo antes de la violación había visto aquellas pinturas que estaban mostrando en la tele, y que las había visto en casa de ese chico. Estaba mirando por la ventana, espiando, aunque ella no lo formuló así, y lo vio con aquellas obras de arte esparcidas por allí. Creo que dijo que él la había visto mirándolo por la ventana. ¿Es posible?

Mike imaginó lo que había sucedido aquella noche. Su abuela era una joven malhumorada que había bebido demasiado y que estaba mirando por las ventanas de Lang. Él sabía que a Prudence le encantaba espiar, y de niño había aprendido a correr las cortinas y a pasar siempre los cerrojos de las puertas.

Aquella noche, Lang había alzado la vista y la había descubierto observándolo, y seguramente había salido para saludarla. Tal vez ella intentó escapar en bicicleta, y tal vez él le lanzó alguna piedra a las ruedas. O tal vez ella estaba tan borracha que se cayó. Siempre le había gustado la ginebra. En cuanto a Lang, quizá pensara que ella había llegado hasta allí para verle, como hacía a menudo. Y es posible que, como era de noche, interpretara que ella, finalmente, se había dado cuenta de que él ya no era un niño, sino casi un hombre.

Cuando su abuela se cayó de la bicicleta, es probable que se diera un golpe en la cabeza, lo que, sumado a su borrachera, habría enturbiado su mente. Vio una falda escocesa como la que llevaba Alex McDowell, el hombre al que creía amar, y una cosa llevó a la otra. Seguramente aceptó al hombre con entusiasmo.

No era de extrañar que Lang celebrara aquella fecha todos los años, pensó Mike, que se preguntaba cómo se sentiría después, cuando Prudence exigió que Alex se casara con ella.

—Señor Newland —lo llamó la enfermera—. ¿Sigue ahí?

—Sí. ¿Y qué ocurrió cuando mi abuela perdió los nervios?

—Tuvimos que darle un sedante para tranquilizarla. La cosa no habría pasado de ahí de no haber sido por Hazel.

—Supongo que se mostraría muy interesada en lo que mi abuela había contado.

—Muchísimo. Tenía turno de noche, y todo el mundo hablaba de lo mismo. Hazel le preguntó a Prudence por qué se había alterado tanto. Quería conocer hasta el más mínimo detalle. Y dijo algo que me llamó mucho la atención y que nunca he olvidado.

—¿Qué?

—Dijo que los ancianos conocen muchos secretos, y que si eran lo bastante viejos olvidaban que había cosas que debían mantener en secreto.

—Creo que tal vez le estaba revelando el verdadero motivo por el que Hazel estaba allí —apuntó Mike, pensando que tal vez esa fuese la razón por la que Mitzi había buscado trabajo en un geriátrico caro. Tras huir, había cientos de policías y agentes federales buscándola, por lo que durante un tiempo debía ser discreta. Seguramente estaría cansada de planificar una y otra vez sus estafas a mujeres desengañadas. Después de todo, algunas de ellas la habían traicionado.

Así pues, Mitzi había encontrado trabajo en una residencia de ancianos llena de pacientes con familiares que pagaban mucho dinero por las atenciones que aquellos recibían. Tal vez, en un principio, hubiera ido en busca de joyas, pero con Prudence Walker había encontrado una mina de oro.

—Después de aquella noche, Hazel y Prudence se hicieron muy amigas —le contó la enfermera—. Durante una semana, aquella enfermera ignoró por completo a los demás residentes, y se pasaba el día con Prudence. Yo tendría que haberlo impedido, pero reinaba tal tranquilidad en el centro que no lo hice. Yo todavía no sabía que Hazel era la causante de todo el desorden. Creía, más bien, que la paz repentina se debía a que Prudence se quedaba en su cuarto, por lo que le quitaba trabajo a Hazel de muy buena gana, para que tuviera más tiempo y lo pasara con ella.

—¿Y qué hacían? —preguntó Mike.

—Hablar. Su abuela cerraba la puerta, pero las oíamos conversar sin fin. Sé que leyeron todas las cartas que le enviaba su hermana Tess, porque nos pidió que le trajéramos la caja.

—¿Y Hazel les comentaba de qué hablaban?

—No, en realidad no. ¡No! ¡Espere! ¡Sí! Ya me acuerdo. Una vez, mientras comíamos, nos dijo que había un pueblecito pequeño que le parecía fascinante. Con un nombre raro.

—Edilean, en Virginia.

—Exacto, ese —corroboró la enfermera.

Mike supuso que Hazel/Mitzi había leído las cartas y había averiguado cosas de Sara que, gracias al testamento de su tía, era la propietaria de las pinturas perdidas. En el momento en que aquellas últimas voluntades habían sido redactadas, solo se tenía conocimiento de una pequeña acuarela en la que aparecían unos patos rojos, y que Sara tenía colgada en una pared de su cuarto. Mike habría querido pegarse a sí mismo por no haber prestado atención a Sara cuando le dijo que Stefan quería ese cuadro. En aquellos momentos, Mike estaba tan fascinado con ella que pasó por alto una pista que tenía delante de sus propias narices.

—¿Y mi abuela murió pocos días después del incidente de la tele?

—Sí —confirmó la enfermera—. Murió mientras dormía y, al día siguiente, Hazel, con los ojos llorosos, nos comunicó que dejaba el trabajo. Dijo que no podía soportar ver cómo morían personas por las que sentía un gran afecto.

Mike no estaba seguro —al menos no en ese momento—, pero creía que existía la posibilidad de que Mitzi hubiera asesinado a su abuela. Tras sacarle toda la información que necesitaba, se deshizo de ella para que no revelara a nadie más lo que le había contado.

—¿Podría enviarme por correo electrónico la fotografía de la ficha laboral de Hazel? —le preguntó Mike—. Me gustaría verla.

—Sí, claro, señor Newland —respondió la enfermera—. Y, por favor, manténgame informada de lo que ocurra.

Mike le dijo que sí, le dictó su dirección de correo electrónico y colgó.

A continuación llamó a Tess y le pidió que iniciara los trámites burocráticos para la exhumación del cadáver de su abuela. Necesitaban pruebas físicas de que había muerto asesinada.

—¿Y conservas alguna de las cartas que la abuela te envió?

—Todas. Me pareció que algún día tal vez te apeteciera leerlas.

—No es que me apetezca, pero si en ellas se menciona a una enfermera llamada Hazel, al fiscal general le interesarán.

Si lograban demostrar que Hazel Smith era Mitzi Vandlo, y si el cuerpo mostraba señales de muerte provocada, podrían acusarla de asesinato. Finalmente, a Mizelli Vandlo podrían juzgarla por algo más que por fraude.

Minutos después, desde el geriátrico recibió el correo con la foto de Hazel. Impaciente, Mike la estudió con detalle, se fijó en la nariz prominente, en la boca de labios finos, casi invisibles. El aspecto de Mitzi en aquella imagen no era mejor que el que tenía en 1973, cuando había engatusado a Marko Vandlo para que la convirtiera en su tercera esposa. Aunque le resultaba interesante ver una foto de la mujer tomada hacía unos años, no recordaba haberla visto en Edilean. Pero entonces, sin dejar de observar el retrato, se preguntó qué aspecto tendría si se hubiera operado aquella nariz.

Después llamó al capitán Erickson y le contó someramente lo que había descubierto, y le pidió que ordenara al departamento de nuevas tecnologías que manipularan aquella fotografía.

—Me gustaría ver qué aspecto tendría si le hubieran quitado la mitad de esa nariz. Tal vez nos tropezamos con ella todos los días y no nos damos cuenta.

—Nos ponemos a ello enseguida. Y, Mike, buen trabajo.

—¿Te parece lo bastante bueno como para ofrecerme trabajos de despacho de ahora en adelante? Mi esposa quiere que me quede en casa.

Mike sabía que el capitán estaba sonriendo en ese mismo instante. Casi podía verlo.

—Sí, creo que podremos arreglarlo. Además de un ascenso y un aumento de sueldo.

Mike masculló algo.

—Pero, por favor, no me pongas a cargo de los novatos.

—Pues eso es exactamente lo que pensaba hacer. Te envío esa foto apenas me la pasen.

Y colgó.

Mike se montó en el coche y se dirigió directamente a la feria, sin molestarse en darse una ducha ni cambiarse de ropa. Había sido un día muy largo, y sabía que Sara empezaría a hacerse preguntas, y vería más de la cuenta.

—Tú pon cara de póquer, Newland —se dijo mientras miraba por los retrovisores. Pero no. Nadie le seguía.

Habían pasado varias horas desde que Mike había abandonado el apartamento, y Sara hizo su entrada en el atestado recinto ferial y se dirigió a la carpa de su madre. Frente a ella había unas mesas largas cubiertas de productos y de alimentos que los trabajadores de Armstrong Organic Foods se habían pasado semanas preparando. Ese año ella no había podido echarles una mano, pero pensaba hacerlo el próximo. Tal vez, cuando se celebrara la siguiente edición de la feria ella ya estuviera embarazada, o tuviera un recién nacido en brazos. Mike y ella no habían hablado de tener hijos, aunque, en realidad, no habían hablado de casi nada en serio, salvo del caso.

Se obligó a salir de sus ensoñaciones y a mirar a su alrededor. Su madre y sus dos hermanas se encontraban en el interior de la carpa, ataviadas con las ropas medievales que ella les había cosido hacía unos años. El de Sara tenía un corpiño de terciopelo verde y una falda escocesa con un tartán conocido como McTern antiguo. Sus hermanas iban de azul y borgoña, y el vestido de su madre era en tonos marrones y amarillos. «Los colores de la tierra», les había dicho a sus hijas cuando Sara se lo confeccionó.

El interior de la carpa estaba lleno de cestas de fruta. También se apilaban neveritas con platos preparados. Su madre decía que aunque aquello era una feria, ella se negaba a servir alimentos poco saludables. «Sí, pero resulta que reboza las frutas, las fríe y las cubre con azúcar —apostillaba su padre-médico—. Muy saludable, sí señor.»

A Sara se le ocurrió que debía enviar a su padre a que Joce le echara las cartas del tarot; entonces sí sabría lo que era el sarcasmo.

Todavía seguía apostada junto a la entrada de la carpa cuando su madre, que sostenía una bandeja de melones cantaloupe, la vio. Le sonrió, pero su expresión se hizo pícara al darse cuenta del débil enrojecimiento del cuello. Sara se lo había cubierto con base de maquillaje, pero aun así se notaba.

Ellie supo al momento de qué se trataba.

—Rozadura de barba. Qué tiempos... Recuerdo la vez que tu padre y yo...

—¡Mamá, por favor! —exclamó Sara.

Riéndose, Ellie salió de la carpa.

—Espera a tener tu primer hijo —intervino su hermana Jennifer—. Te escandalizarán las historias que cuenta.

—Las historias de sexo son mi perdición —dijo Taylor, su otra hermana.

—¿No te encantó la de nuestro padre plantando tu semilla en la cima de una montaña? —le preguntó Jennifer.

—No. A mí lo que me gusta son los detalles de mamá y papá y su Noche escarlata en México. Incluso Gene se sonrojó al oírla.

Sara miraba a sus hermanas y no daba crédito. Por primera vez en su vida le hablaban como si fuera una mujer adulta.

Jennifer llevaba una caja con tartas de frutas, y pareció captar la perplejidad de su hermana.

—¿No te habías dado cuenta de que nuestra madre nos considera vírgenes hasta que nos casamos? Por eso hasta ahora no te ha contado todas esas anécdotas sexuales —dijo, antes de abandonar la carpa.

Taylor sostenía tres cajas de galletas.

—Afortunada tú, que hasta ahora te has librado de sus cuentos eróticos —sentenció, y se fue tras su hermana.

Sara se quedó ahí plantada, mirándolas fijamente, asombrada. Y ahí seguía cuando llegó Mike.

—Tu madre me envía a recoger dos sacos de patatas. Por cierto, ¿por qué todos tus familiares no dejan de preguntarme cosas sobre mi barba? Habría querido afeitarme, pero... —Se interrumpió para mirarla mejor—. ¿Estás bien?

—Sí. Es que mis hermanas me han tratado bien.

—En teoría, para eso están las hermanas.

—Las mías, no.

Mike levantó un saco de veinte kilos, se lo montó sobre el hombro izquierdo y se agachó para recoger el segundo. Después de cargar el otro en el derecho, regresó junto a Sara.

—¿Y qué te han dicho?

—Me han dicho que mi madre me va a contar anécdotas sexuales.

—Ya sé que yo no me he criado aquí, ¿pero eso no te parece un poco...?

Ella regresó al presente y lo miró. Estaba guapísimo. No llevaba la falda escocesa, como esperaba, sino unos vaqueros y una camiseta. Con todo, parecía que su madre lo había puesto a trabajar sin descanso, porque tenía la camiseta empapada en sudor, muy pegada al cuerpo, tanto que podría haberle contado los abdominales.

Transcurrido un instante, Sara cayó en la cuenta de que ese mismo cálculo aritmético podían hacerlo también todas las demás mujeres presentes.

—Creo que voy a ir a buscarte una camiseta limpia.

Con la mirada, Mike le dio a entender que sabía lo que estaba pensando.

—¿Quizás una camisa el doble de grande que la que llevo puesta?

—El triple, diría yo.

—Dame un beso.

Ella ladeó la cabeza para que pasara entre los sacos, pero en ese momento oyeron la voz de su madre.

—Mike, ¿dónde están esas palabras?

—Añade una suegra a la lista de nuevos parientes que me han salido —masculló mientras se alejaba.

—Piensa en nuestro bonito y silencioso apartamento de Fort Lauderdale —replicó ella.

—Sí, arriba solo tendremos a unos delincuentes...

«¿Y un bebé o dos abajo?», se preguntó ella.

Durante el resto de la noche, Ellie mantuvo tan ocupada a su hija que Sara vio muy poco a Mike. Cada vez que lo veía, él estaba hablando por teléfono con alguien y no podía decirle nada. Además, pasaba tanto tiempo con Luke que, de haber sido ella de otra manera, habría podido llegar a sentir celos de él.

A Ariel la vio una vez, paseándose mientras se comía una manzana de caramelo. Al ver a Mike con su camiseta ajustada, abrió tanto la boca que se le cayó el bocado de fruta que acababa de dar, y se le pegó en el vestido. Si hubiera llevado alguna prenda que hubiera confeccionado ella, Sara la habría ayudado a limpiarse, pero Ariel había encargado un vestido de estilo medieval a un establecimiento de Nueva York. Y le habían contado que se le habían abierto dos veces las costuras de las mangas.

Al levantar la vista, Ariel vio que Sara sonreía y salía disparada a agarrarse del brazo de Mike. Tal vez, después de todo, no fuera a buscarle otra camiseta.

—¿En qué andas metida? —le preguntó él.

—Cosas de chicas. ¿Dónde está Greg ahora?

—Acaba de salir de una gasolinera. Se ha comprado unos Twinkies.

—¿Y por eso vais a condenarle? ¿Por qué estado va?

—¿Qué clase de ropa interior llevas debajo de esa ropa?

—No llevo ropa interior de ningún tipo. ¿Por qué no me señalas qué personas entre la multitud están contigo, y cuáles son solo turistas?

—¿Has visto a Lang merodeando junto a la carpa de Joce?

—¿Alguna vez piensas responderme directamente a algo que te pregunte?

—No, si puedo evitarlo.

—¿Quieres que te presente a tus nuevos primos, los Frazier?

—Mañana voy a tener que enfrentarme a ellos en la guerra de espadas, así que ya los conoceré entonces. De hecho, ya conozco a dos. ¿Cuántos más son?

—Los tres grandotes. Colin es el mayor, después está Pere, diminutivo de peregrino, como su padre, y Lanny, que en realidad se llama Lancaster.

—Solo puedo decir que me alegro de que no me pusieran el nombre de sus padres.

—Son antiguos nombres de familia. Los Frazier los mantienen.

—¡Sara! —la llamó su madre, y ella protestó entre dientes.

—Más trabajo. ¿Te veo esta noche?

—Sí. —Le dio un beso en la mejilla—. Tengo algunas llamadas que hacer, así que tal vez me retrase un poco.

Mike hizo ademán de irse, pero ella notó un brillo raro en sus ojos y lo interceptó, agarrándolo de un brazo. Estudió su rostro.

—¿Qué ha ocurrido? Tú estás nervioso por algo.

—Nada... Es solo la impaciencia por lo que puede ocurrir mañana.

—No. Hay algo más. Pareces... contento.

—Pues claro que estoy contento. Una tarde preciosa, una chica guapísima, buena comida gracias a tu madre y...

—Hay algo más en tu mirada. Y me ha parecido ver lo mismo en la de Luke. ¿Qué andáis tramando vosotros dos?

—Las niñas pequeñas que preguntan demasiado se quedan sin sorpresas.

—¿Intentas hacerme creer que Luke y tú me estáis organizando una fiesta sorpresa?

—Sara, tengo que irme.

Pero ella no le soltaba el brazo.

—Quiero saber qué te ha puesto tan contento.

—¡Tú! ¡Y no pienso decirte nada más! ¡Y ahora vete! Si me ve tu madre estoy seguro que me hará cargar con los lavabos portátiles.

—No me extraña que mi padre y tú os llevéis tan bien. Pídele que te muestre los lugares en los que se esconde de ella. Está bien, vete, pero esta noche pienso llegar al fondo de este asunto.

Mike arqueó una ceja.

—Pues yo pienso llegar al fondo de todo... lo demás.

Sara sonrió.

—Está bien, está bien... guárdate tus secretos... de momento.

Mike volvió a besarla en la mejilla y se fue corriendo.

Mike no regresó al apartamento hasta media noche. Sara estaba sentada en el salón, en su silla grande. Había estado cosiendo una prenda que le cubría el regazo, y estaba profundamente dormida. No quería despertarla, así que se metió en el baño y se dio una larga ducha. Ya limpio y aseado, volvió al salón y levantó a Sara, con el vestido que cosía y todo. Ella se acurrucó en sus brazos, apenas despierta.

La tendió en la cama y le quitó la labor, una tela triangular de seda negra con unos discos de metal dorado cosidos en la franja superior.

—¿Qué es esto?

Sara se puso boca arriba.

—Un velo para Joce. Me ha comentado que la gente le preguntaba más sobre su próximo parto de los gemelos que sobre su futuro en las cartas. Y nos ha parecido que si se pone un velo en la cara se verá más misteriosa.

Mike se tumbó a su lado.

—Como Mitzi —susurró.

—He pensado en ella, sí.

—Ocultando esa nariz tan grande, y esa boca sin labios.

—Joce es demasiado guapa como para tener que ocultar nada, pero creo que la ayudará a mantener su identidad en secreto. ¿Y tú? ¿Ya estás listo para decirme en qué habéis andado metidos Luke y tú?

Como Mike no respondía, lo miró y vio que se había quedado dormido. Apagó la luz, se tapó, y lo tapó a él con la sábana, y se acurrucó en sus brazos.

26

Mike hacía lo posible por mantener la calma, pero no era fácil. Le habían informado de que Stefan Vandlo todavía se encontraba a tres horas de Edilean, que parecía no tener prisa, que se dedicaba a coquetear con las camareras, que tenía hartos a los hombres que se encargaban de su seguimiento. «Lleva un par de guardaespaldas consigo, o sea que cuidado —le comentó uno de los agentes a Mike cuando coincidieron en la cola de la limonada—. Uno de ellos fue compañero de celda, y por su aspecto se diría que ha participado en más de una pelea.»

Mientras Mike se bebía a sorbos el refresco, miró a su alrededor para ver quién podría acudir en su ayuda en caso de necesidad. No era difícil ver qué hombres hacían deporte, pero su problema era que la mayoría creía que, ejercitando un poco los bíceps y pasando media hora en una cinta, ya estaban preparados para cualquier cosa. De hecho, no vio a uno solo capaz de mover el cuerpo de la manera que haría falta moverlo en caso de pelea.

Aquella mañana, a las seis, lo había despertado su suegra aporreando la puerta del dormitorio.

—Supongo que ya sabe cómo entrar en casa —murmuró, soñoliento.

—Mi madre entra en todas las casas del pueblo —respondió Sara con voz cansada. El día anterior había sido largo, y nada le habría gustado más que pasar unas pocas horas en la cama, con Mike.

—Tenéis que vestiros —dijo Ellie a voz en grito desde el pasillo—. Mike, tú no puedes ir en vaqueros por segundo día consecutivo. Tienes que ponerte la falda.

—Pero Luke...

Sara sabía qué era lo que iba a decir.

—Ayer Luke iba en vaqueros porque estaba instalando una cabina. Así que será mejor que hagas lo que dice mi madre si no quieres que entre aquí.

Aquello lo dijo porque Mike no se había molestado en ponerse nada encima tras la ducha de la noche anterior.

Gruñendo, Mike se puso unos pantalones y salió del dormitorio.

—¡Menuda visión a primera hora de la mañana! —exclamó Ellie mirándole el pecho desnudo.

Mike cerró la puerta, y Sara se acurrucó bajo las sábanas. Creía que iba a estar nerviosa por tener que volver a ver a Greg ese mismo día, pero lo cierto era que no lo estaba. Sabía que enfrentarse a él provocaría su indignación. Hasta hacía poco, aquel mal carácter suyo le daba miedo. Ella no era consciente entonces, pero le daba miedo. En realidad, ella había hecho muchas cosas que no quería para que él no se enfadara, para que no la hiriera con sus constantes y pequeños desprecios.

Se preguntaba por qué no le habría plantado cara. Por qué no le habría dicho que no consentía que le hablara en ese tono. Pero sabía que todo había ocurrido de forma gradual, y que además él le había dado tanto trabajo que no había tenido casi tiempo para pensar en lo que estaba ocurriendo. Cada vez que cuestionaba lo que él decía o hacía, él le decía que el problema era ella. «Por eso nunca has ganado dinero, Sara —le decía Greg con frecuencia—. Por eso vives en casa de tu primo y no tienes casa propia.» En aquellos días, sus palabras hacían que se esforzara más, pero ahora no entendía que no le hubiera dicho por dónde podía meterse sus quejas.

A pesar de todo, si de una cosa se alegraba era de haber dejado que Tess se ocupara de supervisar sus cuestiones económicas. Nunca se lo había contado a nadie, pero Greg había intentado repetidamente que ella firmara papeles para darle a él poder de decisión sobre sus propiedades. «Es por tu propio bien —le decía, en un tono de voz que daba a entender que, según él, Sara no sabía nada de nada—. Ya sabes que te quiero y que quiero lo mejor para ti. Lo que me da miedo es que, si me ocurriera algo, te quedaras sin nada.» «¿Y por qué me iba a quedar sin nada por no darte lo que es mío si a ti te pasara algo?», le preguntó ella en una ocasión, sinceramente confundida. «¿Lo ves? A eso me refiero —contraatacó Greg—. No entiendes ni siquiera las cuestiones financieras más básicas.» Pero Sara no había firmado nada, porque sabía que tendría que vérselas con Tess.

La voz de su madre la devolvió al presente.

—Y tú, señorita —oyó que decía su madre tras golpear la puerta—, a menos que quieras que entre y te vista yo misma, te sugiero que te levantes ahora mismo.

—Y parecía que empezaba a tratarme como una adulta —balbució Sara mientras recogía su ropa y se metía en el baño.

Cuando salió de él, solo vestida a medias, creyó ver unos cuadros escoceses en el salón y se asomó a ver. Su madre había ayudado a Mike a ataviarse como escocés de los pies a la cabeza. Aquella no era la falda que iba a ponerse el último día, sino la que llevaría para participar en los juegos. La camisa era holgada, de puños estrechos, y la falda le llegaba a las rodillas. Tenía puestos unos zapatos escoceses gruesos, y unos calcetines de lana que le cubrían las musculosas pantorrillas. ¡Se veía magnífico! Parecía recién salido de algún libro sobre conflictos de honor. Casi le parecía oír el sonido de las gaitas, y oler el perfume del brezo.

—Dios mío... —dijo Sara.

—Sí —replicó Mike, torciendo el gesto—. Ropa de mujer.

Sara miró a su madre, y las dos se sonrieron. No había en la tierra nada más masculino que un hombre vestido con la ropa tradicional escocesa.

Mike miraba a Sara a través del espejo alargado que Ellie había apoyado en la pared, e interpretó a la perfección lo que decía con el rostro.

—Ahora no hay tiempo para eso —soltó Ellie—. Tendréis que esperar a la noche.

—¿Y usted ha esperado alguna para obtener lo que quería? —preguntó Mike a su suegra.

Ellie se echó a reír.

—No lo tengo por costumbre. ¡Sara! Ve a ponerte el vestido. A este te lo devolveré tras la primera batalla. Eso si los Frazier no lo mutilan antes, claro.

—Ni hablar. Mi Mike los pulverizará a todos —dijo, levantando mucho la cabeza, antes de meterse de nuevo en el dormitorio.

Mike la observaba y sonreía, pero entonces, por el espejo, vio que Ellie le dedicaba una mirada asesina.

—Si le haces daño, te...

—Lo sé —la interrumpió él—. Ya he sido advertido. ¿Y no le importará que viva unos años conmigo en Fort Lauderdale hasta que podamos volver a instalarnos aquí?

—Yo lo que quiero es que mis hijas sean felices. —Ellie se agachó y tiró un poco del dobladillo de la falda—. Todo va a ir bien hoy, ¿verdad?

—Tan pronto como se encuentre con Greg y le diga que está casada, nos la llevaremos de aquí, y no volverá hasta que estén todos detenidos.

Ellie asintió y le arregló un poco la camisa. Él permaneció en silencio, porque se daba cuenta de que su suegra tenía algo más que decir.

—Por cierto, hablando de matrimonio, ya sé que te has casado con ella para avanzar en el caso, pero...

Mike le dedicó una sonrisa.

—Eso fue solo una excusa. Yo podría haber salvado a muchas mujeres casándome con ellas, y no lo hice. No se preocupe más. Usted preocúpese de lo que van a hacerme esos primos gigantescos que tengo.

—A mí eso no me inquieta nada —dijo Ellie, dando media

vuelta. Pero enseguida regresó junto a él y le dio un abrazo—. Gracias. Para mí ha sido horrible ver a mi hija tan triste después de lo que le hizo Brian, y no poder hacer nada. Me pareció incluso lógico que empezara a salir con un imbécil como Greg Anders, aunque nunca me gustó.

Mike no dijo nada. Después, mientras le vendaba la mano a Sara para ocultar sus anillos de compromiso y boda, pensó que si Ellie supiera la verdad sobre Brian Tolworthy, lo que le habían hecho y por qué, probablemente secuestraría a su propia hija y la escondería en algún lugar seguro. Eso era precisamente lo que quería hacer él, pero sabía que mientras los Vandlo siguieran sueltos, Sara nunca estaría del todo a salvo. Mitzi era bien conocida por sus venganzas, y que detuvieran a su hijo sería bastante para ella, que sin duda iría a por ella por haber destruido lo que tanto tiempo les había costado poner en marcha.

Hoy, el objetivo principal de todos ellos era capturar a Mitzi Vandlo.

Cuando Mike llegó al recinto ferial se dedicó a saciar la curiosidad que sentía por los Frazier. Los mejores luchadores no eran siempre los más fuertes. Luke le había enseñado los rudimentos de la falsa batalla de espadas que iba a librar con sus primos recién descubiertos ese mismo día, pero a Mike eso no le interesaba nada. Lo que él quería era saber qué sentían por Sara. Ella hablaba de ellos con afecto, aunque lo cierto era que solía expresarse así sobre todos los habitantes de Edilean. Incluso cuando se quejaba de sus hermanas había amor en su voz.

«Y a mí también me habla así», pensó, y se le escapó una sonrisa.

Minutos antes, le había recordado a Sara que el otro día había dicho que quería hablar con Colin Frazier y preguntarle por qué no le había contado nada sobre las aventuras que Greg Anders tenía con otras mujeres. Lo que Mike quería, en realidad, era ver cómo reaccionaba el mayor de los Frazier al ser increpado por una mujer a la que él doblaba en tamaño.

Disimuladamente, Mike se abría paso por el recinto, siguiendo a Sara. En dos ocasiones dedicó un asentimiento apenas perceptible a unos hombres que se encontraban allí de incógnito.

Finalmente, Sara se acercó a Colin, y Mike se ocultó entre las sombras.

Debía admitir que resultaba divertido observar a Sara hablando con Colin. Para conversar con el joven y mirarle a la cara debía echar la cabeza tan hacia atrás que la nuca casi se unía a su columna vertebral. Colin la miraba atentamente, y parecía dedicarle su atención de manera absoluta. Pero entonces miró a un lado, descubrió un gran cajón de madera junto a una de las atracciones, y agarrando a Sara del brazo, la condujo hacia allí. Mike se fijó en que Sara no dejaba de hablar mientras se subía al cajón, y dedujo que no era ni mucho menos la primera vez que hacían algo así.

Dos atracciones más allá había un tiovivo. Colin estaba encarado hacia él, mientras que Sara le daba la espalda. Mike oyó un grito, y vio que un cucurucho con granizado rojo descendía sobre ella desde el cielo. Parecía evidente que iba a impactar contra ella. Mike hizo ademán de abandonar su escondite, pero Colin la agarró por la cintura y, levantándola del cajón, la desplazó hacia la derecha. El cucurucho se estrelló contra el suelo, a escasos centímetros de donde estaba hacía un segundo. Instantes después, Colin volvió a plantarla sobre el cajón, sin dejar de escucharla.

Sonriendo, Mike inició la retirada. Ya había visto lo que quería ver: aquel hombre protegía a Sara. Pero al salir de su escondite vio que Colin lo miraba fijamente; al parecer, se había percatado enseguida de su presencia.

En el gesto de Colin había una pregunta implícita: ¿había superado el examen? Mike asintió y se mezcló con la multitud. Puestos a tener primos, podrían haberle tocado otros mucho peores. La lucha que iba a tener lugar en una hora iba a resultarle más interesante de lo que en un principio había supuesto.

Sara estaba sentada en las gradas, entre tres mujeres de su iglesia. Dos bancos más abajo, Ariel iba acompañada de su hermano menor, Shamus. Luke avanzaba entre los espectadores, en dirección a Sara.

Más abajo, en el gran campo abierto, estaba Mike, muy atractivo con su falda escocesa y su camisa ancha. Sostenía en la mano lo que Sara sabía que era un montante, un arma aparatosa, de unos quince kilos. Por su manera de apoyar la punta en el suelo, parecía que le resultaba demasiado pesada.

Rodeándolo, vestidos con las faldas escocesas que Sara les había confeccionado el año anterior, estaban tres de los gigantescos Frazier. Sara sabía que se trataba de recrear una batalla en la que el soldado solitario había dado la vida por su clan, pero en ese momento aquella historia no le gustaba nada. Los hermanos Frazier participaban todos los años, y sabía que les encantaba recibir silbidos y abucheos. Aquella tarde se redimirían representando el papel de guerreros valerosos que vencían al enemigo, aunque con aquel juego lo que se pretendía era hacer llorar a los asistentes, recordarles lo mucho que los escoceses habían sufrido a lo largo de su historia.

Luke pidió a las señoras que hiciesen sitio para poder sentarse junto a Sara.

—¿Asustada? —le preguntó, al tiempo que le robaba unas palomitas—. No tengas miedo; no le harán daño.

Ariel oyó el comentario de Luke y se volvió para mirar a Sara.

—No le pasará nada. Mis hermanos han decidido que Pere y Lanny se retirarán, y dejarán que Colin se ocupe de él. Mi hermano me ha prometido que será amable.

Lo dijo como compartiendo una confidencia con Sara, pero en voz tan alta que la oyeron seis filas más allá.

—Yo lo que espero es que Mike no lesione a tus hermanos —replicó ella en voz alta, antes de llenarse la boca de palomitas.

A su alrededor se oyeron algunas risitas reprimidas de gente del pueblo que estaba al corriente de la eterna enemistad entre las dos jóvenes.

Si los Frazier tenían algo en común era que cuando alzaban

la voz se hacían oír, lo que quedó demostrado una vez más en el campo.

—O sea, que eres mi primo —atronó Colin en tono amenazador—. Pues no te pareces a nosotros.

—Los ángeles debieron de proteger a mi madre. Les caería bien —replicó Mike en voz no tan alta, pero tan ronca que a Sara se le erizó el vello de la nuca, y le llevó a recordar la noche pasada, cuando él la despertó con sus besos. Por desgracia, aquella voz grave y gutural de Mike parecía causar el mismo efecto en otras mujeres, porque algunas adolescentes empezaron a emitir unos grititos.

—Diría que nuestro primo se pasa de listo —intervino Pere. Tenía veintinueve años, uno menos que Colin, y era tan apuesto como sus hermanos.

—Pues si soy listo no puedo estar emparentado con los Frazier.

Las palabras de Mike provocaron los vítores de los presentes. Para la gente del pueblo era maravilloso que alguien desafiara a aquella familia rica.

Los tres hombretones estrechaban cada vez más el cerco sobre Mike.

—¿Llamamos a Shamus, nuestro hermano pequeño, para que se ocupe de esto? —gritó Lanny—. A mí me parece viejo, pero basta un niño para tumbarlo.

Lanny, tanteando, hizo un primer amago de atacar a Mike con su espada, pero este reaccionó al instante. Alzó su pesada arma como si fuera etérea, y la blandió en círculo sobre su cabeza. Lanny y Pere dieron un paso atrás, pero Colin, por el contrario, se adelantó. Con un solo movimiento de su antebrazo izquierdo, Mike detuvo el avance de la mano con la que Colin sostenía la espada, y golpeó las otras dos armas con la suya, haciéndolas caer al suelo.

Cuando el movimiento cesó, Colin quedó de pie, sosteniendo la espada, pero sus hermanos estaban con las manos vacías.

Los espectadores enmudecieron y quedaron inmóviles, con las manos en la boca o las bebidas detenidas en el aire. Las madres dejaron de regañar a sus hijos; los hombres dejaron de mirar a las chicas; y los niños estaban embobados, observándolo todo. Sara fue la primera en reaccionar. Se puso en pie y empezó a aplaudir. Como nadie la seguía, vitoreó. Luke, a su lado, también se levantó y añadió su voz a la suya. Un instante después, el público pareció volver en sí, y todos se pusieron en pie entre gritos y aplausos.

En el centro del campo, Mike parecía no oír nada. Tenía la vista fija en Colin, y dio un paso atrás para poder ver a los otros hermanos con el rabillo del ojo. Finalmente los espectadores, más calmados, se sentaron, y Pere y Lanny avanzaron un poco en un intento de recuperar sus armas. Pero Mike levantó una de las espadas y la arrojó con fuerza. Describiendo una parábola hacia la derecha, superó una pared de barriles y fue a caer del otro lado. El filo se clavó en la tierra con tal fuerza que al hacerlo reverberó.

En esa ocasión no hizo falta que Sara jaleara, pues los demás volvieron a ponerse en pie y empezaron a animar a Mike con sus gritos.

Este sostenía un montante con cada mano, y se movía en círculos, alzándolas sobre su cabeza.

Cuando Pere se acercó más a él, Mike lo embistió y estuvo a punto de cortarle el cuello. Los asistentes ahogaron un grito y contuvieron la respiración. Desde el otro extremo de la feria la gente oía los gritos, y cada vez eran más los que llegaban corriendo. El forzudo que manejaba la atracción del látigo echó el freno de mano y dejó esperando una larga cola de clientes, que no tardaron en protestar.

—Seguidme —les dijo. Pasó junto a un grupo de adolescentes y gritó—: ¡Hay pelea!

Y todos salieron corriendo, tropezando unos con otros.

En el campo, Pere levantó las manos en señal de rendición, y acto seguido dedicó una reverencia a Mike. Si dijo algo, el estruendo de la multitud impidió que se oyera.

Lanny esperó un poco y, volviéndose hacia el público, hizo asimismo una reverencia que indicaba que también se daba por vencido. Los asistentes le silbaron y le abuchearon sonoramente.

Ahora solo quedaban Mike y Colin, y ninguno de los dos parecía dispuesto a rendirse. Mike sostenía los dos espadones, pero cuando los congregados hicieron silencio, sonrió a Colin.

—No querría ganarte injustamente, primo —dijo en voz muy alta, arrojando por encima de los barriles una de las dos armas, que fue a aterrizar a escasos centímetros de la otra. Los vítores se oyeron a más de un kilómetro a la redonda.

—¿A que es maravilloso? —dijo Sara conteniendo el aliento y agarrándose al brazo de Luke.

Él le cogió la mano y le sonrió con ternura.

—Mike es todo un héroe. Es tan duro que derrite los cubitos de hielo con la mirada. Pero recuerda que Colin no es ningún niño. Mike tendrá que emplearse a fondo para derrotarlo.

Los dos hombres se agacharon y se pusieron a avanzar en círculos. Colin fue el primero en iniciar la maniobra, atacando con la espada como si quisiera clavarla en el pecho de su contrincante. Pero Mike dio un salto y, con el pie, alcanzó a Colin en el pecho y lo hizo tambalearse y retroceder. Mike cayó de pie y se volvió al momento, con la espada en alto.

Tras unos instantes para recuperar el aliento, Colin se puso en pie, muy erguido, y dijo:

—Eres menos peligroso que un mosquito.

Al oír aquellas palabras, un grupito de jóvenes situados en un extremo de las gradas se puso de su parte y empezó a corear:

—¡Frazier! ¡Frazier!

Sara, por su parte, contraatacó con su propio cántico: ¡Mike! ¡Mike!, y los asistentes sentados en su zona la secundaron. Excepto Ariel y Shamus, claro, que permanecieron sentados hasta que los demás, que se habían puesto en pie, les taparon la visión. Entonces el joven Frazier se puso en pie y dio una palmada en el hombro al hombre que tenía delante. Este, que era forastero, se fijó en la estatura de Shamus y se sentó. Poco después, una hilera completa de personas había tomado asiento, y Shamus y Ariel pudieron seguir viendo lo que ocurría en la arena sin tener que levantarse.

Cuando Colin embistió a Mike, este lo esquivó, pero la espada se le clavó en la manga y la rasgó desde el hombro hasta la muñeca. Los pedazos de tejido quedaron colgando peligrosamente. Sin perder la concentración, Mike agarró la tela desgarrada y se la arrancó hasta la cintura, y después, pasándosela por encima de la cabeza, se quitó el resto. La visión de Mike, con el torso desnudo y falda escocesa, hizo enloquecer al público, y él aprovechó para embestir a Colin, que retrocedió pero no pudo impedir que lo alcanzara con la espada. Los presentes contuvieron la respiración, horrorizados. Aquella era una feria local, pero Mike parecía estar tomándoselo todo muy en serio. Con aquel último movimiento, ¿habría herido a Colin?

Este permanecía inmóvil, mirándose el pecho, como si esperara que de un momento a otro fuera a brotarle la sangre, pero entonces se percató de algo que el público no podía ver.

Sonriendo, dio un paso atrás, levantó los brazos y se volvió. Como a cámara lenta, su camisa empezó a abrirse. Mike la había cortado con maestría, sin rozar siquiera la piel de su primo. La prenda quedó colgando sobre Colin en dos partes, y él mismo se la arrancó y también quedó desnudo de cintura para arriba.

Al contemplar aquel torso desnudo, musculoso, algunas chicas empezaron a gritar, y Sara no pudo reprimir la carcajada.

—Parece que Colin ha estado haciendo ejercicio —dijo Luke, mirando por entre dos hileras de espectadores.

Segundos después, los dos contrincantes retomaron la lucha, más en serio esta vez, demasiado en serio en opinión de Sara. Mike era más rápido, y su formación era mejor, pero luchar contra Colin era como hacerlo contra una roca. En un momento, se subió a los barriles y pateó los hombros de Colin con los dos pies. Y esquivaba todos los intentos de este de alcanzarlo con la espada. En dos ocasiones lo hizo dando un salto por encima del arma, que amenazaba con hundírsele en el estómago.

—Esto no me gusta —murmuró Sara, y Luke la rodeó con un brazo—. No dejes que se haga daño.

Y enterró el rostro en su hombro.

—¿Es que no te das cuenta de que solo están jugando? Ninguno de los dos corre peligro, y en cualquier caso Mike mucho menos que Colin. Aunque los tres hermanos Frazier fueran a por él no lo atraparían nunca.

—¿Estás seguro?

—Absolutamente. No te lo pierdas. Colin está a punto de quedarse sin fuerzas, pero Mike podría seguir todo el día. ¿A qué entrenamientos se somete?

—No lo sé. Tess me dijo algo de China y Brasil. —Le alargó su BlackBerry—. Llama a Tess y se lo preguntas.

—¿Y perderme el combate? Ni hablar. Ven, aproximémonos al cercado.

Sara siguió a Luke, y él la ayudó a bajar de la quinta grada.

Llegaron al cercado, que delimitaba el campo de lucha, y ella siguió haciendo esfuerzos por seguir la pelea, aunque le resultaba difícil. Colin blandía su gran espadón, pero Mike lo esquivaba siempre. Con todo, desde aquella nueva posición se veía con claridad que Mike se lo pasaba en grande, y parecía querer que aquello durara todo el día.

Pero entonces miró hacia la valla y vio a Sara, que lo observaba angustiada, a punto de echarse a llorar, y la saludó con un ligero asentimiento de cabeza. Aunque habría podido seguir, por ella decidió poner punto final al combate. Un segundo después se dio la vuelta, adelantó a Colin y quedó detrás de él. Entonces dio un salto y le pisó la parte alta de la espalda, al tiempo que le doblaba las pantorrillas con el fino plano de su espada. Su rival perdió el equilibrio y se desplomó sobre el suelo. Mike le plantó el pie en las costillas, y le acercó al cuello la punta de la espada.

La multitud prorrumpió en vítores enloquecidos. ¡El débil había ganado!

Cuando Mike retiró el pie, Colin se levantó, escupiendo barro por la boca. El vencedor tendió los brazos hacia Sara, que acudió corriendo a su lado. Él la levantó al vuelo y le dio una vuelta entera. Los gritos del público eran ensordecedores.

Cuando Mike la besó, los forasteros se rieron y jalearon,

pero los habitantes de Edilean miraban extrañados. ¿No se suponía que Sara tenía que casarse dentro de unas pocas semanas? ¿Con otro hombre?

—Creo que todos nos han visto —dijo Sara, que aun así no se separaba de Mike, y apoyaba la mejilla contra su pecho desnudo, sudoroso.

—De eso se trata.

—Y es para eso para lo que te casaste conmigo —comentó ella.

—Para eso y para algunas noches escarlata contigo —añadió él mirándola a los ojos.

—¡Esas cosas se hacen en casa! —gritó alguien, y todo el mundo se echó a reír.

A regañadientes, Mike depositó a Sara en el suelo.

Ella se fue corriendo a reunirse con Luke, que seguía junto al cercado, mientras Mike y Colin saludaban al público. El derrotado provocó la risa de los presentes cuando agarró a Mike por la espalda y lo levantó por los aires. Entonces, imitando lo que este acababa de hacerle a Sara, le dio una vuelta entera e hizo ver que intentaba besarlo. Pero Mike dio una especie de voltereta y acabó de pie sobre los hombros de Colin, que le agarró los tobillos para sostenerlo. Entonces, inició una danza embriagada alrededor del campo, mientras Mikel luchaba por mantener el equilibrio. Finalmente Colin se detuvo, y Mike se bajó de un salto, se tiró al suelo y rodó por él. Dedicó una reverencia al público, que aplaudía a rabiar, y Colin empezó a seguirlo, como si quisiera intentar de nuevo darle un beso. De ese modo entraron en la carpa que se alzaba en la parte trasera del campo de lucha.

—Dios mío —dijo la señora Frazier mirándolos a los dos, sin camisa, sucios, riéndose.

Mike no la conocía, pero supo quién era por las cartas del tarot. Llevaba un vestido tan elaborado que habría complacido a cualquier reina medieval. Mike colocó una pierna detrás de la otra y le dedicó una reverencia más.

—Su alteza real...

El señor Frazier, vestido de mercader acaudalado, dio un paso adelante.

—Creo que sabe quién eres en realidad, querida.

Colin, desde detrás de Mike, intervino:

—Es pequeño, pero ¿puedo quedármelo, mami?

Lo dijo como si Mike fuera un cachorro.

—El escorpión es pequeño, pero su picadura resulta mortífera —masculló Mike.

—El pie del primo también —contraatacó Colin.

El señor Frazier se interpuso entre los dos y le alargó la mano a Mike.

—Me han dicho que tu abuela era hermana biológica de mi madre. Lo siento, yo no llegué a conocer a ninguna de las dos, pero... —Parecía no saber qué decir.

—Oh, cielo —dijo la señora Frazier—. Ya habrá tiempo para eso más tarde.

Se volvió hacia Colin y le miró el pecho desnudo con gesto recriminatorio.

—En el camión encontrarás una camisa limpia. —Miró a Mike—. Y a ti te sugiero que también te pongas algo encima.

—Sí, señora —replicaron los dos al unísono, antes de salir de la carpa y regresar al campo de lucha, donde empezaron a darse puñetazos cariñosos.

—¿Quieres tomar algo? —le preguntó Colin.

—Me encantaría, pero tengo que ocuparme de algunos asuntos.

—Sí, todo el pueblo te ha visto con Sara. —Colin bajó la voz—. Mira, conozco algunos de los motivos por los que estás aquí, pero no toda la historia. Si necesitas algo, dímelo.

—Vigílala y cuida de ella, eso es todo lo que te pido —dijo Mike antes de abandonar el campo de lucha para dirigirse a la carpa de Ellie.

Al llegar comprobó que, tal como suponía, Sara lo esperaba con una camisa limpia.

Minutos después, recibió un mensaje de texto.

Hola, chico.

Me han dicho que has recibido mi invitación para que te unas a mí.

No sé qué estás haciendo, pero funciona. Vandlo se ha largado hecho una furia.

Sonriendo, Mike lanzó el teléfono al aire y lo cazó al vuelo.

—¿Qué ocurre? —le preguntó Sara mientras le alisaba la camisa.

Él la agarró por la cintura, la levantó y le dio una vuelta.

—¿Qué te ha puesto tan contento? Ayer noche lo mismo. Ahora, otra vez. ¿Qué sucede?

—El instinto, niña —dijo, riéndose—. Todavía no me ha fallado.

Sara esperaba una respuesta a su pregunta.

—Digamos que me preocupaba que alguien me hubiera traicionado, pero no me atrevía a creerlo.

—¿Y él... o ella... no te ha traicionado?

—No. Y dime, ¿dónde está la hermanita de Kim? Ana, se llamaba, ¿verdad? Tenemos que ensayar antes de que empiece el espectáculo.

Taylor, la hermana de Sara, entró en la carpa.

—Acabo de hablar con Anna y no quiere saber nada de ti. Te ha visto luchar y ha dicho, literalmente: «Es demasiado viejo y no me gusta su barba.»

Mike dejó a Sara en el suelo y le besó el cuello.

—No sería la primera vez que tendría que convencer a una mujer para que me hiciera caso.

—No sé por qué será, pero dudo que lo hayas experimentado muchas veces —dijo Taylor, y Mike le dedicó una sonrisa.

—Deja de ligar con mi hermana y ve a buscar a Anna.

—Eso —dijo Taylor—. O mi marido te dará una paliza.

Su marido era un médico estresado que nunca tenía tiempo de ir al gimnasio.

—Ganaré este juego, y será el último —le anunció Mike en voz baja a Sara—. Cuando termine volveré y te colocaré los mi-

344

crófonos, o sea que tienes que quedarte por aquí. No te alejes mucho. ¿Entendido?

—Sí —dijo ella, y respiró hondo. Sabía que, sin decírselo, le estaba diciendo que Greg venía de camino, lo que implicaba que muy pronto se produciría el encontronazo con él. Temía enfadarse tanto al verlo que, sin poder evitarlo, le soltara toda la verdad sobre su madre y la investigación, y lo echara a perder todo.

—Lo harás muy bien —la tranquilizó Mike—. Y no te molestes en contarle demasiados detalles. Ya me he dado cuenta de lo mentirosa que puedes llegar a ser.

—¿Ese comentario es para que me sienta mejor, o peor?

Él la estrechó en sus brazos y, tras comprobar que Taylor les daba la espalda, la besó.

—Cuando todo esto termine, te prometo que te haré sentir mejor.

Ella asintió, aunque su preocupación no había desaparecido.

Mike volvió a besarla, en la frente esta vez, y abandonó la carpa.

—Sara —dijo Taylor—. Luke me ha dicho que Mike quiere abrir una especie de gimnasio. ¿Puedo apuntar a Gene ya mismo?

Sara se echó a reír, y se dio cuenta de que al fin empezaba a crear un vínculo con sus hermanas.

27

A Sara le apetecía ver a su marido participar en un concurso de salto de comba, sobre todo porque iba a competir contra una fierecilla de niña, Anna Aldredge, por lo que se dio prisa en terminar las tareas que su madre le había encomendado. Mientras se encontraba frente a la carpa, descargando tartas de manzana, oía continuamente elogios de personas que habían visto a Mike luchar contra Colin. Había adolescentes que pasaban emulándolos, propinándose patadas y provocando las risas de la gente con sus caídas exageradas.

Ella se moría de ganas de contar a todo el mundo que aquel hombre era su marido.

Ellie se detuvo un momento a su lado y le dijo:

—Seguro que dentro de nada ya estaremos haciendo publicidad del gimnasio de Mike. ¿Y tú? ¿Ya estás lista para empezar a restaurar esa vieja granja?

Sara sonrió. Su madre sabía cómo animarla cuando lo necesitaba. Le entusiasmaba pensar en su futuro con Mike.

—¡Ha retirado del puesto el coche que regalan! —gritó un niño—. Él y una niña van a dar un espectáculo de salto a la comba sobre la plataforma.

No había duda de quién era ese «él», y Sara se desanudó el delantal. Todos los años, los Frazier donaban un coche para que fuera regalado al vencedor de los juegos. Ahora, al parecer, Mike había pedido que retiraran el coche de la plataforma en la que se exponía para que Anna y él pudieran exhibir sus habilidades. Sara no tenía intención de perderse algo así.

Pero su padre la interceptó.

—Sara, ¿puedo hablar contigo un momento?

Se lo dijo con lo que, en la familia, se conocía como «cara de médico». En general, Henry Shaw era un hombre de trato fácil, relajado, que aceptaba de buena gana que su mujer y sus dos energéticas hijas le controlaran la vida. Sin embargo, cuando se lo solicitaba por sus conocimientos médicos, su personalidad cambiaba por completo. Se convertía en el hombre al mando.

Sin vacilar ni un segundo, se fue hacia él.

—¿Qué ocurre?

—Es Joce.

Al instante, Sara hizo ademán de dirigirse a la carpa de la pitonisa, contigua a la suya, pero el doctor Shaw la sujetó del brazo.

—Está bien, pero se está fatigando demasiado. Luke y yo nos la llevamos a casa para que pueda descansar. Sara, sé que quieres ver a Mike, pero ¿podrías sustituirla? Hay una cola muy larga de gente que espera para que les echen las cartas, y la idea de decepcionarlos la está agobiando aún más. Ha comentado que tú eres la única que sabe lo que hay que hacer, la única que puede ocupar su lugar.

—Por supuesto —dijo Sara—. Haré lo que me pida.

Se consoló pensando que seguiría cerca de la carpa de su madre, tal como Mike le había pedido.

—Joce ha enviado a Luke a por ropa, y ya se ha cambiado. ¿Te importaría ponerte ese...? —movió la mano, incapaz de describir el disfraz estrafalario que hasta hacía un momento llevaba Joce.

—Sí, claro. Dame cinco minutos.

Mientras se metía tras las cortinas que delimitaban la trastienda de la carpa de la pitonisa, Sara se preguntó qué habría explicado Mike a sus padres la noche en que organizaron la boda.

Sara no tardó mucho en ponerse la ancha túnica de Joce sobre su propio vestido, y los pendientes de aro, que eran de Tess. Al menos, al hacerse pasar por Joce, podría quitarse la venda que le cubría los anillos. Aunque no lo había pensado antes, de pronto se le ocurrió colocarse un almohadón sobre su vientre plano, y le pidió a su padre que la ayudara. Con el velo, y con aquella línea de ojos tan marcada, Sara esperaba que nadie se percatara del cambio de pitonisa.

El doctor Shaw, mientras le ataba la almohada a la cintura, le dijo:

—Espero que ese muchacho con el que te has casado convierta esto en realidad. Me gusta tener nietos. Esto... Sara... ¿Crees que soy demasiado viejo para apuntarme al gimnasio de Mike?

Ella le plantó un beso en la mejilla.

—Papá, para mí tú nunca serás demasiado viejo para nada.

Él sonrió y le cubrió el rostro con el velo negro. Con el turbante rojo que le tapaba el pelo y los anillos por fin a la vista, resultaba difícil distinguirla de Jocelyn.

—A por ello —dijo el doctor Shaw, y mientras apartaba la cortina para dejarla salir. Vio un movimiento rápido al fondo. En otras circunstancias no se habría dado cuenta, pero tuvo la certeza de que se trataba de Brewster Lang, que espiaba agazapado.

Tan pronto como su padre se hubo alejado, Sara dijo en voz muy baja:

—A todo el mundo le gustan sus galletas, señor Lang.

Entró y se sentó en una silla baja. Delante tenía una mesita redonda que Shamus había decorado con símbolos astrológicos y estrellas fosforescentes, y frente a ella otra silla.

Junto a la carpa estaba apostada una de las alumnas del instituto que se había ofrecido voluntaria para colaborar con la feria. Sara le informó de que ya podía dejar pasar a la gente.

Una hora después, habría querido gritar que ella también necesitaba una siesta. La gente del pueblo sabía que la que echaba las cartas y decía la buena fortuna era Joce. Tal vez por saber que era una recién llegada, tal vez por el velo, el caso era que, por algún motivo, la gente se sinceraba y le abría su corazón. Además se tomaban muy en serio todo lo que Sara les decía. Desde la primera «lectura», se había descubierto a sí misma adoptando el papel de «consejera».

—¿Debo dejarlo? —le preguntó una mujer.

Ella la conocía, y habría querido gritar «¡Sí!». Pero, en vez de hacerlo, en tono místico, le aconsejó que acudiera a un consejero de Williamsburg que se ocupaba de mujeres maltratadas.

—¿Mi marido tiene una aventura con otra?

Sara aseguró a la mujer, conocida por ser muy celosa, que no. Su esposo tenía más barriga que Joce, y ninguna mujer se le insinuaba.

—¿Conoceré a alguien?

A Sara le gustó aquella pregunta, porque había visto que el señor Peterson la miraba en la iglesia. Así que le dijo que si no iba inmediatamente a comprar cuatro ruedas nuevas a Neumáticos Peterson, tendría un accidente de coche. Además, el señor Peterson tenía un mensaje espiritual que transmitirle, por lo que debía hablar con él personalmente. La mujer se marchó apresuradamente, en dirección al garaje, supuso Sara.

También conminó a algunas adolescentes a dejar de fumar a escondidas y a llevar las faldas más largas. Las jóvenes se fueron riéndose a carcajada limpia.

Lo peor de aquel trabajo era oír los gritos lejanos de los espectadores de los juegos. Se preguntaba qué estaría haciendo Mike en ese momento. Ella no lo había visto nunca saltar a la comba. ¿Se le daría bien? Aquella era, claro está, una pregunta retórica, porque no parecía haber ningún deporte en el que no destacara.

Sonriendo, Sara pensó que tal vez sus hijos heredaran sus talentos. Le gustaría tener un niño experto en artes marciales. Por otra parte, esperaba no tener una hija que creyera que trepar por los árboles era una disciplina artística. ¿Se llevaría bien con ella?

—Lo siento, parece que interrumpo una ensoñación profunda.

Alzó la vista y vio a la señora Myers, que entraba renqueante en la carpa. Era una viuda de más de ochenta años que vivía en un apartamento diminuto a las afueras de la ciudad y que acudía con asiduidad a la iglesia. No llevaba mucho tiempo en Edilean, pero se decía que había vivido allí de niña, y que había regresado al morir su esposo, hacía unos años. La pobre mujer andaba apoyándose en dos bastones, e incluso así le costaba. En la iglesia, siempre formaba parte de la lista de las cinco primeras personas necesitadas de ayuda.

La señora Myers se sentó mientras Sara barajaba las cartas del tarot, con cuidado de no doblarlas.

—¿Qué le interesaría saber?

«Por favor —pensó—. Que no me pregunte cuánto tiempo va a vivir.»

—Lo de siempre, querida. ¿Cuándo voy a conocer a un hombre?

Sara hizo esfuerzos por no reírse, pero al ver el brillo en los ojos de la anciana no pudo reprimir una sonrisa tras el velo traslúcido.

—¿Qué le parecería un empresario ya retirado, agradable y sano?

—Pues preferiría a un jinete delgado y moreno, un hombre que me llevara a cabalgar por el campo a lomos de su semental negro y me hiciera el amor a la luz de la luna.

Sara no daba crédito.

—A mí tampoco me importaría algo así —dijo.

La señora Myers observaba con atención las cartas.

—¿Y qué dice aquí de mí?

Sara no la conocía lo suficiente como para inventar alguna predicción futura que encajara con ella. Pero sí sabía que no era rica.

—Dinero —anunció con aplomo al tiempo que depositaba tres cartas sobre la mesa—. Veo una fortuna en su futuro.

—¿En serio? ¿Y en qué carta lo pone?

Sara no sabía bien qué significaba cada naipe, pero era lógico que los oros representaran dinero, así que le señaló una en la que aparecía Greg malhumorado y rodeado de los rostros de seis mujeres dibujados en sendas monedas de oro.

350

—Esta.

La señora Myers abrió el bolso, un bolso tan viejo que la piel estaba toda agrietada, y extrajo de él las gafas de lectura.

—Yo una vez llevé un velo muy parecido a ese que lleva usted —dijo, mientras abría las patillas.

—¿En serio? —preguntó Sara, sonriendo—. ¿Y le sirvió para conseguir lo que quería?

—Conseguí un marido grande y apuesto —respondió la señora Myers mientras se ponía los lentes—. Era un poco viejo, tal vez, pero todavía lo tenía todo en su sitio, y en funcionamiento.

—Entonces mereció la pena —replicó Sara, aunque el corazón le latía con fuerza. ¿Un velo que le había servido para conseguir marido? ¿Un joven apuesto que le hacía el amor a la luz de la luna? ¿Podía estar hablando del padre de Greg? ¿Era posible que aquella mujer fuera la célebre Mitzi Vandlo? No tenía cincuenta y tres años, sino muchos más, pero al fijarse en sus manos, Sara constató que estaban apenas arrugadas, y que no concordaban con su rostro, mucho más envejecido. Nadie había sugerido que Mitzi pudiera disfrazarse haciéndose pasar por alguien de más edad y, además, aquella mujer carecía de la gran nariz que tanto destacaba en la única foto que se conservaba de ella.

Sara era consciente de que si la señora Myers le hubiera contado a cualquier otra persona su historia del velo y el marido, todo habría quedado en una broma. Pero gracias a lo que Mike le había contado sobre Mitzi, había podido reconocerla.

Lo primero que se le ocurrió fue que le habría encantado disponer de un timbre que accionar con el pie. No le había preguntado a Mike si habría cámaras en la carpa, y ahora lo lamentaba. ¿Había alguien monitorizándolos o se trataría solo de una grabación que alguien revisaría más tarde? Si dirigía un gesto hacia una cámara, ¿la vería algún agente?

«Tranquila», se dijo a sí misma, ocultando enseguida la carta con el rostro de Greg y esparciendo otras sobre la mesa. Intentó calmarse diciéndose que si Mitzi había llegado a ver juntos a ella y a Mike, no pasaba nada, porque la protegía el hecho de que todos creyeran que era Joce, y no Sara. Mucho mejor así, porque por lo que le habían contado, el bolso de la señora Myers contenía un arma. Para reafirmar su identidad, mostró más ostensiblemente sus anillos. Joce era una mujer casada.

La señora Myers observaba las cartas a través de sus gafas de lectura, y cada vez tenía los ojos más abiertos.

—¿De dónde ha sacado esta baraja? —le preguntó con la respiración entrecortada, como si acabara de ver algo maravilloso.

A partir de ese momento, a Sara se le disiparon todas las dudas que pudiera tener sobre la identidad de aquella mujer.

—Son bonitas, ¿verdad? —dijo ella, alzando la voz—. Solo existen seis barajas como esta en todo el mundo. La editorial de mi marido realizó la edición. Iban a usarlas como complemento publicitario de uno de sus libros, pero la producción era tan cara que ya no se imprimirán más.

La señora Myers se echó hacia delante para verlas mejor.

—Me parece reconocer algunos de los rostros...

—Sí. Los dibujos son de Shamus Frazier, que nos sorprendió a todos realizando retratos inspirados en personas. —Sara escogió la carta del Juicio, en la que aparecía la cara de su madre. Llevaba un vestido rojo, un pañuelo grande sobre la cabeza, y pendientes de oro—. Esta es la señora Shaw, la madre de mi amiga Sara. —Lo más disimuladamente que pudo, escondió la carta de Greg debajo de la baraja. Le pareció que era mejor no dejar que la mujer viera que Greg había sido representado como un ser de aspecto absolutamente desagradable—. Pero parece que soy yo la que le estoy contando mi vida a usted, cuando se supone que lo que debo hacer es hablar de las vidas de los demás.

A pesar de todo lo que podía hacer, Sara sintió que el pánico se apoderaba de ella. ¿Cómo debía actuar? ¿Debía quedarse en la tienda, seguir con su papel de médium y esperar? ¿O salir corriendo en busca de Mike? En realidad sabía que marcharse era imposible. Aquella mujer llevaba toda la vida dando esquinazo a las autoridades, por lo que en ningún caso se quedaría allí esperando a que la detuvieran.

Sara optó por hacer todo lo que estuviera en su mano para mantener interesada a aquella mujer, para conseguir que se quedara allí un buen rato y dar tiempo a que alguien acudiera y... ¿Qué? ¿La detuviera? Sara intentaba recordar todo lo que Mike le había contado sobre Mitzi, pero no le resultaba fácil: el corazón se le salía por la boca.

—Veamos. Ah, sí. —Se concentró en la mujer—. ¿Quiere saber la verdad de lo que veo en las cartas, o es como las demás y solo quiere que le endulce la realidad?

La señora Myers, Mitzi, la miró, parpadeando.

—La verdad —dijo.

—Está bien. El velo que llevaba la condujo a un matrimonio desdichado, y es viuda desde hace mucho tiempo. —Alzó la vista y la miró con ojos compasivos—. Lo siento, señora Myers, yo solo digo lo que veo. No parece que su esposo fuera un buen hombre.

La mujer no abrió la boca, y siguió mirando fijamente a Sara, que no sabía si seguir. Dio un golpecito a la carta con la punta del dedo.

—Pero en su vida ha habido amor, con otro hombre. Era joven, y muy apuesto. —Sara esbozó la más dulce de sus sonrisas—. ¿Esa descripción de los paseos a caballo bajo la luz de la luna la ha sacado de sus propias vivencias?

La mujer seguía sin hablar.

Sara volvió a concentrarse en las cartas.

—Pero a su joven le ocurrió algo. Su futuro es incierto.

La mujer volvió a echarse hacia delante, como si se sintiera intrigada.

—Un momento, espere. Hay otro amor en su vida. Hay un hijo. ¿Un niño? ¿Una niña? Miró a la mujer en busca de respuesta.

Mitzi se echó hacia atrás y se apoyó en el respaldo de la silla. Sara temió que estuviera perdiendo el interés.

—La pitonisa es usted, querida, no yo.

Sara volvió a posar la mirada en las cartas.

—Ese hijo o hija resulta muy deseable a las personas del sexo opuesto, y eso a usted le gusta, pero también le causa muchos problemas.

La mujer había regresado al mutismo.

—Ah... Aquí, esta carta. —Rozó una—. Parece que tiene una meta en la vida. Desea algo, porque ese algo le proporcionará... —Frunció un poco el ceño, como si se concentrara—. Paz. Libertad. Sí. Sea lo que sea eso que quiere, si lo encuentra, le proporcionará la paz que tanto desea.

—Es usted una joven muy lista —dijo la señora Myers, e inmediatamente empezó a toser—. Disculpe. —Tosió un poco más—. Gajes de la vejez. No quiero molestarla, pero ¿podría acercarse a la carpa de al lado y traerme un poco de agua?

«Quiere robarme la baraja de cartas», pensó Sara mientras se levantaba intentando pensar qué debía hacer. «Ve a buscar a Mike», fue lo primero que se le pasó por la mente. Pero ¿cómo iba a poder hacerlo sin dejar sola a aquella mujer? ¿Y si se metía una o dos barajas en el bolso y salía corriendo? Tal vez nadie volviera a verla nunca, y si desaparecía sería culpa de Sara.

—Por supuesto —dijo, acercándose a la cortina corrida al fondo de la tienda. Asomó la cabeza por ella—. ¡Señor Lang! —lo llamó en un susurro—. Le necesito.

Pero el hombre no apareció. Sara volvió a meterse en la carpa y miró a través de la cortina a la señora Myers, que seguía sentada, en su sitio, esperando a que Sara se ausentara definitivamente.

Alzó la vista y se fijó en la costura en la que las paredes de la tienda se unían. Había una franja trenzada que recorría el borde, y Sara supuso que las lentes de las cámaras estarían ocultas en ella. Levantó un puño y se volvió una vez, dos veces, y gesticulando con los dos brazos dio a entender que había entrado alguien, y que necesitaba ayuda.

Se fijó de nuevo en la zona central de la carpa, y constató que la señora Myers seguía en su sitio, las gafas apoyadas en la punta de la nariz. Había cogido la baraja que usaba Sara, y la revisaba con gran detenimiento. Sara contuvo la respiración. En cuestión de segundos descubriría el rostro de Greg, y sabría que allí ocurría algo raro.

—¿Dónde está Mike?

Sorprendida, Sara se volvió y descubrió a Ariel de pie junto al fondo de la tienda.

—¿Mike? —repitió ella.

—Sí, el hombre al que te pegas tanto que parece que estuviera a punto de ahogarse. Ha desaparecido. Lo he visto caminando con un forastero, un hombre que estaba buenísimo, por cierto. Cómo se movía... Pero bueno, el caso es que ahora no lo encuentro, y las siguientes batallas están a punto de empezar. ¿No será que tiene miedo de enfrentarse de nuevo a mis hermanos?

Sara se volvió hacia el interior de la carpa y vio que la señora Myers se estaba metiendo tres barajas en el bolso. Como parecía que nadie acudía en su rescate, Sara supo que tendría que actuar al instante si no quería que Mitzi Vandlo se escapara. Si lo hacía, todo lo que había organizado para atrapar a aquella mujer quedaría en nada.

Ariel vestía un disfraz de señora rica medieval. Del sombrerito de terciopelo con que se tocaba colgaba un retal de seda que ella llevaba enrollado al cuello.

Sara alargó la mano, y de un tirón se lo arrancó.

—¿Qué diablos crees que estás haciendo?

—Tengo que atrapar a una delincuente —dijo, y se volvió hacia el interior.

La señora Myers empezaba a ponerse en pie. En cuestión de segundos abandonaría la carpa. Así que Sara descorrió la cortina, dio un salto y, aterrizando sobre la mujer, la tiró al suelo.

—¿Te has vuelto loca? —preguntó Ariel desde atrás.

Sara se había tendido sobre aquella señora y hacía esfuerzos por amordazarla con la tela del tocado de Ariel para impedir que gritara.

—Es una ladrona, y probablemente una asesina —dijo Sara sin dejar de forcejear con ella—. Y si Mike no está, entonces, es posible que... ¡Ay! —La mujer había intentado morderla. Sara se montó sobre ella a horcajadas, inmovilizándola—. Si Mike no está, es posible que su desaparición tenga que ver con su hijo.

Ariel observaba a Sara sentada sobre la que parecía ser una anciana, aunque a juzgar por la fuerza con la que se defendía, no debía serlo tanto.

—¿Anders es su hijo? —preguntó Ariel incrédula, abriendo mucho los ojos.

—¡Sí! El hombre que iba de cama en cama, acostándose con la mitad de las mujeres del pueblo, como tú bien sabías pero no tuviste la decencia de advertirme, es su hijo. Y a los dos los busca todo el mundo: la policía, el FBI, el Servicio Secreto. Son delincuentes peligrosos.

Ariel parecía no asimilar todo lo que oía.

—Si te hubiera contado lo de Greg no me habrías creído.

Sara seguía montada sobre la mujer, que forcejeaba e intentaba agarrar y arañar a Sara.

—¿Piensas quedarte ahí a mirar, o tal vez podrías ayudarme? Necesito algo para atarla.

En una esquina de la carpa había una cuerda larga, en tonos rojos, con una borla en la punta. Ariel tiró de ella y arrancó unos dos metros. Mientras le ataba las manos a la espalda, dijo:

—¿Sabías que ahí arriba hay una cámara?

—Se supone que toda la tienda está dotada de cámaras de vigilancia, pero no parece haber nadie mirando. Cuéntame lo que sepas sobre Mike.

—Está aquí trabajando en un caso, ¿verdad? Colin me dijo que...

—No me interesa oír lo que dice el bocazas de tu hermano. ¿Qué le ha pasado a Mike?

—Ha terminado de exhibirse junto a Anna y... ¿Has visto cómo levantaba a esa niña por encima de su cabeza? Ella se ha puesto tiesa como un palo, y Mike...

La señora Myers pataleaba con fuerza debajo de Sara.

—Pues no, no lo he visto. Estaba demasiado ocupada atrapando a asesinas, y no me ha quedado tiempo para ver a mi marido haciendo nada —soltó Sara, desesperada.

Ariel se detuvo en seco.

—¿Marido? Si está aquí para resolver un caso, ¿no se habrá casado contigo para protegerte de Anders?

—Deja ya de poner esa cara. ¡Mike es mío, y me lo quedo!

La señora Myers se había quedado quieta de pronto.

—Creo que la has matado —dijo Ariel.

—No, lo que ocurre es que le duele que no me haya casado con su hijo. ¿Verdad, Mitzi?

La mujer, desde el suelo, emitió unos sonidos desagradables a través de la mordaza.

—Tenemos que sacarla de aquí sin que nadie nos vea. —Sara se estaba sacando la almohada de debajo de la túnica. Ya no le hacía falta aquel disfraz.

—Iré a buscar a Colin y...

—¡No! —dijo Sara—. No puedes decírselo a nadie. Tu hermano querrá meterla en la cárcel.

—Pues claro. ¿Y qué si no hay que hacer con ella?

—Si Mike no está aquí, eso significa que alguien se lo ha llevado. Su vida podría correr peligro, y pienso negociar su libertad a cambio de la de esta mujer horrenda.

Mitzi Vandlo volvió la cabeza y miró a Sara.

—¡Ah! —exclamó Ariel, arqueando las cejas.

—Eso, ah. Sal de aquí y dile a esa chica que la señora Myers se ha puesto enferma y que tengo que ayudarla a... no sé. Invéntate algo. Después vuelve, sal por ahí atrás y dile al señor Lang que entre y...

—¿A Brewster Lang? Creía que te daba miedo.

—No quiero saber cómo sabes tú eso. Dile que entre, que tiene que hacer de pitonisa.

—¿Brewster Lang metido a vidente? ¿Tú estás loca?

—Ariel, no es momento para tu negatividad.

Ella permaneció unos instantes observando a Sara, que seguía sentada encima de la anciana. El velo le colgaba de una punta, y los colores vivos del disfraz la alejaban de su imagen habitual de niña buena que no había roto nunca un plato, y que a Ariel le había desagradado desde siempre.

—Está bien —dijo al fin, y tardó apenas unos segundos en informar a la voluntaria del instituto que habría retraso. Y apenas un minuto en localizar al señor Lang. Cuando entraron en la carpa, Sara se fijó en que Ariel lo agarraba con firmeza del hombro.

El señor Lang dejó de intentar zafarse cuando se encontró ante la extraordinaria visión de Sara sentada sobre la anciana señora Myers. Sus ojillos se iluminaron, y esbozó aquella media sonrisa suya. Por primera vez miró a Sara con respeto y se dio unos golpecitos en la nariz. Había visto a aquella mujer en la foto que Mike le había enseñado.

—Sí, creo que se debe de haber quitado cinco centímetros —dijo Sara, y, al oírlo, Mitzi echó la pierna hacia atrás en un intento de propinarle una patada con el talón. Pero no fue lo bastante rápida, y el señor Lang tuvo tiempo de acercarse a ella y agarrarle el tobillo. Sara la oyó gemir—. Ayúdeme a levantarla. Voy a ponerle este disfraz a ella y le cubriré la boca con el velo.

—Alguien tiene que contarme qué está ocurriendo aquí —insistió Ariel.

—Esta mujer me robó las pinturas, eso hizo —masculló el señor Lang mientras observaba a la mujer atada sobre la alfombra.

Tanto Sara como Ariel se volvieron a mirarlo.

—¿De qué está hablando? —le preguntó Sara mientras empezaba a quitarse la túnica, alegrándose de no haberse quitado el vestido de época que llevaba debajo.

Al ver que el señor Lang no sabía si seguir contándolo, Ariel intervino.

—Le enviaré a mis hermanos si no nos cuenta lo que ha hecho.

—Nada. Lo único que hice fue encontrarlas cuando era niño. Aquel hombre que vivía allí, el profesor universitario, nunca las vio. Ya me aseguré yo de que no las viera. Tapié la habitación.

—¿Qué habitación? —preguntó Ariel.

—¿Hay un cuarto secreto en Merlin's Farm? —preguntó

Sara en voz baja, y como Lang no le respondía, dijo—: Junto a la chimenea. Por eso la chimenea no se ve centrada. Oculta una puerta oculta. ¿Mike lo averiguó?

A Lang se le descompuso el gesto.

—¿Se los ha llevado él? Lo vi mirando, pero supuse que no lo sabría. Es un chico listo. Me alegro de que sea mi hijo.

—¿Usted está emparentado con Mike? —preguntó Ariel con los ojos muy abiertos—. ¿Y eso cómo es posible?

—Ahora eso no importa —zanjó Sara—. Ariel, ayúdame a vestirla con esto. Señor Lang, quiero que se quede aquí y que eche las cartas.

—No puedo...

—Y yo no puedo reducir a la gente por la fuerza, y aquí me tiene, haciéndolo —replicó Sara—. Si quiere que mi marido siga dejando que viva en la granja, tiene que ayudarme. ¿Lo entiende?

El señor Lang asintió.

—Vaya, vaya, Sara —intervino Ariel—. ¿Desde cuándo los tienes tan bien puestos?

—Ariel, cállate y ayúdame.

—Sí, señora —dijo Ariel, y empujó a la vacilante señora Myers para que pudiera ponerse en pie.

—¿Qué coche has traído? —le preguntó Sara.

—Ninguno —respondió Ariel—. Hemos venido todos en una furgoneta.

—Pues ha tenido que ser en una del tamaño de un tren de carga —murmuró Sara, y Lang profirió una de sus cómicas y breves carcajadas.

—Mejor que esos coches de juguete que os gustan a Joce y a ti. —Sostuvo la cabeza de Mitzi mientras Sara le ataba el velo a la mitad inferior de la cabeza.

—¿Sabe? —le dijo, mirándola—. Se ve usted mejor con la mitad de la cara tapada. ¿Es cierto que su viejo esposo sintió tal horror al verla durante su noche de bodas que no pudo hacerlo?

La anciana dedicó a Sara una mirada asesina.

—Te odia —observó Ariel—. Te odia profundamente.

—Es un sentimiento recíproco.

Ariel sostuvo a Mitzi por un brazo, y Sara por el otro, pero al intentar moverla la mujer clavó los pies en la alfombra. Aun así, lograron arrastrarla hasta la trastienda, donde las cortinas las ocultaban.

—Genial —dijo Ariel—. ¿Y ahora qué hacemos?

—No lo sé, pero tenemos que sacarla de aquí sin llamar mucho la atención.

—¿Y cómo propones que lo hagamos?

—Pues... —Sara no tenía respuesta. Volvió a alzar la vista y se fijó en la junta del techo. ¿Por qué no los veía nadie? ¿Por qué no acudían en su ayuda?

Ariel dejó de sostener a la anciana.

—Pues yo te propongo que salgo ahora mismo a buscar un coche y lo traigo hasta aquí.

—Buena idea —dijo Sara.

Dejaron a Mitzi en el suelo y Ariel salió enseguida. Sara se volvió hacia el señor Lang.

—¿Destruyó esas trampas tal como le pidió Mike? —Él apartó la mirada, y Sara supo que no lo había hecho—. ¿Ni una sola? —Él bajó la vista y la clavó en el suelo—. ¡Bien! Ahora, entre ahí y empiece a adivinar el futuro.

Por unos momentos pareció que estaba a punto de protestar, pero no dijo nada. Y con gesto de resignación, regresó a la carpa.

Durante unos minutos, que se le hicieron eternos, Sara permaneció de pie junto a Mitzi, pensando con preocupación en todas las cosas que podían ir mal. ¿Y si el padre de Sara regresaba y entraba en la carpa? ¿Cómo le explicaría lo que estaba haciendo? Aunque, por otra parte, a su padre le encantaba ayudar a la gente, por lo que tal vez decidiera unirse al grupo. De todos modos, ella no quería implicarlo en lo que pudiera ocurrir. Y, claro, también estaban todos los miembros de la iglesia, y todos sus parientes. ¿Cómo iba a explicarles todo aquello?

Mitzi estaba sentada sobre una pequeña alfombra, y mantenía la vista clavada en Sara, como si quisiera introducirle a la fuerza pensamientos en la mente.

Pero ella también la observaba fijamente.

—Por su bien, será mejor que no le haya ocurrido nada malo a Mike, porque en caso contrario lamentará haber nacido.

Sara se planteó la posibilidad de quitarle la mordaza y formularle algunas preguntas, pero pensó que seguramente empezaría a gritar, y la gente acudiría enseguida. Sara no tenía manera de explicar qué estaba haciendo.

Al otro lado de la cortina oía al señor Lang con su voz grave, y se dijo que debería haber intentado ponerle algún disfraz. De todos modos, aquel hombre era tan raro que, de hecho, no necesitaba ponerse nada.

Entreabrió la cortina y vio a Carol Garrison ahí sentada, con los ojos muy abiertos. Nadie en Edilean había estado tan cerca del viejo desde... Bien, tal vez desde 1941.

Sara no conocía a la señora Garrison, y se alegró de no tener que inventarse su futuro. Pero resultaba evidente que el fisgón de Lang lo sabía todo sobre ella. Le dijo que su hija mayor se escapaba de casa por la ventana para encontrarse con un chico cuya familia acababa de trasladarse desde Atlanta, y para fumar cigarrillos juntos. Su hija menor le había robado tres dólares del bolso, y a su hijo le gustaba cantar cuando estaba solo, por lo que le aconsejaba que lo apuntara a algún curso. En cuanto a su marido, la verdad era que se quedaba a trabajar hasta muy tarde porque quería comprarse una barca, para la que ya había dado una paga y señal.

La señora Garrison seguía ahí, sentada en silencio, con los ojos y la boca muy abiertos.

—Y ya está —masculló el señor Lang—. Ya puede irse, y que pase el siguiente.

—¿Qué he hecho? —susurró Sara en voz alta volviendo a cerrar la cortina y mirando a Mitzi Vandlo. Al verla, su mente volvió a llenarse de todo el mal que había causado aquella mujer—. Espero que la encierren para siempre por lo que le hizo a Brian. Era un joven muy tierno, y tenía todo el futuro por delante.

La anciana la miró desafiante, como riéndose, y Sara sintió el impulso casi irresistible de golpearla. Pero no lo hizo, y apartó la mirada. ¿Dónde estaba Ariel? ¿Por qué tardaba tanto? Ya había tenido tiempo de tomar prestada la furgoneta de su familia, o incluso de llevarse el coche del premio. Podría haber...

Pero interrumpió sus pensamientos porque, precisamente en ese instante, la parte trasera de la carpa se abrió y penetraron en ella tres palmos del maletero de un coche negro que reconoció al momento: era el preciado BMW de Mike. ¡Estaba bien! Sara estuvo a punto de tropezar con la mujer atada y amordazada al salir en dirección a la puerta del conductor.

Las ventanillas eran tan oscuras que no se dio cuenta de que quien lo conducía era Ariel hasta que ella abrió la puerta y se bajó.

—¿Dónde está Mike? —preguntó con voz temblorosa.

—Ya te he dicho todo lo que sé de él —respondió Ariel mientras entraba en la carpa, que ahora tenía parte del coche en su interior.

Sara la siguió.

—Me ha parecido que podríamos meterla en el maletero —dijo—. ¿Te parece bien?

—Sí, pero ¿cómo has conseguido el coche de Mike? ¿Por qué se lo has cogido?

—¿Es que querías que cogiera un Camry? ¿O un Kia? —Levantó a la señora Myers por un costado—. Tú sujétala por el otro brazo. —Miró con odio a la mujer—. Si me hace daño de un modo u otro, lo lamentará.

Sara seguía observando a Ariel, a la espera de una respuesta.

—Mi padre es vendedor de vehículos. He llamado a Sue al despacho, le he proporcionado el número de bastidor y ella lo ha abierto a distancia.

—¿Y también ha podido arrancarlo desde la oficina?

—No, eso lo he hecho yo misma. He unido unos cuantos cables, y... —Se encogió de hombros.

Les costaba mucho manejar a Mitzi, que parecía haber perdido fuerza y parecía un peso muerto. Debieron hacer acopio de todas sus fuerzas para meterla en el maletero, que cerraron con fuerza.

—Conduzco yo —dijo Ariel.

Cuando ya iban en marcha y salían del recinto ferial, Sara comentó:

—Ariel, vas a convertir a algún hombre en un buen marido.

Ariel no se ofendió.

—En cuanto encuentre a alguno que sea la mitad de bueno que mis hermanos, me lo quedo. ¿Deduzco que nos dirigimos a Merlin's Place?

—Supongo, dado que lo que había en la habitación secreta, ¿pinturas?, es lo que Stefan andaba buscando.

Sara sabía que solo había una obra de arte que alguien le había dejado en herencia en un testamento, la acuarela de CAY. Y era evidente que aquel cuadro infantil no podía valer mucho.

Ariel conducía esquivando a los asistentes a la feria, y se dirigía hacia la carretera. Cuando llegaron al final del recinto, un joven apareció corriendo para levantar la valla y dejarlas salir.

—Ah, los privilegios de ser una Frazier —comentó Sara.

—Si intentas hacerme creer que estás celosa, paso ahora mismo. Estuviste a punto de destrozar el corazón de Lanny en el instituto.

—¿Que yo hice qué? —Sara apoyó una mano en el salpicadero para no perder el equilibrio, porque Ariel conducía demasiado deprisa. La vieja carretera corría paralela al arroyo K, y las curvas eran cerradas.

—Nada. ¿Quieres contarme de una vez de qué va todo esto? ¿Qué es tan importante como para que un detective se haya casado contigo? —Ariel tomó a noventa kilómetros por hora una curva en la que la velocidad máxima era de cincuenta, y tuvo que cerrarse mucho para no empotrarse contra un árbol.

—¡Ariel! ¡Vamos a matarnos!

—Este coche tiene más agarre que todos los que he conducido hasta ahora. Le pediré a mi padre que lo compre. No sé si sabes que Mike tiene todos los cristales blindados. No sé qué llevará metido en el doble fondo del maletero.

Un instante después, las dos se miraron. No sabían lo que Mike guardaba en aquel maletero, pero no era difícil imaginarlo: armas. Y habían metido a Mitzi Vandlo precisamente ahí dentro. Era cierto que iba atada, pero si lograba soltarse...

—Genial —masculló Sara—. Has tenido que escoger precisamente el coche de Mike, y en estos momentos una de las delincuentes más buscadas de Estados Unidos está ahí encerrada con un montón de armas de fuego. Muy buen trabajo, Ariel. Muy inteligente.

—Si no querías mi ayuda no tendrías que habérmela pedido.

Habían llegado a la entrada de Merlin's Farm, y Ariel siguió avanzando para acceder a la granja, pero Sara le pidió que se detuviera.

—El señor Lang ha instalado trampas por todo el terreno, y Mike me habló de algunas de ellas. Quiero que aparques el coche en el huerto. Si Mitzi consigue escapar, tendrá que avanzar entre unos dispositivos que se montaron para pillar a su hijo.

Ariel siguió las indicaciones de Sara y avanzó sobre la hierba, serpenteando entre los setos, y se detuvo al llegar al viejo huerto de árboles frutales.

—¿Y ahora qué hacemos? —preguntó, apagando el motor.

—No lo sé. ¿Tienes alguna idea?

—En primer lugar, deberíamos llamar a Colin.

Sara consultó la hora en el reloj del salpicadero.

Toda tu familia estará en los juegos, y no responderá a tus llamadas.

—En ese caso, supongo que tendremos que apañárnoslas solas.

Bajaron del coche y Sara se fijó en el maletero.

—¿Crees que deberíamos... ver cómo está?

—¿Y que nos salude con un disparo? Diría que no.

Ariel inspeccionaba el huerto al que faltaban la mitad de árboles.

—Este sitio me da escalofríos. Siempre me ha parecido que estaba encantado.

—Mike y yo vamos a restaurar la granja. Ariel, ármate de

valor y pongámonos en marcha. Y no te alejes de mí si no quieres que te alcance una flecha.

Las dos mujeres, con sus vestidos medievales, encajaban a la perfección entre aquellos edificios tan antiguos. Aunque era de día, las dos avanzaban agazapadas por el prado, en dirección a la granja. Hasta que llegaron cerca de la entrada lateral no vieron aparcado el coche de Greg.

El miedo se apoderó de Sara. Desde que se habían conocido, aquel hombre había ejercido un claro poder sobre ella. Y aunque en las últimas dos semanas su vida había cambiado drásticamente, todavía temía que pudiera manipularla a su antojo.

Pero no había tiempo para aquellos pensamientos. Sara supuso que si Greg, y, según esperaba, Mike, se encontraba en la casa, estarían en el gran salón, donde una chimenea descentrada permitiría la existencia de una habitación secreta.

Sara abrió camino hasta el lateral de la casa. Desgraciadamente, solo podía mirar a través de la ventana si se ponía de puntillas, así que lo hizo, y lo que vio aceleró al momento los latidos de su corazón. Había cuatro hombres en la sala. Greg/Stefan estaba de pie, junto a la chimenea. Junto a él, un hombre que sostenía una pistola con la que apuntaba a Mike y a un cuarto hombre, ambos en el centro de la habitación. Los escasos muebles del señor Lang habían sido amontonados en un extremo para que el espacio quedara despejado, y allí habían improvisado una especie de ring de boxeo.

Mike y el otro hombre iban descalzos y sin camisa. Se movían en círculos, y a juzgar por la sangre que cubría sus rostros, el combate llevaba bastante tiempo en marcha.

Los dos eran de tamaño y peso similares, musculosos de cuerpo, anchos de hombros, estrechos de cintura, y sus espaldas trabajadas parecían alas de murciélago.

El otro hombre atacó a Mike sin guantes, como si se tratara de un combate de boxeo a puño descubierto, y Sara se alegró al ver que Mike se agachaba y esquivaba el golpe. Inmediatamente después se echó hacia delante, le agarró la pierna y tiró con fuerza. El hombre mantuvo el equilibrio unos segundos, pero Mike hundió la cabeza en el estómago de su contrincante, que finalmente cayó al suelo y vio cómo Mike se le subía encima.

Ahora los dos hombres, trabados, forcejeaban. Mike seguía encima, y su contrincante le rodeaba la espalda con sus piernas. Mike empezó a asestarle puñetazos en la cabeza, y el hombre echó las piernas hacia abajo y empujó con fuerza a Mike. Este se echó hacia atrás, y al momento los dos se encontraban otra vez de pie, peleándose a golpes.

Sara retrocedió y se llevó la mano a la boca para no gritar. Miró a Ariel.

—¿Ese es el hombre que viste en la feria? ¿El que te gustó tanto?

Ariel se encogió de hombros.

—¡Eres peor juez de hombres que yo!

—Tenemos que avisar a Colin —susurró Ariel.

—Mike ya estaría muerto cuando llegara. —Sara la observó y se fijó en su falda larga, en su corpiño de seda—. Tenemos que distraerlos. ¿Qué llevas ahí debajo?

Ariel esbozó un amago de sonrisa al comprender lo que Sara pretendía, y se volvió para que ella le aflojara las cintas del corpiño.

—Hay una tienda pequeña delante mismo de la Biblioteca Pública de Nueva York, sí, esa tan grande, que lleva una señora francesa diminuta. Es increíble la lencería que tiene. Y todo lo adaptan para que te siente a la perfección.

Hablaba muy deprisa, intentando disimular el miedo que sentía.

—¿En serio? —intervino Sara, con manos temblorosas—. Si consigues... si consigues que uno de esos hombres te siga hasta el pajar, allí hay instalada una trampa. —Sara hacía esfuerzos por pensar en el objetivo, y no en lo que podía ocurrirle a Ariel si un hombre armado empezaba a seguirla. Le explicó el funcionamiento de la trampa y le habló del cable que atravesaba la puerta y que la activaba. También le contó lo del altillo, y que Mike se había descolgado hasta allí con una cuerda.

Cuando Sara terminó de aflojar las cintas del corpiño, Ariel se volvió y empezó a bajarse el pesado vestido por los hombros.

—No me pasará nada —dijo—. Deja de preocuparte por mí.

Finalmente, el disfraz medieval cayó al suelo, quedó al descubierto un corsé negro de seda adornado con pequeñas cintas rojas a la altura de los pechos, y que descendía hasta cubrir solo la mitad de su firme trasero. Las piernas quedaban desnudas.

—Me alegro de no llevar esas bragas de abuela que llevas tú.

—Ariel, ¿por qué no pruebas a ser amable? Quién sabe, tal vez te guste.

Cuando Sara se había confeccionado su propio vestido, lo había hecho para que resultara fácil de poner y quitar. Había ocultado una tira de velcro bajo la costura delantera, lo que le permitió abrírselo en un momento. Al vestirse, aquella mañana, se le había ocurrido premiar a Mike por su más que probable victoria en los juegos, y para ello había escogido una ropa interior que él todavía no le había visto puesta. Su corsé blanco, sus braguitas del mismo color, a juego con las medias que llegaban a mitad del muslo, combinaban bien con la lencería de Ariel.

Esta se apoyó en la fachada de la granja.

—Aquí estamos, vestidas para pasar un día en un burdel. ¿Y ahora qué hacemos?

Un segundo después, la pregunta se respondió sola, porque oyeron unos tiros a lo lejos.

Ariel y Sara se miraron.

—Mitzi —dijeron al unísono.

La vieja había conseguido desatarse y había encontrado las armas de Mike.

—Ve al otro lado de la casa —ordenó Sara—. Yo me quedaré aquí y llamaré la atención de Greg.

Los disparos hicieron que, un momento después, Greg y uno de sus guardaespaldas se asomaran al porche. Cuando Sara, ataviada con su ropa interior blanca, apareció a un lado, los dos la observaron muy sorprendidos.

Del otro extremo llegó entonces un fuerte estruendo, como si una piedra de gran tamaño acabara de impactar en la fachada.

El guardaespaldas se fue a ver qué ocurría, y descubrió a Ariel, alta, delgada, cubierta apenas por su corsé negro. Ni se le pasó por la cabeza abrir fuego, y se limitó a contemplarla.

Ella le dedicó una sonrisa seductora y dio un paso atrás.

El hombre miró a su jefe, pero Greg solo tenía ojos para Sara.

—Es una mujer —dijo el guardaespaldas.

—Ve tú a por ella —masculló Greg—. Esta es mía.

El guardaespaldas bajó de un salto del porche y empezó a seguir a Ariel.

Sara se volvió y también se echó a correr, pero Greg fue más rápido que ella y le dio alcance apenas llegó al camino de gravilla que conducía a las antiguas cocheras.

Se preparó para recibir un primer golpe, pero el golpe no llegó. Al mirarlo a la cara vio que su gesto era de profunda tristeza, de dolor. Se trataba de una expresión que Sara conocía bien. La había usado muchas veces al referirse a exnovias suyas, las que lo habían traicionado y le habían llevado a desconfiar de todas las mujeres.

Mientras lo observaba, a Sara le sorprendió constatar cómo podían cambiar las emociones en tan poco tiempo. Hacía apenas un mes, cuando Greg la había mirado con aquella cara triste, de ser desvalido, ella le había entregado su corazón. ¿Cómo iba a quejarse de nada que él hiciera? ¿Cómo iba a añadir más dolor al que ya le habían causado? Por más que quisiera protestar o cuestionar algo, no lo hacía. No le gustaba que dijeran de ella que hacía daño a nadie, y deseaba demostrarle a Greg que no todas las mujeres eran tan codiciosas, egoístas y manipuladoras como sus anteriores novias.

Ahora, en cambio, veía que aquella expresión lastimera, desvalida, que asomaba al rostro de Greg no era sincera, y no entendía que, por culpa de su baja autoestima, hubiera podido llegar a creerlo alguna vez.

Habría querido decirle todo lo que sabía sobre él. Pero Greg llevaba una pistola al cinto, y era consciente de que no podía hacerlo. Lo sensato era apaciguarlo, no alterarlo más.

Lo que iba a hacer era esforzarse al máximo por usar aquel inmenso ego suyo en su contra. Ahuyentó la ira que sentía, y se abalanzó sobre él.

—Oh, Greg, amor mío, tu ausencia ha sido horrible para mí. No puedes llegar a creerte la cantidad de mentiras que la gente me ha contado sobre ti. Pero yo no he creído ni una palabra.

Contuvo la respiración, a la espera de que él la creyera o... le disparara un tiro. Tras unos segundos que se le hicieron eternos, él la rodeó con sus brazos.

—Sara —tanteó él—. ¿Qué haces aquí, y por qué vas en ropa interior?

—Estaba en la feria, y el señor Lang me ha dicho que estabas aquí.

—¿Lang?

Ella se retiró un poco para mirarlo.

—Sí, el señor Lang me ha dicho que estabas aquí, esperándome, y que querías verme, y, claro, yo he venido inmediatamente. Al llegar, estaba en el coche y me estaba cambiando de ropa, porque llevaba puesto mi disfraz, y he oído algo que me han parecido disparos. He temido que el señor Lang tuviera un arma y quisiera dispararla contra ti, y por eso he salido corriendo tal como estaba.

—¿Y por qué has huido al verme?

—Me ha parecido que te enfadabas tanto al verme en *déshabillé*...

—En des...

Sara vio que un destello fugaz de cólera se encendía en sus ojos, y supo que había cometido un error. Greg no soportaba que ella pronunciara palabras que él desconocía, y aquella mirada le recordó que hasta hacía muy poco había vivido con alguien que cambiaba constantemente de humor. Estaba bien y de pronto montaba en cólera, y siempre era culpa de Sara. Según él, su mal humor (el bueno, no) se debía siempre a ella.

Fingió no haberse percatado de su enfado.

—¡Te he echado tanto de menos! —dijo, y le besó el cuello. «¿Y tú? ¿Me has echado de menos tú a mí? ¿Cuando estabas con tu mujer? ¿O en la cárcel?», habría querido preguntarle.

—Sara, ahora no tengo tiempo para esto. —Le retiró los brazos que le rodeaban el cuello y dio un paso atrás. Pero ella volvió a ver el destello de su mirada. Ignoraba si él sabía que se había casado con Mike o no, pero una cosa estaba clara: quería sexo. Y ella necesitaba ganar tiempo.

—Hay un viejo pabellón de verano cerca de aquí —dijo ella en voz baja—. Detrás de esos setos.

—Yo...

Sara se separó un poco más de él.

—A que no me atrapas... —susurró, fingiendo un tono seductor, y salió corriendo en dirección al pabellón.

Pero había visto la ira recorrer los ojos de Greg, y sabía que no tardaría mucho en liberarla. Mientras corría, a su mente regresó la imagen del señor Lang instalando un cable atravesado en la puerta del viejo pabellón, colocando las flechas del lado interior del dintel.

Recordaba que, en aquel momento, había imaginado qué ocurriría si Mike o ella entraban en aquella preciosa estructura una vez que la trampa hubiera sido instalada. Pero ahora, mientras corría por el prado y bordeaba el seto que mantenía la intimidad del pabellón, no podía seguir pensando en todo aquello.

Se dirigió directamente hacia el edificio, y entró en él dando un salto. Una vez dentro, se quedó de pie, de espaldas a la pared, y vio que las cuatro flechas de Lang seguían fijadas junto al marco. No había escapatoria.

Greg se detuvo junto a la puerta.

—¡Sara! ¡Sal ahora mismo! —ordenó.

—Prefiero que entres tú —susurró ella, aunque el corazón le latía con fuerza.

Ante su negativa, Greg descargó al fin su ira.

—¡Eres una zorra! —dijo, abalanzándose sobre ella.

Todo ocurrió a la vez. Greg extrajo el arma y dio un paso al frente. Y ella oyó el chasquido del cable.

Por la expresión de su mirada, Greg supo que había ocurrido algo.

—¡Maldito Lang y sus trampas! —exclamó, apuntándola con el arma.

Instintivamente, Sara se echó al suelo y se cubrió la cabeza con las manos.

En el preciso instante en que el arma se disparaba, se accionaron las flechas.

Stefan Vandlo, alias *Greg Anders*, alias muchos otros nombres, fue alcanzado por cuatro proyectiles de punta de acero, y quedó en silencio para siempre.

Sara estaba tan horrorizada por lo que acababa de ocurrir —por lo que ella misma había provocado— que apenas se tenía en pie. Las salpicaduras de la sangre de Greg le cubrieron el rostro y la ropa interior. Para salir, habría tenido que apartar el cuerpo, ensartado frente a la puerta, y no tenía valor para hacerlo. De modo que permaneció donde estaba, con la espalda apoyada contra la pared del pabellón de verano.

Mike tardó bastante en librarse de los dos agentes que habían acudido a la llamada que realizó tras oír los disparos. En cuestión de minutos, la vieja granja estaba inundada de vehículos y hombres, y todos ellos tenían información que transmitir.

Aunque no tardaron nada en dar con Mitzi, Greg se les resistía. Había patrullas de emergencia por todas partes, e incluso un helicóptero, además de muchísima gente. La caza de Stefan Vandlo era intensa.

Pero a Mike solo le preocupaba Sara. Tuvo que abrirse paso a codazos para llegar junto a Ariel. Cuando ella le contó que las dos habían acudido juntas, fue presa del pánico. Hasta ese momento él había creído que Sara estaba a salvo en la feria.

Desesperado, echó a correr en dirección al único lugar de Merlin's Farm que pasaría desapercibido a los agentes encargados de rastrear la finca.

Cuando finalmente encontró a Sara, ella estaba al fondo del viejo pabellón de verano, y el cuerpo sin vida de Stefan Vandlo yacía medio colgado, atravesado en la puerta. Las flechas del señor Lang habían penetrado en su cuerpo por cuatro puntos; uno de ellos era el corazón.

Mike no tuvo reparos al retirar las flechas, y cuando arrancó la última, el cuerpo se desplomó en el suelo. Se fue hasta Sara y la estrechó con fuerza en sus brazos.

—Ya está, ya pasó —le susurró al oído—. Estás a salvo.

Le colocó la cabeza sobre su hombro para que no viera el cuerpo de Stefan mientras la brigada de emergencias se lo llevaba. Cuando la salida quedó libre, la condujo al exterior, la cargó en brazos y se la llevó a la casa.

En el camino había estacionados un camión de bomberos y una ambulancia, y sobre el prado había aterrizado un helicóptero.

Alguien cubrió a Sara con una manta mientras Mike seguía abrazándola, y vio a Ariel apoyada en el camión de bomberos. Llevaba la casaca de uno de los agentes echada sobre los hombros, pero sus piernas largas y finas quedaban a la vista. Estaba rodeada por seis o siete hombres. Al ver que Sara la miraba, y antes de que Mike se la llevara, le dedicó un breve saludo.

Mike la llevó hasta la cocina de la casa y la sentó sobre la desgastada encimera de formica. Tras abrir un par de armarios, encontró un montón de trapos de cocina limpios, humedeció uno y empezó a secarle la cara. Los trapos se iban manchando de sangre. De la sangre de Greg.

Ella levantó la mano y, con suavidad, le rozó el cardenal que le cubría el ojo derecho. Bajo el izquierdo había un corte.

Mike consiguió limpiarle casi toda la sangre del rostro, pero su visión aún la perseguía. Solo entonces, súbitamente, recordó cómo había llegado hasta Merlin's Farm.

—¡Mitzi! La trajimos hasta aquí en tu coche, pero hemos oído disparos y creemos que...

Mike la besó con ternura.

—Tranquila. Mitzi ha escapado, pero ha caído en una de las trampas de Lang. La hemos encontrado colgando de un árbol, metida en una red.

—¿Está bien? —preguntó alguien desde la puerta.

Sara se volvió y vio al hombre con el que Mike había estado peleándose, el que le había destrozado la cara, el que trabajaba para Greg.

—Esto se lo has hecho tú —le recriminó alzando mucho la voz—. ¡Te he visto pegarle!

Instintivamente había cerrado los puños, como si estuviera a punto de abalanzarse sobre él.

—En este momento no eres su persona favorita —intervino Mike—. Sara, mi princesa guerrera, te presento a Frank Thiessen. Ya te he hablado de él, y es un viejo amigo.

—No tan viejo —dijo Frank acercándose a Sara con la mano extendida.

Sara no se la estrechó. No estaba acostumbrada a tratar con hombres que se pegaban y a la vez eran grandes amigos.

—Si te sirve de consuelo, Mike me ha destrozado más a mí que yo a él. De hecho, en un par de ocasiones ha estado a punto de matarme. Podría mostrarte algunas de las heridas que me ha causado...

Pero Frank no siguió hablando, consciente de que Sara no estaba de humor para bromas.

A un gesto de Mike, abandonó la cocina.

—Sara, cariño, no pasa nada. Frank estaba trabajando en otro caso y oyó que alguien mencionaba el nombre de Edilean. Pidió que lo asignaran a la investigación Vandlo porque sabía que mi hermana vivía aquí. Estuvo en la cárcel varios meses para tener una buena coartada cuando Stefan Vandlo se convirtiera en su compañero de celda. De hecho ha sido Frank el que me trajo hasta aquí. Trabajó muy duro para sacarle información a Stefan, pero no lo consiguió. Lo máximo que obtuvo de él fue convencerlo de que necesitaba un guardaespaldas.

—¿Y el otro hombre que he visto acompañando a Greg también es agente?

—No —aclaró Mike—. Ese venía de parte de Mitzi. Creo que estaba harta de que su hijo estropeara todo lo que ella intentaba hacer. —Mike le alisó el pelo—. Frank es la única persona a la que había hablado de Tess y Edilean. Cuando el capitán Erickson me dijo que sabía cosas de mí, supe que las había obtenido de Frank, y durante un tiempo no estaba seguro de si me había traicionado, o si necesitaba mi ayuda.

—Cuando os he visto pelear...

—Intentábamos alargarlo todo al máximo con la esperanza de que Mitzi apareciera y poder pillarla. Nadie pensaba que tú serías la encargada de atraparla. —La miró con los ojos llenos de orgullo, y ella se sonrojó—. Cuando Frank se ha puesto en contacto conmigo en la feria, planeamos representar todo un numerito de lucha para distraer a Vandlo el mayor tiempo posible.

—Eso no ha sido ningún «numerito». Las heridas son de verdad.

Ella le acarició el rostro, y notó que Mike hacía esfuerzos por no demostrar dolor.

—Frank y yo recibimos adiestramiento juntos, y hemos practicado mucha lucha en jaula y...

—¿Como la que piensas practicar en ese gimnasio que quieres abrir aquí?

—Exacto. ¿Qué te parece si esta noche te hago una demostración? Podríamos luchar tú y yo.

Mike sonreía, pero Sara no. En las últimas horas le habían ocurrido cosas tan malas que no le apetecía sonreír.

Mike cambió de tema.

—¿Quieres saber cómo descubrí la existencia de un cuarto secreto? Lang llevó un cable eléctrico hasta allí para poder tener luz. Cuando tú y yo vinimos a visitarlo, y mientras vosotros dos hablabais de galletas, yo me dediqué a observar y vi que el cable se metía en la pared. Pero no fui consciente de lo que había visto hasta el día siguiente.

Sara le acarició la mejilla y lo miró con amor.

—Eres listo, guapo y con talento.

Mike se echó a reír.

—Entonces debo de ser un reflejo tuyo. —Le sujetó con gran delicadeza la barbilla con las puntas de los dedos—. Sara, siento que hayas tenido que encargarte de todo eso tú sola. Al chico del FBI que se quedó al mando de las grabaciones le han dicho que Joce se había ido, y ha dado por supuesto que la carpa de la pitonisa estaría vacía. Ha venido a vernos saltar a Ana y a mí a la comba. Por si te sirve de consuelo, en este momento luce los dos ojos morados. Uno se lo he puesto así yo mismo, y el otro, Frank. Yo habría querido partirle las piernas, pero mi amigo no me ha dejado. —Se encogió de hombros—. Colin sigue creyendo que deberíamos...

Se interrumpió al ver que la puerta se abría. Una policía traía el vestido largo de Sara, y al dejarlo sobre la mesa de la cocina, observó a Sara con admiración.

—Ha hecho un magnífico trabajo —le dijo antes de ausentarse.

Mike le dedicó una sonrisa a Sara.

—Todavía no he visto las grabaciones, pero me dicen que has estado magnífica con Mitzi. Supongo que estaba acostumbrada a que nadie la reconociera, y como no creía que tú fueras su prototipo de víctima, se ha ido de la lengua precisamente con quien no debía. Sea como sea, lo que me han dicho es que estuviste magnífica.

—Bueno, no tanto —dijo Sara, aun así complacida con sus elogios—. Creo que Mitzi se emocionó tanto al ver las cartas del tarot que dejó de pensar con frialdad. Yo estaba asustadísima. Pero tuve ayuda.

—Sí, ya han hablado con Ariel.

—¿Qué le ha pasado a ella? He visto que la perseguía un hombre.

—Al oír los disparos, Stefan y el otro guardaespaldas han salido corriendo. Frank y yo hemos sabido que todo había terminado. Mitzi no se presentaría nunca si alguien disparaba. Así que Frank y yo hemos llamado para pedir ayuda mientras corríamos tras ellos. Frank ha encontrado al otro guardaespaldas y lo ha abatido.

—Quieres decir que le ha disparado.

—Sí. Pero si Frank hubiera llegado un segundo después, no creo que Ariel siguiera con vida. —Vaciló—. De todos modos, ha habido un problema.

Pero enseguida se le formó el hoyuelo en la mejilla, y Sara lo miró, desconcertada.

—Supongo que tú le contaste que yo te salvé de caer en una trampa descolgándome por una cuerda.

—¿Qué ha hecho esa loca?

—Cuando Frank ha disparado al guardaespaldas de Vandlo, ella ha intentado huir colgándose de una cuerda. Comprensible, teniendo en cuenta que no sabía quién era Frank, que de todos modos lo ha tenido algo difícil para interceptarla.

A Sara no le costó nada visualizar la lucha que se había producido entre los dos: ella en lencería negra peleando con todas sus fuerzas. Sí, definitivamente, Ariel casi habría disfrutado algo así.

—Creo que se gustan —observó Mike apoyando la cabeza en la suya—. En cuanto a ti... hoy me siento como si hubiera envejecido diez años de golpe. Los federales querían hablar conmigo, y yo quería saber qué había ocurrido. De haber sabido que estabas aquí, habría sabido dónde ir a buscarte. —Le acarició el pelo—. Cuando me han dicho que no estabas en la feria, el pánico se ha apoderado de mí. He ido a buscar a Ariel, y cuando me ha contado que habíais venido juntas... Sara, no tendrías que haber...

Pero ella lo miró fijamente, y él no pudo seguir.

—Está bien, está bien, nada de sermones —dijo—. Me ha dado miedo que te expusieras a tanto peligro, pero la verdad es que me alegro mucho, muchísimo, de que hayas capturado a Mitzi. —Apoyó las manos en sus hombros—. Y ahora, Sara, amor mío, aunque lo que llevas puesto me encanta, no quiero que otros hombres te vean así. Déjame que te vista, porque tenemos que hablar con varias personas, ¿de acuerdo?

Sara lo agarró del brazo, y él se volvió sin entender.

—Me has llamado «amor mío».

Mike la miró, desconcertado.

—Hasta ahora no me lo habías dicho. —Pero él seguía sin comprender, y ella repitió—: ¡Amor! Nunca habías pronunciado mi nombre y la palabra «amor» en una misma frase.

—¿Tú crees que me casé contigo pero que no estaba loco por ti?

—La resolución del caso requería...

Mike se plantó frente a ella, le levantó las piernas y las colocó rodeándole las caderas.

—El mundo está lleno de delincuentes, pero yo nunca me he casado con una mujer para salvarla. —La besó en el cuello—. Te quiero. —La besó en la mejilla—. Te quiero más cada día. —La besó en los párpados—. Cuando te he visto ahí de pie, en el pabellón de verano, detrás de Vandlo, toda ensangrentada, por un momento no he sabido si estabas viva, y me ha parecido que me moría yo también...

—A mí me ha ocurrido lo mismo —dijo Sara, devolviéndole los besos—. Al darme cuenta de que aquella anciana era Mitzi, he sabido que corrías peligro y...

—Ya está, tranquila, todo ha terminado —le susurró, abrazándola—. El lunes tengo que regresar a Fort Lauderdale. ¿Crees que te dará tiempo a hacer el equipaje? Aunque, en realidad, no sé con qué vehículo voy a viajar.

—¿Tu coche...?

—Está agujereado por todas partes. ¿Qué diablos te pasó por la cabeza para meter a Mitzi Vandlo en un maletero lleno de armas? ¿No podrías haber robado otro coche?

—Conmigo no te enfades. Fue Ariel. Tu querida Ariel, con la que sales a cenar aunque eres un hombre casado.

—Cuando salí a cenar con ella no estaba casado contigo. Y además, ella...

—Siento interrumpir este momento —dijo Frank desde el quicio de la puerta—. Pero todo el mundo se muere de ganas de ver a la mujer que ha capturado a Mitzi.

—Estoy con vosotros enseguida, en cuanto Sara se vista.

—Por nosotros, no hace falta que se moleste —replicó Frank, y al ver que Mike lo fulminaba con la mirada, se carcajeó.

—Supongo que las pinturas escondidas en el cuarto secreto de Lang están firmadas por CAY.

—Sí —le confirmó Mike—. Las iniciales corresponden a

Charles Albert Yates. Ayer, Luke y yo las sacamos de aquí. —Levantó a Sara de la encimera—. Hay aproximadamente un centenar, pero eso no es todo. Todo lo que contiene ese escondite es muy antiguo, aunque yo no tengo la menor idea de qué es. Encontramos cajas de madera llenas de cartas y periódicos viejos, y ropa. La falda escocesa y la camisa que Lang llevaba aquella noche de 1941, y de las que yo me pasé la infancia oyendo hablar, estaban ahí. —Mike aspiró hondo—. No concibo que nadie haya encontrado ese cuartito antes que nosotros.

—El señor Lang remachó la puerta con clavos —dijo Sara, mientras Mike la ayudaba a vestirse.

—Para que solo él pudiera ver lo que contenía. Tiene su lógica.

—¿Y cómo supo Mitzi de la existencia de los cuadros? ¿Son valiosos?

Mike no respondía.

—Mike... Mike, ¿qué ocurre?

—He enviado fotos de un par de cuadros a los federales en Washington. Sara, querida. Eres millonaria. Multimillonaria.

Al saberlo, lo único que le pasó por la mente fue si tendría dinero para restaurar Merlin's Farm. Y que no tendría que preocuparse por la educación de sus hijos. Y que Mike podría abrir el mejor gimnasio del mundo. Sonriendo, lo miró, pero vio que él seguía muy serio.

—Eres la única persona en el mundo que no se alegra al saber que va a recibir un montón de dinero.

—No es mi dinero. Es tuyo, y puedes hacer muchas cosas con él.

Sara tuvo que esforzarse por no soltar un grito. Lo que estaba haciendo era informarle de que si quería liberarse de sus votos matrimoniales, él no se lo impediría.

—¿Crees que Tess podrá gestionarnos tantos millones?

—Sí, claro —respondió, y volvió a formársele el hoyuelo.

Ella entrelazó el brazo con el suyo.

—Mi madre tiene ya una lista de personas que quieren apuntarse a tu gimnasio.

—La cuestión será saber si tú te levantarás de la cama para ir también.

—Yo... —dijo, pero al dar un paso más y salir por la puerta, no pudo seguir hablando.

Junto al camión de bomberos, a la ambulancia y a los coches de patrulla parecía haberse congregado la mitad de la población de Edilean. Y, al ver a Sara, los presentes prorrumpieron en aplausos. Ella estaba segura de que la mayoría de ellos no tenía la menor idea de qué había hecho, pero les habrían contado lo suficiente como para que el pueblo se sintiera orgulloso de ella.

Se volvió a mirar a Mike.

—Adelante —dijo él—. Este es tu momento. Tú eres la heroína. —Le apretó mucho la mano—. Nadie volverá a sentir lástima por Sara Shaw.

Si en algún momento hubiera dudado de su amor por él, sus dudas se habrían disipado en ese momento. Si aquel caso se había resuelto había sido gracias a su empeño y su tesón, pero Mike se mostraba dispuesto a echarse a un lado y cederle a ella todo el mérito, toda la gloria.

—Newland —dijo ella—. Sara Newland. El apellido del hombre que amo.

Mike sonrió.

—Sí, señora Newland. Mi mujer.

Sara se volvió y se encaminó hacia las personas que esperaban para felicitarla, pero sin soltarse de la mano de Mike.

Agradecimientos

Quisiera dar las gracias a la persona que ha hecho posible este libro, mi asesor y, ante todo, mi amigo, el detective Charles J. Stack, de la División de Delitos Económicos del Departamento de Policía de Fort Lauderdale.

Charlie, que fue campeón nacional de kickboxing y karate, y yo, practicamos deporte juntos. Mientras me hacía levantar unas pesas cada vez más grandes y me obligaba a ponerme unos guantes de boxeo y golpear ese saco de *sparring*, iba respondiendo a todas mis preguntas. Charlie no dejaba de responder al instante todos mis mensajes de texto, estuviera donde estuviese, ya fuera en la vista de un juicio, ya reunido con el fiscal general. Me lo explicaba todo, desde los planes de jubilación del departamento de policía de Fort Lauderdale hasta el último fallo del Tribunal Supremo de Estados Unidos sobre qué es y qué no es el Muay Thai.

Me contaba historias fascinantes sobre sus peligrosas misiones de incógnito. (¡La cadena AMC quiere rodar un documental sobre una de ellas!) Leyó las escenas de las luchas que yo escribí sobre las peleas y sobre el trabajo real de Mitzi, y me sugirió excelentes correcciones.

Sus ideas sobre el funcionamiento de las mentes criminales, como las de la familia Vandlo, me resultaron extraordinarias y fascinantes de oír. La magnitud de los delitos a los que se enfrenta, y la falta de conocimiento de los mismos por parte del público, me horrorizaba.

Jamás podré expresarle a Charlie la gratitud que se merece, por su ayuda, su inteligencia, su amabilidad y su paciencia infinita.

Gracias, Charlie, tú eres el héroe.